Herausgegeben im Auftrage des Präsidenten
der Akademie der Wissenschaften der DDR
von Vizepräsident Prof. Dr. Heinrich Scheel

Verantwortlich für dieses Heft:
Akademiemitglied Prof. Dr. sc. oec. Helmut Koziolek
Vorsitzender des Wissenschaftlichen Rates für die
wirtschaftswissenschaftliche Forschung bei der
Akademie der Wissenschaften der DDR

Redaktionsschluß: **10. August 1977**

Erschienen im Akademie-Verlag, 108 Berlin, Leipziger Str. 3–4
Akademie-Verlag Berlin 1978
Lizenznummer: 202 · 100/34/78
Gesamtherstellung: IV/2/14 VEB Druckerei »Gottfried Wilhelm Leibniz«,
445 Gräfenhainichen/DDR · 5118
Bestellnummer: 753 518 4 (2001/78/1/W) · LSV 0345
Printed in GDR
DDR 15,– M

ABHANDLUNGEN
DER AKADEMIE DER WISSENSCHAFTEN DER DDR
Abteilung Veröffentlichungen der Wissenschaftlichen Räte

Jahrgang 1978 · Nr. W 1

22. Tagung des Wissenschaftlichen Rates
für die wirtschaftswissenschaftliche Forschung
bei der Akademie der Wissenschaften der DDR
am 10. 6. 1977

Probleme der Leitung in der Wirtschaft

Zur weiteren Vervollkommnung der Leitung,
Planung und ökonomischen Stimulierung
der gesellschaftlichen Produktion;
die Entwicklung und Festigung der Kombinate
in der sozialistischen Industrie

AKADEMIE-VERLAG · BERLIN · 1978

Inhaltsverzeichnis

* schriftlich eingereichter Beitrag

* schriftlich eingereichter Beitrag

* schriftlich eingereichter Beitrag

1. Thesen*

* Überarbeitete und gekürzte Fassung.
Ausgearbeitet von Prof. Dr. Gerd Friedrich, Prof. Dr. Rudolf Gerisch, Prof. Dr. Fritz Haberland und Prof. Dr. Lothar Hummel.

Zur weiteren Vervollkommnung der Leitung, Planung und ökonomischen Stimulierung der gesellschaftlichen Produktion; die Entwicklung und Festigung der Kombinate in der sozialistischen Industrie

1. *Die Leitung der sozialistischen Wirtschaft ist darauf gerichtet, entsprechend der wirtschafts- und sozialpolitischen Zielsetzung der Partei die besten Bedingungen und Voraussetzungen für die bewußte Nutzung der ökonomischen Gesetze des Sozialismus zu schaffen.* Die weitere Vervollkommnung der Leitung, Planung und ökonomischen Stimulierung der gesellschaftlichen Produktion ist in dem Sinne der Wirtschaftsstrategie der Partei untergeordnet, daß jeder Schritt zur Vervollkommnung der Leitung der Erfüllung der wirtschafts- und sozialpolitischen Aufgaben zu dienen hat.

Die Realisierung der durch den IX. Parteitag gesetzten Ziele bei der weiteren Gestaltung der entwickelten sozialistischen Gesellschaft schließt als wesentliche Bedingung die ständige Erhöhung der Effektivität der gesellschaftlichen Arbeit durch hohe Leistungen bei der Steigerung der Produktion und der Arbeitsproduktivität ein. Darauf gilt es, *die Leitung, Planung und ökonomische Stimulierung der gesellschaftlichen Produktion* auszurichten.

„Bei allen Maßnahmen zur weiteren Vervollkommnung der Leitung, Planung und ökonomischen Stimulierung haben wir zu berücksichtigen, daß der Plan 1976 bis 1980 ein Fünfjahrplan der weiteren kontinuierlichen Verwirklichung der Hauptaufgabe, ein Plan der allseitigen Intensivierung, der weiteren Erhöhung der Effektivität und der Qualität der Produktion ist. Dementsprechend sind die dazu erforderlichen Maßnahmen noch konsequenter auf die Entwicklung der qualitativen Faktoren des Wachstums, das heißt insbesondere auf die Förderung und Beschleunigung des wissenschaftlich-technischen Fortschritts sowie der effektiven Anwendung seiner Ergebnisse in der Produktion zu richten."[1]

Die damit verbundenen Ansprüche an die Leitung, Planung und ökonomische Stimulierung der gesellschaftlichen Produktion hängen ursächlich mit den für die entwickelte sozialistische Gesellschaft charakteristischen Veränderungen in den Wirkungsbedingungen der ökonomischen Gesetze zusammen. Der Übergang zu einer Reproduktion, die ihrem Typ nach intensiv-erweiterte Reproduktion darstellt, schließt die Möglichkeit und die Notwendigkeit ein, den wissenschaftlich-technischen Fortschritt wesentlich zu beschleunigen, die qualitativen Faktoren des Wirtschaftswachstums stärker zu nutzen und das Gesetz der Ökonomie der Zeit in jenem von Marx herausgearbeiteten umfassenden Sinne durchzusetzen. Wesentliches Merkmal der Intensivierung der Produktion besteht darin, daß die Effektivität der Produktion schneller wächst als der Ressourceneinsatz. Veränderte Wirkungsbedingungen der ökonomischen Gesetze erwachsen schließlich aus der weiteren Ausprägung sozialistischer Lebensweise, den enger werdenden Wechselbeziehungen zwischen sozialen und ökonomischen Prozessen, der weiteren Vergesellschaftung der Produktion, den sich rasch erweiternden

[1] E. Honecker, Bericht des Zentralkomitees der Sozialistischen Einheitspartei Deutschlands an den IX. Parteitag der SED, Berlin 1976, S. 84.

internationalen Wirtschaftsbeziehungen, insbesondere im Zusammenhang mit den Prozessen der sozialistischen ökonomischen Integration, den Veränderungen im Charakter der Arbeit und der wachsenden Reife der sozialistischen Produktionsverhältnisse. Forderungen, wie die, die vorausschauende Arbeit in der Leitungstätigkeit zu verbessern, die Komplexität in der Planung zu erhöhen, den Zeithorizont zu erweitern, die Kombinate so zu organisieren und zu festigen, daß sie ihren Reproduktionsprozeß vorausschauend und im Komplex beherrschen können, das Zusammenwirken der betrieblichen und örtlichen Organe wesentlich zu verstärken, um gemeinsam die Entwicklung der Arbeits- und Lebensbedingungen und die beste Verbindung der zweiglichen Entwicklung mit den territorialen und Produktionsressourcen zu sichern u. a. m., ergeben sich in hohem Maße aus Veränderungen in den Wirkungsbedingungen der ökonomischen Gesetze des Sozialismus. Die hohen Anforderungen an die Leitung der sozialistischen Wirtschaft spiegeln schließlich die Tatsache wider, daß das System der staatlichen Leitung das Hauptinstrument der Arbeiterklasse und ihrer Partei bei der Durchführung der Wirtschafts- und Sozialpolitik ist.

Ausgehend von den Wirkungsbedingungen und Erfordernissen der ökonomischen Gesetze in der gegenwärtigen Etappe der Gestaltung der entwickelten sozialistischen Gesellschaft und gerichtet auf die Erfüllung der wirtschafts- und sozialpolitischen Aufgaben, fixierte der IX. Parteitag der SED die Grundrichtungen zur weiteren Vervollkommnung der Leitung, Planung und ökonomischen Stimulierung der gesellschaftlichen Produktion. Der Parteitag konnte sich dabei auf die nach dem VIII. Parteitag erreichten Fortschritte in der Vervollkommnung der Leitung stützen. So gelang es u. a., Produktion und Konsumtion mittels des Planes enger zu verbinden, den Bedarf der Bevölkerung und der Volkswirtschaft stärker zum Ausgangspunkt der Planung zu machen und reale aber zugleich progressive Planaufgaben aus volkswirtschaftlichen Analysen abzuleiten; die Planung von Wissenschaft und Technik zu qualifizieren und sie zwingender in die Leitung und Planung des komplexen Reproduktionsprozesses einzuordnen; die Leitung und Planung der wirtschaftlichen und wissenschaftlich-technischen Zusammenarbeit im Rahmen der sozialistischen ökonomischen Integration zu verbessern; die Leitung und Planung sozialer Prozesse, insbesondere in den Betrieben und Territorien auszubauen. Ein wesentliches Ergebnis der Entwicklung des Leitungssystems der sozialistischen Industrie in den Jahren 1971 bis 1975 war die Festigung der Kombinate, die sich zu einem wichtigen Bestandteil der Wirtschaftsorganisation und als ein wichtiges Glied des Leitungssystems entwickelten. Schließlich haben, wie Genosse Erich Honecker hervorhob, die Leiter in Staat und Wirtschaft ihre Fähigkeiten in der sozialistischen Wirtschaftsführung vervollkommnet, und in engem Zusammenhang mit der Vervollkommnung der Leitung entwickelten sich neue Formen der Initiative und des Schöpfertums der Werktätigen im Rahmen des sozialistischen Wettbewerbs und der Neuererbewegung. *Die Partei widmete und widmet der Qualifizierung der Kader in Staat und Wirtschaft, ihrer Erziehung zur Treue zur Sache der Arbeiterklasse, der Erhöhung ihrer Sachkunde, ihres Verantwortungsbewußtseins und ihrer Verbundenheit mit den Kollektiven der Werktätigen besonderes Augenmerk.*

So erwartet sie von den Leitern den persönlichen Einsatz in der Organisation des wissenschaftlich-technischen Fortschritts und in der schöpferischen Suche nach Produktionsreserven, das Gefühl für das Neue und die Sicht der perspektivischen Entwicklung, verknüpft mit der Fähigkeit, die Kollektive konsequent auf dem Weg der kontinuierlichen Erfüllung der Planaufgaben voranzuführen. Mit der gesellschaftlichen und ökonomischen Entwicklung wächst die Verantwortung in der staatlichen Leitungstätigkeit. Das betrifft aber auch die persönliche Verantwortung, die jeder Leiter an seinem Arbeitsplatz im Interesse der gesamten Gesellschaft wahrzunehmen hat. Auf dem XXV. Parteitag der KPdSU wurden für den Erfolg der Leitungstätigkeit die Merkmale des Leninschen Arbeitsstils hervorgehoben. Auf dieser Grundlage muß der Leiter Parteilichkeit mit großer Sachkenntnis, Diszipliniertheit mit Initiative und schöpferischem Herangehen an die Aufgaben verbinden. Er ist verpflichtet, an jedem Abschnitt seiner Tätigkeit sozialpolitische und erzieherische Aspekte zu beachten, feinfühlig den Menschen, ihren Nöten und Bedürfnissen gegenüber aufzutreten und Vorbild in der Arbeit und im Leben zu sein.

2. Die Fortführung des politischen Kurses der Hauptaufgabe und die Sicherung des notwendigen ökonomischen Leistungsanstiegs erfordern, *die zentrale staatliche Leitung und Planung weiter zu qualifizieren* und noch wirksamer mit der schöpferischen Aktivität und eigenverantwortlichen Tätigkeit in den Betrieben und Kombinaten sowie örtlichen Staatsorganen zu verbinden.

In der Arbeit der zentralen staatlichen Leitungsorgane wird es zunehmend notwendiger, durch eine Konzentration ihrer Arbeit auf die *Grundfragen der wirtschaftlichen Entwicklung* die günstigsten Bedingungen für eine stetige Erhöhung der Effektivität des volkswirtschaftlichen Reproduktionsprozesses zu schaffen. Das schließt vor allem die *vorausschauende Gestaltung der Produktions- und Außenwirtschaftsstruktur* sowie einen dementsprechenden Ausbau der materiell-technischen Basis der Volkswirtschaft ein, mit dem Ziel, die langfristig stabile Deckung des Bedarfs der Volkswirtschaft mit einer effektiven, der nationalen Ressourcenlage angepaßten Produktionsstruktur zu erreichen.

Die Hauptrichtung wird dadurch bestimmt, daß die verfügbaren Rohstoffe und Ausgangsmaterialien durch qualifizierte Arbeit so weit veredelt werden wie möglich und hochwertige Endprodukte effektiv hergestellt werden. Darauf ist der Einsatz des wissenschaftlich-technischen Potentials, der Investitionsmittel und die internationale wissenschaftlich-technische und ökonomische Zusammenarbeit im Rahmen der sozialistischen ökonomischen Integration noch stärker auszurichten.

Die Proportionalität des volkswirtschaftlichen Reproduktionsprozesses unter Bedingungen wachsender Dynamik der Produktion zu sichern und die Zusammenhänge zwischen Ressourceneinsatz, wirtschaftlichem Wachstum und Erhöhung der Effektivität der Produktion zu beherrschen, wird komplizierter. Dabei tritt für die zentrale staatliche Leitung die Notwendigkeit hervor, *komplexe Lösungen für volkswirtschaftliche Querschnittsprobleme,* die vor allem Grundprozesse der Entwicklung von Wissenschaft und Technik, Grundfragen der Rohstoff- und Materialökonomie, der Ausnutzung des gesellschaftlichen Arbeitsvermögens und der Grundmittelreproduktion betreffen, zu finden. Die qualitativen Faktoren des Wachstums im Plan besser zu erfassen, erfordert, den Zeithorizont der Planung zu erweitern und komplexe sowie stabile Entscheidungen zu künftigen Abläufen im volkswirtschaftlichen Reproduktionsprozeß vorzubereiten. Es erfordert auch die stärkere Nutzung neuer Formen und Methoden der Planung, durch die wichtigen ökonomischen Zusammenhängen noch besser Rechnung getragen werden kann. Eine stärkere Konzentration auf Grundfragen der wirtschaftlichen Entwicklung in der Arbeit der zentralen Organe erfordert zugleich im Rahmen der staatlichen Planung ein *höheres Maß an eigenverantwortlicher Tätigkeit auf der Ebene der Betriebe, Kombinate und örtlichen Staatsorgane.* Die Betriebe und Kombinate müssen, ausgehend von der wirtschaftspolitischen Zielstellung, ihrer Verantwortung für die Weltmarktfähigkeit der Erzeugnisse, die qualitative und quantitative Deckung des Bedarfs der Volkswirtschaft an Erzeugnissen und Leistungen, die Sicherung einer reibungslosen Kooperation, die Erhöhung der Produktivität und Effektivität voll nachkommen. Ihre Aufgabe ist es, unter Nutzung aller Quellen der Intensivierung den hohen Leistungsanforderungen gerecht zu werden.[2] Für das *Zusammenwirken der zentralen Staatsorgane mit den Betrieben, Kombinaten und örtlichen Staatsorganen* sowie für die langfristig stabile Zusammenarbeit der Betriebe und Kombinate, der Zweige und Territorien schafft die *Entwicklung des Fünfjahrplanes zum Hauptinstrument der Leitung der Wirtschaftstätigkeit* günstigere Voraussetzungen. In den Betrieben und Kombinaten wurden für den Zeitraum 1976 bis 1980 erstmalig verbindliche Fünfjahrpläne ausgearbeitet. Damit kommt bereits zum Ausdruck, daß es in diesem Zeitraum um erste Schritte der Entwicklung des Fünfjahrplanes zum Hauptinstrument der Leitung geht, Erfahrungen gesammelt werden müssen, wie das Zusammenwirken von Jahresplanung und Fünfjahrplanung – insbesondere die prognostische und analytische Arbeit, die Plankoordinierung, die normative Basis des Planes – verstärkt werden müssen. Unbeschadet der Einschränkung, der der Fünfjahrplan 1976 bis 1980 in seiner zielsetzenden und stimulierenden Funktion unterliegt, sind diese ersten Schritte im Ausbau der Rolle des Fünfjahrplanes von prinzipieller Bedeutung für eine bessere Verknüpfung gegenwärtiger und zukünftiger Aufgaben. *Mit dem Ausbau der Fünfjahrplanung ergeben sich bessere Bedingungen, die Faktoren der Leistungs- und Effektivitätserhöhung planmäßig zu erschließen, die zunehmende Komplexität ökonomischer und sozialer Prozesse besser zu beherrschen, die Kontinuität und Proportionalität der Produktion zu sichern.*

Das Kernproblem, um die zielsetzende und stimulierende Funktion des Fünfjahrplanes wirksamer zu machen, besteht darin, den Grad der Bilanziertheit der Aufgaben und des Ressourceneinsatzes für den gesamten Fünfjahreszeitraum zu erhöhen. Auf dieser Grundlage wird es möglich, die Stabilität der Entscheidungen über wissenschaftlich-technische Aufgaben, Einsatz der Investitionsmittel, Konzentration und Spezialisierung der Produktion zu erhöhen und die Absatz- und Versorgungsbeziehungen, insbesondere die Kooperation der Betriebe und Kombinate langfristig zu organisieren.

Die Erfahrungen der letzten Jahre bei der Ausarbeitung und Durchführung der Pläne bestätigen nachdrücklich, daß *die Autorität des Planes in hohem Maße von seiner Stabilität, vom konsequenten Kampf um die tägliche Plan- und Vertragserfüllung und von der Reaktionsfähigkeit auf sich verändernde Bedingungen im Prozeß der Plandurchführung abhängig ist.* Als wesentliche Voraussetzung dafür erwies sich das enge Zusammenwirken der zentralen wirtschaftsleitenden Organe mit den Kombinaten und Betrieben im Prozeß der Planausarbeitung und Plandurchführung mit dem Ziel, die Erfordernisse der Intensivierung, der Arbeitsproduktivität und des Gewinns zugrunde zu legen und auftretende Widersprüche im Prozeß der Plandurchführung in gemeinsamer Arbeit zu lösen.

Für die wirtschaftsleitenden Organe ist vor allem eine gründliche und zuverlässige Kenntnis über das Leistungsvermögen der ihnen nachgeordneten Wirtschaftseinheiten und über die wichtigsten Bedingungen für seine weitere Entwicklung erforderlich. Das schließt die genaue Kenntnis der bisherigen Erzeugnisstruktur und volkswirtschaftlich erforderlicher Veränderungen ein, erfordert genaue Analysen und Einschätzungen der Auswirkungen grundlegender Maßnahmen der Intensivierung auf die Ver-

[2] Vgl. hierzu die Materialien der 14. Tagung des Wissenschaftlichen Rates für die wirtschaftswissenschaftliche Forschung vom 24. 6. 1975, Theoretische und praktische Probleme der sozialistischen Kombinate und Betriebe bei der Intensivierung des Reproduktionsprozesses und der umfassenden Erschließung von Reserven, Berlin 1976 (Abhandlungen der Akademie der Wissenschaften der DDR, Nr. W 5/1975).

änderungen der betrieblichen Kennziffern. Solche Kenntnisse sind erforderlich, um den Kombinaten und Betrieben mit den staatlichen Plankennziffern die entscheidenden Anforderungen des Staates an die Leistungs- und Effektivitätsentwicklung des Reproduktionsprozesses übergeben zu können und in sich abgestimmte staatliche Plankennziffern zu sichern. Dadurch wird der Tendenz einer formalen, undifferenzierten Aufschlüsselung von Planaufgaben entgegengewirkt und dem tatsächlichen Leistungsvermögen der Betriebe, unter Einschluß der möglichen und notwendigen Effektivitätssteigerung, besser Rechnung getragen. *Bei der Festlegung realer und anspruchsvoller staatlicher Plankennziffern müssen stärker die Faktoren berücksichtigt werden, die die Entwicklung der Leistungen der Betriebe im jeweiligen Planjahr maßgeblich beeinflussen.* So die Sicherung einer bedarfs- und qualitätsgerechten Produktion, die Inbetriebnahme neuer Kapazitäten, die Einführung neuer bzw. weiterentwikkelter Erzeugnisse, Technologien und Verfahren, die Erhöhung der Materialökonomie, die vorgesehenen Veränderungen im Grad der gesellschaftlichen Arbeitsteilung und die Veränderungen des Anteils arbeitsintensiver Erzeugnisse. Damit wird zugleich der Kampf gegen Tendenzen einer formalen Erhöhung der Kennziffer der Warenproduktion – auf dem Wege uneffektiver Kooperation, Materialverschwendung, nichtbedarfsgerechter Produktion und extensiver Ausdehnung der Produktion – geführt.

3. Die Quellen des ökonomischen Wachstums freizusetzen, insbesondere den wissenschaftlich-technischen Fortschritt zu beschleunigen, erweist sich als ein Grundproblem der Leitung auf allen Ebenen der Volkswirtschaft. Um den Leistungsanstieg in der Volkswirtschaft bis 1980 und darüber hinaus zu sichern, gilt es, wie auf dem IX. Parteitag der SED hervorgehoben wurde, das Niveau der wissenschaftlich-technischen Arbeiten durchgängig zu erhöhen und bei wichtigen Erzeugnissen und Verfahren internationale Spitzenpositionen zu erreichen.

Die Erhöhung des Beitrages von Wissenschaft und Technik zur Intensivierung des volkswirtschaftlichen Reproduktionsprozesses ist in erster Linie mit hohen Ansprüchen an die Leitung, Planung und ökonomische Stimulierung sowohl der wissenschaftlich-technischen Arbeiten selbst als auch in bezug auf den gesamten Reproduktionsprozeß der Volkswirtschaft verbunden.

Bei der Leitung der wissenschaftlich-technischen Arbeit stehen dabei im Vordergrund die Bestimmung anspruchsvoller, aus den volkswirtschaftlichen Erfordernissen abgeleiteter Aufgaben, die den langfristigen Entwicklungstendenzen von Wissenschaft und Technik, der anzustrebenden eigenen Produktionsstruktur und den Außenwirtschaftserfordernissen entsprechen, sowie die politische Führung und straffe Organisation der Forschungs- und Entwicklungsarbeiten, verbunden mit der Schaffung einer schöpferischen Atmosphäre des Kampfes um wissenschaftlich-technische Spitzenleistungen und einer darauf gerichteten zielstrebigen moralischen und materiellen Anerkennung der Leistungen. Für die Leitung und Planung des volkswirtschaftlichen Reproduktionsprozesses kommt es darauf an, die Planung und Leistungsbewertung noch stärker auf die Beschleunigung des wissenschaftlich-technischen Fortschritts auszurichten, die Proportionalität zwischen Zulieferer und Finalproduzenten nicht nur quantitativ, sondern auch qualitativ in der Entwicklung des wissenschaftlich-technischen Niveaus der Produktion zu sichern, eine beschleunigte Entwicklung der metallverarbeitenden Industrie langfristig zu konzipieren und durchzusetzen, da der Maschinenbau die wichtigste materielle Stütze für den wissenschaftlich-technischen Fortschritt in der Volkswirtschaft ist, und eine noch bessere Übereinstimmung zwischen wissenschaftlich-technischer Entwicklung und Investitionstätigkeit herzustellen.

Die Wirkung von Wissenschaft und Technik im volkswirtschaftlichen Reproduktionsprozeß zu verstärken, erfordert, noch stärker zu berücksichtigen, daß der wissenschaftlich-technische Fortschritt nicht nur als übergreifendes Moment für die Wirkung aller Intensivierungsfaktoren von erstrangiger Bedeutung ist, sondern daß er auch häufig erst über andere Intensivierungsfaktoren (effektive Produktionsstruktur, Produktionsmaßstäbe, ökonomisch günstige Außenwirtschaftsstruktur, hohes Niveau der Investitionstätigkeit, qualitative Entwicklung und Einsatz des gesellschaftlichen Arbeitsvermögens usw.) wirksam wird.

Zunehmendes Gewicht für die Erhöhung der Effektivität des volkswirtschaftlichen Reproduktionsprozesses gewinnt die bessere Nutzung der bereits akkumulierten Mittel. Das bedeutet, Resultate von Wissenschaft und Technik noch stärker für die Rationalisierung der Produktion, für die Modernisierung der Grundmittel und für die Rekonstruktion zu nutzen, zielstrebiger die einfache Reproduktion in den Dienst der Intensivierung zu stellen und Tendenzen der extensiven Erweiterung auf das zur Sicherung der volkswirtschaftlichen Proportionalität erforderliche Maß zu begrenzen. Das stellt entsprechende Anforderungen an die Arbeitsweise der Leitung auf allen Ebenen der Volkswirtschaft.

Notwendig ist, sowohl den Industriebau als auch den Maschinenbau noch stärker auf die Rekonstruktion vorhandener Betriebe einzustellen. Die Modernisierung und Rekonstruktion vorhandener Produktionskapazitäten und die weitere Rationalisierung der Produktion bilden zugleich die besten Voraussetzungen, um durch systematisches Vorgehen in den Zweigen und Territorien die Schichtauslastung der vorhandenen Grundmittel zu erhöhen.

Analysen über die Wechselbeziehungen zwischen dem wissenschaftlich-technischen Fortschritt, der Entwicklung des Maschinenbaus, der Erhöhung der Effektivität der Investitionen und der Modernisierung sowie besseren Ausnutzung der Grundmittel führen zu der Schlußfolgerung, daß mit der zielstrebigen Entwicklung des Maschinenbaus (ausgerichtet auf die intensiv-erweiterte Reproduktion der eigenen Volkswirtschaft und den Export) und dem planmäßigen Import von Maschinen und Ausrüstungen, insbesondere aus den RGW- Ländern, zugleich die Grundlinien der Intensivierung des volkswirtschaftlichen Reproduktionsprozesses in ihrer Komplexität besser erfaßt und planmäßig gesichert werden müssen. Durch die langfristige Planung der Produktionsstruktur, der materiell-technischen Basis der Volkswirtschaft und der Investitionen müssen bessere Voraussetzungen geschaffen werden, um durch ein gemeinsames Vorgehen der investitionsgüterherstellenden Bereiche mit denen die Investitionen durchführenden Bereiche die Investitionen auf hohem technischem Niveau zu realisieren, die Zeiträume zur Vorbereitung und Durchführung der Investitionen zu verkürzen und die Investitionsaufwendungen zu senken. Für die Vorbereitung und Durchführung von Investitionen gilt der gleiche Maßstab wie für die Entwicklung neuer Erzeugnisse und Verfahren: der kompromißlose Vergleich zum internationalen Niveau in der Produktionstechnik, der Technologie und Produktionsorganisation, den Produktionsmaßstäben und den Produktionsaufwendungen. Zielstrebig zu sichern, daß einerseits Spitzenleistungen von Wissenschaft und Technik durch Bereitstellung von Investitionsmitteln rasch in die Produktion überführt werden können, daß andererseits Investitionen durch entsprechende wissenschaftlich-technische Vorleistungen auf hohem Niveau erfolgen, erfordert ein stärkeres kooperatives Zusammenwirken aller daran beteiligten Bereiche unter Zurückstellung noch vorhandener Zweig- und Ressortinteressen, ausgerichtet auf die Erhöhung der volkswirtschaftlichen Effektivität.

Gerade unter dem Aspekt der Komplexität wissenschaftlich-technischer Neuerungsprozesse und ihrer Beziehung zum Ausbau der materiell-technischen Basis der Volkswirtschaft scheint es zweckmäßig zu prüfen, welche Voraussetzungen geschaffen werden müssen, um bei der Planung von Wissenschaft und Technik stärker von einem Stil der „Themenplanung" zu einem Stil der „Programmplanung" überzugehen. Das würde bedeuten, zeitlich vorausschauend, beginnend auf der Stufe der angewandten Forschung und der ersten Schritte bei der Erzeugnis- und Verfahrensentwicklung, die „Anschlußstücke" für Investitionen, Produktionsstruktur, Zulieferungen und Materialversorgung, Absatzsicherung u. a. m. im Plan noch besser zu erfassen. Erforderlich wäre in diesem Zusammenhang, den Staatsplan Wissenschaft und Technik noch stärker auf volkswirtschaftlich bedeutende Vorhaben zu konzentrieren, die insbesondere für die Entwicklung der Produktionsstruktur und den Export besonderes Gewicht besitzen bzw. die eigene Ressourcenlage spürbar erleichtern und ein hohes Maß volkswirtschaftlicher Verflechtung aufweisen.

4. Der IX. Parteitag unterstrich, daß die Ausrichtung der Leitung, Planung und ökonomischen Stimulierung auf die Intensivierung der Produktion es erforderlich macht, *volkswirtschaftlichen und betrieblichen Nutzen noch besser in Übereinstimmung zu bringen.* Das ist eine wichtige Voraussetzung, um Betriebe, Kombinate und Leitungsorgane von ihrer tatsächlichen Interessenlage her bei der Ausarbeitung und Durchführung der Planaufgaben stärker an die Intensivierung zu binden. Die der engeren Verbindung von volkswirtschaftlichem und betrieblichem Nutzen zugrunde liegende Problematik kann folgendermaßen umrissen werden:

a) *Der dynamische Leistungsanstieg der Volkswirtschaft muß sich letztlich im Volumen des Nationaleinkommens, in der industriellen Warenproduktion und der Eigenleistung und dem betrieblichen Gewinn niederschlagen* – aber diesen Kennziffern ist es nicht anzusehen, wie weit sie in ihrer Entwicklung Momente des intensiven bzw. extensiven Wachstums der Produktion reflektieren. Ferner verschleiert die Anonymität der Kennziffern sehr häufig die konkreten Beziehungen zwischen dem Bedarf einerseits und der Menge, Qualität und dem Sortiment der Produktion andererseits.

Notwendig ist, genau zu prüfen, wie die Entwicklung der Kennziffern zustande kommt, die Bedarfsgerechtheit und den ökonomischen Aufwand der Produktion festzustellen, das heißt, den qualitativen Kennziffern sowohl bei der Planausarbeitung als auch bei der Bewertung der Planerfüllung der Betriebe, Kombinate und Industriezweige einen höheren Rang einzuräumen.

b) Der Wertausdruck der Produktion widerspiegelt sowohl das Resultat des Produktionsprozesses als auch den betrieblichen bzw. gesellschaftlichen Aufwand. *Um die tatsächlichen Leistungen besser sichtbar zu machen, wurde es notwendig, die Einflüsse aufwandssenkender Maßnahmen auf die Summe der Warenproduktion zu eliminieren.* Dem entspricht die Festlegung, die Preise für die in der Produktion befindlichen Erzeugnisse im Prinzip im Verlaufe eines Fünfjahrplanes (abgesehen von planmäßigen Preisveränderungen) stabil zu halten.

c) Eine vornehmlich am betrieblichen Aufwand des Herstellers eines Erzeugnisses orientierte Preisbildung setzt der ökonomischen Stimulierung der Gebrauchswerteigenschaften von Erzeugnissen enge Grenzen. Daher wurde es notwendig, bei der Preisbildung zum *Preis-Leistungs-Verhältnis* überzugehen als eine wichtige Bedingung, um mittels des Preises volkswirtschaftlichen Nutzen und betrieblichen Nutzen bei der Einführung neuer Erzeugnisse in die Produktion und bei qualitätsverbessernden Maßnahmen besser miteinander zu verbinden.

d) Eine engere Verbindung des volkswirtschaftlichen und des betrieblichen Nutzens erfordert darüber hinaus, *sich ändernde Bedingungen im Prozeß der Plandurchführung in ihren Konsequenzen für die Plankennziffern zu berücksichtigen.* Treten im

Verlauf der Plandurchführung Änderungen des Bedarfs, Einsparungen von Energie und Material oder Änderungen in den Export- und Importbeziehungen auf, die bei der Ausarbeitung des Planes nicht berücksichtigt werden konnten und die von den Betrieben und Kombinaten nicht ausgeglichen und nicht beeinflußt werden können, so sind, nach sorgfältiger Prüfung entsprechender Anträge der betreffenden Betriebe bzw. Kombinate, die Pläne in Übereinstimmung mit den neuen Bedingungen zu ändern.

Mit dem „Beschluß zur Leistungsbewertung der Betriebe und Kombinate" sowie der „Richtlinie zur weiteren Qualifizierung der Leitung, Planung, Abrechnung und Stimulierung hoher Produktionsleistungen zur Vertiefung der Intensivierung in den Industrie- und Baubetrieben" sind diese erforderlichen Rahmenbedingungen für eine bessere Leistungsbewertung gesetzt. Die praktische Arbeit nach den im Beschluß fixierten Überlegungen und Kriterien verlangt ein schöpferisches Herangehen an seine Umsetzung. Der Beschluß ist prinzipielle Richtschnur für die weitere Vervollkommnung der Leitung. Er verlangt zugleich ein differenziertes Herangehen an die Lösung der Probleme. Bei zielgerichteter politisch-ideologischer Arbeit wurde erreicht, daß die qualitativen Kennziffern und Kriterien ein größeres Gewicht erhielten, und es wurden hohe Leistungen unter Berücksichtigung der Einheit von Menge, Qualität und Effektivität der Produktion erzielt.

Eine entscheidende Aufgabe der Leistungen auf allen Ebenen besteht darin, die qualitativen Kennziffern unter Berücksichtigung der spezifischen Bedingungen der Zweige und Betriebe zur noch stärkeren Erschließung planwirksamer Reserven zu nutzen. Durch gründliche analytische Durchdringung der Leistungs- und Effektivitätsentwicklung können vorhandene Widersprüche zwischen Menge, Wert und Qualität der Produktion aufgedeckt und durch entsprechende Entscheidungen von Leitungs- und Bilanzorganen überwunden werden.

Die Grundsätze der Bildung von Industriepreisen für neue und weiterentwickelte Erzeugnisse und für die Beibehaltung der Industriepreise bei Senkung des Aufwandes *tragen zur Beschleunigung des wissenschaftlich-technischen Fortschritts* und zur Erhöhung der Materialökonomie bei. Die Anstrengungen der Betriebe und Kombinate auf diesem Gebiet werden jetzt in der Leistungsbewertung wirksam und haben eine höhere materielle und moralische Anerkennung zur Folge.

Die ökonomische Wirksamkeit der Industriepreise für neue und weiterentwickelte Erzeugnisse wird maßgeblich dadurch bestimmt, wie es gelingt, den höheren Gebrauchswert im Verhältnis zu den Vergleichserzeugnissen richtig zu bestimmen. Darin liegt ein sehr wesentliches und kompliziertes Problem bei der Durchsetzung dieser neuen Grundsätze der Preisbildung. Einige Herstellerbetriebe versuchen, durch subjektive Festlegung von Gebrauchswertparametern und deren Wichtung für ihre neuen Erzeugnisse überhöhte Gebrauchswertverbesserungen nachzuweisen. Dagegen weigern sich Abnehmerbetriebe oftmals – teils zu Unrecht, teils zu Recht –, diese hohen Gebrauchswerte als realisierbar anzuerkennen. Daher gilt es für die Herstellerbetriebe, beginnend mit der planmäßigen Vorbereitung von neuen Erzeugnissen, *Weltstandsvergleiche anhand von technischen und ökonomischen Kennziffern durchzuführen, um die Entwicklung der Gebrauchswerteigenschaften der neuen und weiterentwickelten Erzeugnisse richtig ermitteln, beurteilen und Vorschläge für Kosten- und Preisvorgaben erarbeiten zu können.* Eine wichtige Aufgabe in der Leitungstätigkeit der Minister und Generaldirektoren ist es, in enger Zusammenarbeit mit dem Amt für Standardisierung, Meßwesen und Warenprüfung die VVB, Betriebe und Kombinate bei der Anwendung der Grundsätze zur Messung und zum Vergleich der Gebrauchseigenschaften stärker anzuleiten.

Durch die Bildung von Preisen für neue und weiterentwickelte Erzeugnisse nach dem Preis-Leistungs-Verhältnis entstehen planmäßig größere Abweichungen vom Wert. Nach einem oder mehrmaligem Erzeugnisumschlag steigen die Gewinne, und die Preise können dann zum ernsthaften Hemmnis der weiteren Entwicklung werden. Deshalb ist vorgesehen, zu diesem Zeitpunkt *planmäßige Änderungen der Industriepreise ganzer Erzeugnisgruppen* vorzunehmen *und das Preisniveau der Erzeugnisgruppen auf den volkswirtschaftlich notwendigen Aufwand zurückzuführen.* Hierfür sind praktikable Wege auszuarbeiten.

Die Realisierung der in den Beschlüssen zur Leistungsbewertung fixierten Grundsätze erfordert politisch bewußtes Handeln auf allen Leitungsebenen. Die Kernfrage besteht darin, Grundzusammenhänge der intensiv-erweiterten Reproduktion zum Ausgangspunkt des Plangeschehens zu nehmen.

5. Die Orientierung der Leitung auf hohe Effektivität der Produktion, auf die ökonomische Stimulierung der Betriebe und Kombinate zu hohen, auf der Intensivierung der Produktion beruhenden Leistungen ist in starkem Maße von der Verbindung von Planung und wirtschaftlicher Rechnungsführung abhängig. Diese Verbindung wird in erster Linie dadurch gesichert, daß Warenproduktion, Selbstkosten und Gewinn sowie die Bildung und Verwendung finanzieller Fonds selbst Gegenstand des Planes sind und die Regelungen der wirtschaftlichen Rechnungsführung sowie der Leistungsbewertung der Kombinate und Betriebe das Interesse der Wirtschaftseinheiten auf die Erfüllung der gesellschaftlichen Erfordernisse, wie sie insbesondere in den staatlichen Planaufgaben zum Ausdruck kommen, ausrichten. Ein wichtiges Anliegen der Vervollkommnung der wirtschaftlichen Rechnungsführung besteht darin, die Kombinate und Betriebe stärker zu stimulieren, bedarfsgerecht zu produzieren, die Effektivität der Produktion zu erhöhen, die Wachstumsfaktoren der Volkswirtschaft besser zu nutzen und die Arbeits- und Lebensbedingungen zu verbessern.

Wichtige Ausgangsbedingungen für die Wirkung der wirtschaftlichen Rechnungsführung werden durch die Preisbildung und planmäßige Preisentwicklung gesetzt. Die neuen Preise für wichtige Rohstoffe und Materialien und die Preisbildung für neue Erzeugnisse geben eine gute Grundlage, um die Materialökonomie und die Qualität der Produktion stärker zu stimulieren. Aber die Nutzung der Intensivierungsfaktoren in ihrer Komplexität stärker zu stimulieren ist in erster Linie davon abhängig, welches Gewicht die qualitativen Kennziffern der Leistungsentwicklung sowohl in der Planung als auch in den Regelungen der wirtschaftlichen Rechnungsführung erhalten.

Im Mittelpunkt der Maßnahmen zur Vervollkommnung der wirtschaftlichen Rechnungsführung muß die Senkung der Selbstkosten stehen. Die Höhe der Kosten ist ein untrüglicher Maßstab für rationelles Wirtschaften, für die Intensivierung der Produktion. Maßnahmen zur Erhöhung der Aussagekraft der Kostenplanung, der Kostenrechnung und -analyse sollten noch wirkungsvoller mit bewährten Methoden der innerbetrieblichen wirtschaftlichen Rechnungsführung (Haushaltbuchführung, Vorgabe von Leistungs- und Kostenkennzahlen an die Kollektive, Führung persönlicher Konten, Gebrauchswert-Kosten-Analyse u. a. m.) verbunden werden.

Zur Beschleunigung des wissenschaftlich-technischen Fortschritts, zur Förderung einer hohen Grundfonds- und Materialökonomie sowie zur effektiveren Nutzung des gesellschaftlichen Arbeitsvermögens sind die Kennziffern des Planes, die die Effektivitätsentwicklung charakterisieren, stärker bei der Bildung und Verwendung der Fonds der ökonomischen Stimulierung zu berücksichtigen.

Durch die Herstellung enger Beziehungen zwischen Leistung, Lohn und Prämie ist vor allem auf die Erfüllung der Planaufgaben der Kollektive, auf eine hohe Qualität der Arbeit, auf die volle Ausnutzung der Arbeitszeit und auf den sparsamen Umgang mit Material zu orientieren. Dabei erweist sich die Einführung der Grundlöhne in Verbindung mit zielstrebigen Maßnahmen der wissenschaftlichen Arbeitsorganisation als ein Hauptweg zur Stimulierung hoher Arbeitsproduktivität und der Verbesserung der Qualität der Arbeit.

Was die Verwendung des Prämienfonds anbetrifft, so treten besonders zwei Fragen in den Vordergrund: die Sicherung eines ausgewogenen Verhältnisses zwischen der unmittelbaren Prämiierung hoher Leistungen im sozialistischen Wettbewerb und der Verwendung von Mitteln der Jahresendprämie; die stärker leistungsbezogene Gestaltung der Jahresendprämie im Rahmen der hierfür bestehenden gesetzlichen Bestimmungen.

Für den weiteren Ausbau der wirtschaftlichen Rechnungsführung, insbesondere im Zeitraum nach 1980 müßte weiterer Vorlauf geschaffen werden, unter anderem in Auswertung der Erfahrungen der Sowjetunion, die bereits in diesem Planjahrfünft zu Formen der langfristigen Stimulierung und der stärkeren Berücksichtigung der konkreten Befriedigung des Bedarfs der Abnehmer bei der Leistungsbewertung in einzelnen Zweigen der Wirtschaft übergegangen ist. Berücksichtigt werden müssen dabei solche Faktoren, wie die weitere Festigung der Kombinate, die Überwindung noch bestehender Widersprüche zwischen gebrauchswertmäßiger und wertmäßiger Planung, die Möglichkeiten der materiellen Deckung von Fonds der wirtschaftlichen Rechnungsführung, die auf die Erhöhung der Leistungskraft der Betriebe und Kombinate gerichtet sind und die stärkere Bindung der Interessen der Betriebe und Kombinate an die Erhöhung der Effektivität der Produktion.

6. Auf dem IX. Parteitag der SED unterstrich Genosse Erich Honecker, *„daß Leitung, Planung und ökonomische Stimulierung eine untrennbare Einheit mit der Initiative der Arbeiterklasse, der Genossenschaftsbauern und aller anderen Werktätigen bilden müssen"*.[3]

Die Orientierung des IX. Parteitages auf die Festigung des demokratischen Zentralismus, auf die noch wirkungsvollere Verknüpfung der zentralen staatlichen Leitung und Planung mit der schöpferischen und eigenverantwortlichen Tätigkeit in den Betrieben und Kombinaten, ist von prinzipieller Bedeutung für die Leitung der Wirtschaft in der entwickelten sozialistischen Gesellschaft. Ausgehend von der politischen Zielsetzung, wie sie in der konsequenten Fortführung des Kurses der Hauptaufgabe zum Ausdruck kommt und im Fünfjahrplan ihren Niederschlag findet, ist die Festigung des demokratischen Zentralismus eine wesentliche Voraussetzung, die Triebkräfte der sozialistischen Ordnung immer effektiver zur Wirkung zu bringen. Deshalb ist das Niveau der Masseninitiative und der Teilnahme der Werktätigen an der Leitung und Planung auch ein wesentlicher Gradmesser für das Niveau der Leitungstätigkeit in der Wirtschaft. Gerade in der Verbindung von zentraler Leitung und Planung mit der Initiative der Arbeitskollektive liegt jener Vorzug, der das volle Wirksamwerden der schöpferischen Fähigkeiten der Werktätigen als wesentliche Quelle der kontinuierlichen und dynamischen Wirtschaftsentwicklung im Sozialismus garantiert und sichert, daß sie die Initiative der Werktätigen im sozialistischen Wettbewerb auf die Verwirklichung der Ziele der Wirtschafts- und Sozialpolitik richtet. *Die demokratische Teilnahme der Werktätigen an der Leitung und Planung der Wirtschaft ist eine wichtige Bedingung für die Ausarbeitung und Verwirklichung anspruchsvoller und realer Pläne.*

[3] E. Honecker, Bericht des Zentralkomitees der Sozialistischen Einheitspartei Deutschlands an den IX. Parteitag der SED, a. a. O., S. 84.

Aufgabe der staats- und wirtschaftsleitenden Organe ist es, noch zielstrebiger die Initiative der Werktätigen im sozialistischen Wettbewerb auf die Durchsetzung der Hauptfaktoren der Intensivierung zu lenken und durch ihre Arbeit zugleich solche Bedingungen zu schaffen, die dauerhaft hohe Leistungen und initiativreiches Handeln ermöglichen.

Im Vordergrund steht dabei *die Entwicklung des Bewußtseins der Werktätigen.* Für die Bewußtseinsentwicklung spielt die praktische tagtägliche Erfahrung bezüglich der Übereinstimmung von persönlichen, kollektiven und gesellschaftlichen Interessen eine bedeutende Rolle. Sie beeinflußt nachhaltig die persönliche Identifizierung mit den gesellschaftlichen Erfordernissen und die Motivierung des aktiven Handelns der Werktätigen. Der über eine Reihe von Jahren nun schon anhaltende Aufschwung des Massenwettbewerbs ist ein beredter Ausdruck für die Identifizierung der Werktätigen mit der von der Partei beschlossenen Hauptaufgabe. Hier wurde für die Werktätigen der für ihre Motivation so wichtige Zusammenhang zwischen der gesellschaftlichen Produktion und der Reproduktion ihrer eigenen Lebensbedingungen besonders offensichtlich. In Übereinstimmung damit festigt die politisch-ideologische Arbeit das sozialistische Verhalten zur Arbeit, prägt Überzeugungen und Ideale und fördert auch eine tiefe emotionale Bindung an den sozialistischen Aufbau.

Den sozialistischen Wettbewerb als umfassendsten Ausdruck des Schöpfertums der werktätigen Massen, als Mittel zur Entwicklung sozialistischer Persönlichkeiten im Arbeitsprozeß zu nutzen, mit ihm die führende Rolle der Arbeiterklasse und ihre gesamtstaatliche Verantwortung stärker auszuprägen – das *stellt wachsende Ansprüche an die politische Leitung wirtschaftlicher Prozesse.* Es ist Anliegen der gesamten politischen Organisation der Gesellschaft, erfordert das enge Zusammenwirken von staatlichen und nichtstaatlichen gesellschaftlichen Organisationen unter Führung der Partei. Eine besondere Rolle spielen hierbei die Gewerkschaften als umfassendste Massenorganisation der Arbeiterklasse, die weitere Vervollkommnung ihrer Arbeit, besonders in der Führung des sozialistischen Wettbewerbs und der weiteren Erhöhung ihrer Autorität. Untersuchungen in gut wirtschaftenden Betrieben und Kombinaten unterstreichen immer wieder, *in welchem Maße wirtschaftliche und soziale Erfolge vom kameradschaftlichen Zusammenwirken der staatlichen Wirtschaftsfunktionäre mit den Funktionären der Gewerkschaft und anderer gesellschaftlicher Organisationen unter Führung der Parteiorganisation abhängig sind.*

Hiervon hängen die Klarheit der Ziele, die politische Atmosphäre im gesamten Betriebskollektiv und die Geschlossenheit im praktischen Handeln in hohem Maße ab.

Der 9. FDGB-Kongreß unterstrich, daß die Werktätigen gerade durch ihre unmittelbare Teilnahme am sozialistischen Wettbewerb zugleich aktiv und bewußt an der Leitung und Planung der Wirtschaft mitwirken.

„Der sozialistische Wettbewerb ist auf die Erhöhung der Qualität und Effektivität in der Produktion, auf die Steigerung der Arbeitsproduktivität bei gleichzeitiger Verbesserung der Arbeits- und Lebensbedingungen gerichtet. Er ist eine wichtige Quelle der bewußten Einstellung zur Arbeit, der Herausbildung sozialistischer Persönlichkeiten, der Entwicklung von Initiativgeist, von Schöpferdrang und gesellschaftlichem Verantwortungsbewußtsein."[4]

Das erreichte hohe Niveau der Initiativentwicklung einerseits und andererseits die mit der weiteren Vertiefung der Intensivierung verbundenen neuen Anforderungen

[4] Bericht des Bundesvorstandes des FDGB an den 9. Kongreß, Berichterstatter: Harry Tisch, Vorsitzender des Bundesvorstandes, in: Tribüne vom 17. Mai 1977, S. 4.

zwingen zu einer weiteren Qualifizierung der Leitungstätigkeit. Dabei kommt es besonders darauf an, die wirksamen Formen und Methoden weiterzuentwickeln und zu stabilisieren, *die in Vorbereitung und Durchführung der Beschlüsse des IX. Parteitages den sozialistischen Wettbewerb kennzeichnen:*

– Konsequenter richtet sich der sozialistische Wettbewerb auf die *komplexe Verwirklichung der 10 Intensivierungsfaktoren,* vor allem auf die Beschleunigung des wissenschaftlich-technischen Fortschritts.

– Gewachsen ist das Verständnis und das konstruktive Bemühen der Werktätigen, *den wissenschaftlich-technischen Fortschritt als Hauptweg zur Steigerung der Arbeitsproduktivität* durchzusetzen, wobei mit der planmäßigen Entwicklung der Neuererbewegung und der Aufschlüsselung des Planes Wissenschaft und Technik wesentliche Quellen zur Leistungssteigerung der Wirtschaft erschlossen werden.

– Immer stärker orientiert sich die Initiative auf die Erhöhung der ökonomischen Wirksamkeit bei der *Verstärkung der Gemeinschaftsarbeit zwischen den Angehörigen der Arbeiterklasse und der Intelligenz,* erfolgt die umfassendere Einbeziehung der Angehörigen der produktionsvorbereitenden Bereiche in den Wettbewerb sowie die Entwicklung des Komplexwettbewerbes unter Einschluß der Kooperationspartner.

– *Die wissenschaftliche Arbeitsorganisation* unter aktiver Mitwirkung der Werktätigen *wird zum immanenten Bestandteil des sozialistischen Wettbewerbes* und erhält durch neue Formen der Initiative, wie die Initiativschichten und die ehrenamtlichen WAO-Kollektive eine wesentliche Untermauerung.

– *Wettbewerb und Plan kommen immer besser in Übereinstimmung.* Ausdruck dessen ist unter anderem die Erarbeitung der Gegenpläne und deren Absicherung durch konkrete Wettbewerbsverpflichtungen.

– *Die Beeinflussung des Kostenniveaus,* die Probleme der Effektivität rücken immer sichtbarer in das Blickfeld der Masseninitiativen. Immer mehr *Produktionsarbeiter interessieren sich für die exakten Vorgaben* an Fertigungszeiten, Material, Roh- und Hilfsstoffen und deren Verwendungskennziffern.

– Zunehmende Impulse gehen von *der sozialistischen ökonomischen Integration* aus. Sichtbar ist eine immer breitere Anwendung wertvoller sowjetischer Erfahrungen und Neuerermethoden einschließlich des breiten Erfahrungsaustausches zwischen den Werktätigen kooperierender Betriebe mit sozialistischen Partnerbeziehungen.

– Es entwickelte sich eine *große Vielfalt und Breite der Initiative* im Rahmen des sozialistischen Wettbewerbs und in der Neuererbewegung, die den spezifischen Bedingungen der Betriebe wirksamer Rechnung trug.

– Die wirksame Entfaltung der *Initiative der Jugend,* vor allem zur Durchsetzung der qualitativen Faktoren des ökonomischen Wachstums und zur Lösung volkswirtschaftlicher Schwerpunktaufgaben hat an Bedeutung gewonnen.

Zugleich sind die wissenschaftlichen Grundlagen der Leitung von Wettbewerb und Neuererbewegung auszubauen, um die Wirksamkeit der Initiative der Werktätigen zu erhöhen.

Für die *Entwicklung einer echten Wettbewerbsatmosphäre* erlangen vor allem solche Faktoren zunehmendes Gewicht, wie die zielstrebige Qualifizierung der Werktätigen, die gründliche und regelmäßige Information über gesellschaftliche und betriebliche Zusammenhänge, das Übertragen höherer persönlicher Verantwortung im Arbeitsprozeß und in der gesellschaftlich-politischen Arbeit – das heißt Faktoren, die zur Entwicklung des subjektiven Vermögens eines immer größer werdenden Teils der Werktätigen zu bewußtem und effektivem Handeln beitragen, die die Entwicklung sozialistischer Beziehungen der Menschen zur Arbeit und im Verhältnis untereinander unterstützen. Für das initiativreiche Verhalten des einzelnen und der Kollektive spielt die *Arbeitsatmosphäre im unmittelbaren Arbeitskollektiv*, in den Meisterbereichen und Brigaden eine bedeutende Rolle. Sie wird wesentlich davon beeinflußt, wie die Arbeit organisiert wird, wie der Leiter die Ergebniswirksamkeit der Anstrengungen der Werktätigen sichert, wie rasch die Vorschläge der Arbeiter aufgegriffen und nicht als unbequeme Kritik an der Tätigkeit der Leiter betrachtet werden.

Die Arbeitsatmosphäre wird davon geprägt, wie gute Leistungen ideell und materiell anerkannt werden und kameradschaftliche Kritik und Selbstkritik zur Erziehung sozialistischer Persönlichkeiten und zur Entwicklung der Kollektivbeziehungen zur Anwendung kommen. Nicht weniger beeinflußt wird sie vom Stand der konkreten materiell-technischen und organisatorischen Bedingungen der Produktion, wobei die Arbeitsbedingungen einen hohen Stellenwert haben.

Eine Kernfrage der Leitungstätigkeit ist *die Erhöhung der Planmäßigkeit und Planwirksamkeit der Masseninitiative.* Die positiven Ergebnisse des sozialistischen Wettbewerbs entspringen nicht in erster Linie spontanen Aktionen oder einzelnen Kampagnen, sondern vor allem der politisch-ideologischen und organisatorischen Führungstätigkeit durch die Partei, die staatlichen Leiter und die Gewerkschaften. Hohe Ergebnisse werden dort erzielt, wo klare Ziele vorgegeben, entsprechende Bedingungen für ihre Realisierung geschaffen und aus der Analyse der erreichten Ergebnisse neue Aufgaben abgeleitet werden.

Erfahrungen fortgeschrittener Betriebe und Kombinate zeigen, daß gerade dort ein hohes Niveau initiativreichen Verhaltens der Arbeitskollektive erreicht wird, wo sich die Leiter von Betrieben und Kombinaten dafür persönlich verantwortlich fühlen, daß die hohe Leistungsbereitschaft der Werktätigen durch Planmäßigkeit und Abgestimmtheit ergebniswirksam wird und die Verluste an Initiative, an Denkleistungen und Zeitaufwand so gering wie möglich gehalten werden.

Die Wechselbeziehungen zwischen vorbildlichen Arbeitsleistungen und hohen moralischen, ethischen und politisch-ideologischen Ansprüchen der sozialistischen Lebensweise spiegeln sich immer mehr in gehaltvollen Kultur- und Bildungsplänen der Arbeitskollektive wider. Daher hob auch der 9. FDGB-Kongreß hervor, daß der Wettbewerb in erster Linie auf die Erfüllung und gezielte Überbietung der im Fünfjahrplan, in den jährlichen Volkswirtschaftsplänen sowie im Gegenplan enthaltenen Aufgaben gerichtet ist.

„Gesellschaftliche Aktivitäten wie Schulen der sozialistischen Arbeit, Patenschaftsbeziehungen, Solidaritätsbeiträge, Entwicklung des geistig-kulturellen Lebens, sind Gegenstand der Kultur- und Bildungspläne sowie des Betriebskollektivvertrages und gehören zur ständigen politischen Arbeit".[5] Solche wichtigen Aktivitäten sind jedoch mit hohen Produktionsleistungen oder den Ergebnissen der Neuererbewegung nicht unmittelbar vergleichbar.

Punktbewertungen mit dem Ziel, etwas, was nicht vergleichbar ist, auf einen gemeinsamen Nenner zu bringen, führen zu Formalismus und Zahlenhascherei. Sie schaden einer lebendigen und wirksamen Wettbewerbsführung entsprechend den konkreten Bedingungen.

7. Einen wichtigen Platz in den vom IX. Parteitag fixierten Grundrichtungen zur weiteren Vervollkommnung der Leitung der Wirtschaft nimmt die Einstellung des Leitungssystems auf die weitere Vergesellschaftung der Produktion ein.

Solche Prozesse der Vergesellschaftung der Produktion, die nachhaltige Konsequen-

[5] Ebenda, S. 6.

zen für die Leitung und die Organisation der sozialistischen Wirtschaft besitzen, vollziehen sich gegenwärtig nahezu in allen Bereichen: Konzentration und Spezialisierung der Produktion in Industrie, Landwirtschaft und Bauwesen führen zu neuen wirtschaftsorganisatorischen Formen; neue Formen des Zusammenwirkens von Groß-, Mittel- und Kleinbetrieben werden erforderlich; neue Formen des Zusammenwirkens von Produktion und Handel bilden sich heraus, um die Warenwege von der Produktion zum Verbraucher zu verkürzen und rationelle Vertriebsformen zu entwickeln und zu nutzen; die organisatorischen Bedingungen der Verbindung von Wissenschaft und Produktion verändern sich; mit der weiteren Vergesellschaftung der Produktion wachsen sprunghaft kooperative Prozesse, die es leitungsmäßig zu beherrschen gilt.

Die weitere Vergesellschaftung der Produktion ermöglicht und erfordert zugleich Leitungsstrukturen zu vereinfachen und über entsprechende Rationalisierung den Leitungs- und Verwaltungsaufwand zu senken.

Im Bereich der Industrie nehmen die Kombinate im Prozeß der weiteren Vergesellschaftung der Produktion und bei der Vervollkommnung der Leitung, Planung und ökonomischen Stimulierung eine Schlüsselstellung ein.

Die Kombinate sind, wie Genosse Erich Honecker auf dem IX. Parteitag feststellte, zu einem Hauptbestandteil des gesamten Leitungsaufbaus in der Industrie im gegenwärtigen Entwicklungsabschnitt geworden. *Mit der weiteren Festigung und Entwicklung der Kombinate wird der objektiven Gesetzmäßigkeit der Vergesellschaftung der Produktion entsprochen, die in allen Ländern des RGW die Grundtendenz zur Entwicklung sozialistischer Großbetriebe sowie der Gestaltung großer Wirtschaftskomplexe unter direkter einheitlicher Leitung hervorbringt.*

Die Grundorientierung des IX. Parteitages der SED für die weitere Festigung der Kombinate besteht darin,

– den Reproduktionsprozeß in den Kombinaten so zu entwickeln, daß alle *Effektivitätspotenzen dieser Wirtschaftsorganisation voll ausgeschöpft werden* können,

– sie zu solchen Wirtschaftseinheiten zu entwickeln, die noch besser in der Lage sind, die *Grundfragen ihrer erweiterten Reproduktion vorausschauend und im Komplex zu lösen,*

– *alle grundlegenden Erfahrungen in der rationellen Organisation der Arbeit der Kombinate* und ihrer Betriebe systematisch mit dem Ziel *zu verallgemeinern,* die Leitungstätigkeit effektiver zu gestalten.

Die Kombinate bilden in der Industrie und im Bauwesen eine wirtschaftsorganisatorische Grundform der Vergesellschaftung der Produktion, die bessere Bedingungen für die schnelle Steigerung der Arbeitsproduktivität, die Erhöhung des Wachstumstempos der Produktion, die bessere Nutzung der Fonds und damit für die Vertiefung der Intensivierung besitzen, als der einzelne sozialistische Industriebetrieb.

Ihre Effektivität ist in starkem Maße von der Reproduktionskraft und der Geschlossenheit ihres Reproduktionsprozesses abhängig, durch die sie in die Lage versetzt werden, ständig die Rekonstruktion und technische Erneuerung der Betriebe sowie die systematische Verbesserung der Arbeits- und Lebensbedingungen der Werktätigen zu sichern und die Proportionalität zwischen den Phasen des Reproduktionsprozesses sowie bei der Durchsetzung des wissenschaftlich-technischen Fortschritts zu gewährleisten. Durch ein hohes Maß eigenverantwortlicher Tätigkeit können sie sich zu echten Partnern der zentralen staatlichen Leitung und Planung entwickeln und ihr Niveau der langfristig konzeptionellen Arbeit stellt zugleich einen wesentlichen Faktor der Qualifizierung der zentralen staatlichen Leitung und Planung dar. Eine insgesamt *erfolgreiche und stabile Entwicklung haben Kombinate dann genommen, wenn*

– die Möglichkeit bestand, die *weitere Entwicklung des Kombinats konsequent aus den Erfordernissen des volkswirtschaftlichen Reproduktionsprozesses abzuleiten* (Klarheit in der perspektivischen Entwicklung des Produktionsprofils, der Erzeugnissortimente und Investitionen; Konzentration und Spezialisierung der Betriebe innerhalb des Kombinats nach objektiven gesellschaftlichen, ökonomischen und technisch-technologischen Kriterien),

– der *Stammbetrieb* des Kombinats sich in seinem wissenschaftlich-technischen und ökonomischen Niveau so entwickelte, daß er seiner *führenden Rolle in der Gesamtentwicklung des Kombinats* nachkommen konnte,

– durch eine gute *Zusammenarbeit zwischen dem Kombinat, den Kombinatsbetrieben und den jeweiligen territorialen Partei- und Staatsorganen* die Erfordernisse des Kombinats, seiner Betriebe und der Territorien in Übereinstimmung gebracht werden konnten,

– den *Maßnahmen der Vertiefung der Arbeitsteilung und der Konzentration sowie den wirtschafts- und leitungsorganisatorischen Veränderungen konsequent volkswirtschaftliche Effektivitätskriterien zugrunde gelegt wurden* (Orientierung auf ökonomische Produktionsmaßstäbe, Zentralisierung von Funktionen im Reproduktions- und Leitungsprozeß, Konzentration von Kräften und Mitteln zur Rationalisierung und technische Erneuerung, organisatorische Sicherung einer engen Verbindung von Wissenschaft und Produktion),

– die *Beziehungen zwischen Finalproduktion und Zulieferbetrieben* so entwickelt wurden, daß in hohem Maße Qualität, Kontinuität und Effektivität der Gesamtproduktion gesichert werden konnte.

Die weitere Festigung der Kombinate ist in starkem Maße davon abhängig, wie es gelingt, durch langfristig stabile Planentscheidungen, insbesondere über die wissenschaftlich-technische Entwicklung und die Entwicklung der Produktionsstruktur, solche Bedingungen zu schaffen, die einen starken Leistungsanstieg ermöglichen. Dabei ist *die Herausbildung und Entwicklung eines in höherem Maße einheitlichen und geschlossenen Reproduktionsprozesses innerhalb der Kombinate ein längerfristiger gesellschaftlicher und ökonomischer Prozeß.*

8. *Untersuchungen in einer größeren Zahl von Kombinaten zeigen, daß die Wirksamkeit ihres Leitungssystems bezogen auf den Aufschluß kurzfristig zu mobilisierender Reserven und auf die die Effektivität über längere Zeiträume bestimmenden Faktoren der Intensivierung vor allem von folgenden Bedingungen abhängig ist:*

– *Planmäßigkeit und Kontinuität der Produktion.* Kann die Planmäßigkeit der laufenden Produktion nicht gesichert werden, so verlagert sich das Schwergewicht der Leitungstätigkeit auf kurzfristige, meist nicht sehr effektive, aber zur Vermeidung noch größerer ökonomischer Verluste notwendige Maßnahmen. Wenn damit nicht in kürzeren Zeiträumen die Stabilität wiedergewonnen werden kann, dann prägt sich Operativität und Hektik im Stil der Leitung aus, die vorausschauende Arbeit wird vernachlässigt bzw. nicht entwickelt – mit allen Konsequenzen für die langfristige und stabile Entwicklung des technisch-ökonomischen Niveaus der Produktion;

– *Kenntnisvorlauf über die Entwicklungstendenzen von Wissenschaft und Technik, das internationale Niveau der Produktion und die Entwicklung des volkswirtschaftlichen Bedarfs.* Dieser Kenntnisvorlauf, der in der Regel durch die Kombinate selbst geschaffen werden muß, ist wesentliche Bedingung, um die wissenschaftlich-technische und Produktionsentwicklung vorausschauend leiten zu können;

– *das Vorherrschen einer positiven Grundeinstellung zu wissenschaftlich-technischen und ökonomischen Neuerungsprozessen.* Eine solche Grundeinstellung fördert schöpferische wissenschaftlich-technische Leistungen und schafft eine Massenbasis für die Neuerer- und Rationalisatorenbewegung. Eine solche Atmosphäre ist eine Bedingung für die hochgradige Ausschöpfung laufender Reserven und für die Meisterung solcher Umstellungsprozesse mit der Kraft aller Kollektive, die die Grundlage für die langfristig stabile Erhöhung der Effektivität der Produktion bilden.

Auf einer solchen Grundlage, die durch die Kombinatsleitung geschaffen wird und auf der sie selbst wieder aufbauen kann, wird es auch möglich, ein höheres Niveau wissenschaftlich-technischer Arbeiten zu erreichen, so wie es der IX. Parteitag fordert. Das Niveau der Leitung ist in erster Linie davon abhängig, wie es gelingt,

– die *Aufgabenstellung* aus den Entwicklungstendenzen von Wissenschaft und Technik und den ökonomischen Erfordernissen des Reproduktionsprozesses abzuleiten;

– die *wissenschaftlich-technische Arbeit straff zu organisieren,* verbunden mit der Fähigkeit, die Struktur des wissenschaftlich-technischen Potentials der jeweiligen Aufgabenstellung anzupassen;

– eine *schöpferische Atmosphäre in den produktionsvorbereitenden Bereichen zu schaffen,* die durch eine entsprechende materielle und moralische Stimulierung unterstützt wird;

– die *materiell-technischen Bedingungen* sowohl in der wissenschaftlich-technischen Arbeit selbst, als auch bei der Überleitung in die Produktion *sicherzustellen.*

Als eine wichtige Voraussetzung für das Erreichen der gestellten Ziele erweist sich *die Stärke des unmittelbaren Parteieinflusses in den produktionsvorbereitenden Bereichen.* Die Parteikontrolle über die Planerfüllung in Wissenschaft und Technik hat sich in den letzten Jahren als eine Hauptform zur Stärkung des Parteieinflusses erwiesen.

Die Partei betont seit längerer Zeit und wiederholt *die persönliche Verantwortung der Generaldirektoren der Kombinate und der Betriebsdirektoren für die Fragen von Wissenschaft und Technik,* weil es von ihrem persönlichen Einsatz in starkem Maße abhängig ist, ob und in welchem Maße wissenschaftlich-technische Aufgaben aus den Erfordernissen des Reproduktionsprozesses abgeleitet und auf hohe ökonomische Effektivität ausgerichtet werden.

Hinzu kommt, daß von ihrem persönlichen Engagement für Wissenschaft und Technik die Bereitschaft aller Bereiche um technische Neuerungsprozesse im Kombinat zu ringen, mit hohem Einsatz für die Umsetzung wissenschaftlich-technischer Resultate zu kämpfen, abhängig ist und die Atmosphäre in den produktionsvorbereitenden Bereichen sowie das Ansehen dieser Bereiche im Gesamtkollektiv des Kombinats dadurch geprägt wird. Schließlich ist es eine erstrangige Führungsaufgabe des Generaldirektors des Kombinats durch seine Entscheidungen jene Komplexität bei wissenschaftlich-technischen Neuerungsprozessen zu sichern, durch die es möglich wird, die kadermäßigen und materiell-technischen Voraussetzungen für eine zügige Nutzung wissenschaftlich-technischer Ergebnisse in der Produktion zu schaffen. *Vorliegende Ergebnisse zeigen anschaulich, in welchem Maße das wissenschaftlich-technische Niveau der Produktion von den Fähigkeiten, dem Anspruchsniveau, der Risikobereitschaft und den Kampfpositionen der Leiter großer Wirtschaftseinheiten gegenüber den Fragen von Wissenschaft und Technik abhängig ist.*

9. *Bei der weiteren Entwicklung der Produktionsstruktur der Kombinate sowie bei der Neubildung von Kombinaten ist zu berücksichtigen, daß die langfristig-orientierten Veränderungen in den materiellen Strukturen sowohl der Produktion als auch der produktionsvorbereitenden Bereiche letztlich die Quellen für höhere Effektivität des Reproduktionsprozesses im Kombinat sind.*

Die entscheidenden Grundlagen für die Veränderungen der Produktionsstruktur sind durch die volkswirtschaftliche Einordnung des jeweiligen Kombinates, durch seine konkreten Reproduktionsbedingungen, durch den erreichten Entwicklungsstand in der Konzentration und Spezialisierung der Produktion sowie durch die mit der Durchsetzung des wissenschaftlich-technischen Fortschritts verbundenen langfristig wirkenden Prozesse der weiteren Vergesellschaftung der Produktion gegeben. *Die innere Geschlossenheit des Reproduktionsprozesses eines Kombinates ist der Ausdruck der tatsächlichen Vergesellschaftung der Produktion in diesen großen Wirtschaftseinheiten,* im Unterschied zur formalen Zusammenfassung von Betrieben unter eine einheitliche Leitung.

Diese Geschlossenheit des Reproduktionsprozesses hat nichts mit Autarkiebestrebungen der Kombinate zu tun – aber bereits bei der Kombinatsbildung galt und gilt der Grundsatz, das zusammenzuführen, was zusammen gehört: Das wissenschaftlich-technische Potential zur Sicherung eines rationellen Zyklus „Wissenschaft – Produktion"; jene Haupt-, Hilfs- und Nebenprozesse, die für die Gesamtproportionalität des Reproduktionsprozesses entscheidend sind; vertikal zusammenhängende Produktionsstufen (soweit dieser vertikale Zusammenschluß nicht zu einem Hemmnis für rationelle Produktionsmaßstäbe und moderne Fertigungstechnik wird); wichtige Zulieferbetriebe, soweit sie ausschließlich oder fast ausschließlich für das betreffende Kombinat arbeiten.

Der Mehrzahl der Kombinate gelang es nach ihrer Gründung, diese Geschlossenheit des Reproduktionsprozesses zu erhöhen. *Bei den weiteren Schritten der Konzentration und Spezialisierung der Produktion, der Vertiefung der vertikalen Arbeitsteilung und der Zuordnung von Zulieferbetrieben sowie der Zentralisierung von produktionsvorbereitenden und produktionsabschließenden Prozessen innerhalb der Kombinate müssen höhere Effektivität der Produktion und bessere leitungsmäßige Beherrschung des gesamten Reproduktionsprozesses im Kombinat die bestimmenden Kriterien sein.*

Entscheidend für die innere Festigung der Kombinate, die Erhöhung ihrer Effektivität und der Kontinuität der Produktion ist die richtige *Proportionierung der Kräfte und Mittel zwischen den einzelnen produktionsvorbereitenden Bereichen.* Mit der Vervollkommnung der Produktionshauptprozesse ist die *proportionale Entwicklung der Hilfsprozesse* unmittelbar zu verbinden. In Kombinaten der Chemie, der Metallurgie und Kohleindustrie hat die rationelle Organisation der Instandhaltung bedeutenden Einfluß auf die Effektivität des Produktionsprozesses.

In diesen Kombinaten gilt es die Konzentration und Spezialisierung von Instandhaltungskapazitäten in Spezialbetrieben für die Reparaturen weiterzuführen. Auf dieser Grundlage können höhere Formen der Produktionsorganisation erzielt werden und die vorbeugende Instandhaltung kann besser organisiert werden, um die Stillstandszeiten der Produktionsanlagen weiter zu senken.

In den Maschinenbaubetrieben werden durch die vertikale Spezialisierung und die *Herausbildung zentraler Fertigungen für Einzelteile und Baugruppen* bessere Bedingungen für die Einführung neuer Technik und die Anwendung produktiverer Technologien geschaffen. Die in den Kombinaten zu errichtenden zentralen Fertigungen für maschinenbautypische Einzelteile und Baugruppen sind so anzulegen, daß sie über ihre Bereiche hinaus wirksam werden, um den Aufbau von Parallelkapazitäten einzuschränken, eine höhere Auslastung produktiver Maschinen zu gewährleisten und eine höhere volkswirtschaftliche Effektivität zu erreichen. Durch den schrittweisen Ausbau und die Rekonstruktion von Betrieben und Betriebsteilen ist es möglich, die Zersplitterung der Produktion kleiner und kleinster Produktionsstätten zu überwinden, um moderne technologische Produktionslinien zu schaffen. Das ist mit dem Erreichen optimaler Betriebsgrößen, entsprechend den jeweiligen technologischen Prozessen zu verbinden, wobei durch die Konzentration und die Spezialisierung der Produktion die kleinen und mittleren Betriebe zu hochproduktiven auf Baugruppen und Einzelteile spezialisierten Zulieferbetrieben werden.

In den Kombinaten werden Abteilungen für den *Rationalisierungsmittelbau* rasch erweitert bzw. geschaffen, sowie eigene *Bauabteilungen* errichtet, um in eigener Verantwortung einen hohen Anstieg der Leistungen zu sichern und die Arbeits- und Lebensbedingungen der Werktätigen verbessern zu können. Der zweigspezifische Rationalisierungsmittelbau muß sich auf die Herstellung solcher Rationalisierungsmittel konzentrieren, die den spezifischen technologischen Bedingungen entsprechen (spezifische Baugruppen und Sonderausrüstungen für Mechanisierung und Automatisierung, Vorrichtungen und Werkzeuge, die über Standardzubehör hinausgehen und Sondermaschinen in geringer Stückzahl).

Bei den produktionsvorbereitenden Prozessen sollte eine stärkere Konzentration grundlegender Tätigkeiten – und damit auch des entscheidenden Potentials und der dazu notwendigen Fonds – *in der Regel beim Stammbetrieb, bei der Kombinatsleitung erfolgen.*

Diese Konzentration betrifft vor allem die langfristige Vorlaufforschung für die Erzeugnisse und Verfahrensentwicklung, die zielgerichtete Investitionstätigkeit im Interesse einer ständigen Modernisierung und Rekonstruktion der Produktion, den zweigspezifischen Rationalisierungsmittelbau und eine leistungsfähige Bauabteilung.

Ausgenommen werden sollten hiervon nur solche Teilprozesse, die aufgrund jeweiliger betriebsspezifischer Bedingungen effektiver in unmittelbarer Produktionsnähe in einem Kombinatsbetrieb durchgeführt werden können.

Mit der Verantwortung für den konzentrierten Einsatz des wissenschaftlich-technischen Potentials ist die Kombinatsleitung auch verantwortlich für die Organisation der Forschungskooperation, für die Zusammenarbeit mit anderen Forschungszentren und der Akademie der Wissenschaften.

Die Kombinate verfügen über die entscheidenden Potenzen, um ihrer Verantwortung für die Vorbereitung und Durchführung der Neuerungsprozesse gerecht zu werden. Andere Funktionen der Produktionsvorbereitung, die der unmittelbaren Produktionsdurchführung dienen, wie die Produktionspflege, die Operativtechnologie, der betriebsspezifische Werkzeugbau, die laufende Instandhaltung und anderes, sollten dagegen bei den Kombinatsbetrieben verbleiben, um eine unmittelbare Einflußnahme auf eine stabile und kontinuierliche Produktionsdurchführung zu sichern.

Bei ausgesprochen spezialisierten und relativ großen Kombinatsbetrieben, die über ein ausreichendes, erfolgreich arbeitendes und erfahrenes Forschungs- und Entwicklungspotential verfügen, sollten Neuentwicklungen auch weiterhin in den Kombinatsbetrieben durchgeführt werden.

Die Erhöhung der Geschlossenheit des Reproduktionsprozesses und seiner Effektivität in den Kombinaten ist mit entsprechenden Konsequenzen in der Absatztätigkeit verbunden.

Hierzu gehört die Verstärkung des Potentials und der Fonds für eine qualifizierte Anwenderberatung und die Erhöhung der Leistungsfähigkeit des Kundendienstes. Ferner müssen bessere Bedingungen für das Zusammenwirken der Kombinate mit den Außenhandelsbetrieben geschaffen werden. Abhängig vom Charakter der Produktion und der territorialen Lage der Kombinatsbetriebe muß geprüft werden, ob und wo es zweckmäßig ist, Lager und Versandeinrichtungen, Vertragsbearbeitung und Rechnungslegung zusammenzulegen. Zu verstärken ist in jedem Falle das einheitliche technologische Regime bei Transport-, Umschlag- und Lagerprozessen durch die Kombinatsleitung. Die Konzentration von Funktionen der Beschaffungs- und Absatztätigkeit auf Kombinatsebene muß jedoch die sachkundige Mitarbeit der Kombinatsbetriebe sichern und schrittweise in Schwerpunkten erfolgen. Eine generelle Zentralisierung aller Absatz- und Beschaffungsprozesse ist nicht sinnvoll, weil dadurch die betrieblichen Potenzen weitgehend ungenutzt bleiben und die ökonomische Verantwortung der Kombinatsbetriebe übermäßig eingeschränkt wird.

In dem Maße, wie sich die Reproduktionskraft und die Geschlossenheit des Reproduktionsprozesses in den Kombinaten weiter erhöhen, müssen auch die Regelungen der wirtschaftlichen Rechnungsführung auf der Ebene der Kombinate dem angepaßt werden. Die Entwicklung des Kombinates nach einer einheitlichen Konzeption auf der Grundlage längerfristiger staatlicher Aufgaben schließt die Verfügbarkeit der Kombinatsleitung über entsprechende materielle und finanzielle Mittel ein. Bei der Zentralisierung von Fonds muß die ökonomische und soziale Verantwortung sowie die Entscheidungsbefugnis auf der Ebene der Kombinatsbetriebe und der Kombinatsleitung genau beachtet werden. Dabei wird die Zuordnung der Fonds und die Ausgestaltung der finanziellen Beziehungen im Rahmen der wirtschaftlichen Rechnungsführung immer von der Art der Produktion, der inneren Produktionsstruktur, dem Größenverhältnis der Kombinatsbetriebe, dem Organisationsaufbau der Leitung und der regionalen Struktur des jeweiligen Kombinats abhängig sein.

10. Im Zusammenhang mit der Durchsetzung des wissenschaftlich-technischen Fortschritts, der Vertiefung der Arbeitsteilung und der Konzentration der Produktion sowie der Rekonstruktion und Modernisierung von Betrieben steht heute eine Reihe von Kombinaten vor qualitativ neuen *Fragen der Vervollkommnung ihrer inneren Organisation.* Es geht dabei um neue Anforderungen an die betriebsorganisatorischen Grundlagen zur Sicherung der Einheitlichkeit der Organisation der Leitung und der Produktion in allen Betrieben des Kombinats, um die Vervollkommnung der inneren und äußeren Kooperationsbeziehungen sowie um die Ausgestaltung der Eigenverantwortung der Betriebe bzw. Betriebsteile des Kombinats entsprechend ihrer veränderten Stellung im Reproduktionsprozeß und schließlich um die organisatorische Vervollkommnung der zentralen Leitung der Kombinate.

Ein wesentliches Problem der weiteren Festigung und Entwicklung der Kombinate und ihrer Leitung besteht in der Organisation der Leitung des Kombinats. Die prinzipielle Orientierung der Partei im Prozeß der Bildung der Kombinate, *die Leitung des Kombinats über den Stammbetrieb* zu sichern und damit verbunden die volle Verantwortung des Leiters des Stammbetriebes für die Leitung des Kombinats durchzusetzen, hat prinzipielle Bedeutung für die Sicherung der höheren Effektivität dieser wirtschaftsorganisatorischen Veränderungen. Einerseits wurde verhindert, daß eine über dem Reproduktionsprozeß stehende selbständige Leitung der Kombinatsbetriebe mit VVB-Charakter und der Gefahr einer wesentlichen Erhöhung des Leitungs- und Verwaltungsapparates entstand. Andererseits wurden dadurch entscheidende Bedingungen gesichert, daß der Stammbetrieb als Kern des Reproduktionsprozesses des Kombinats seine spezifische Aufgabe erfüllen konnte. Daher war auch die Auswahl der Stammbetriebe an folgende Kriterien gebunden: Größe des Stammbetriebes im Verhältnis zu den zu vereinigenden Kombinatsbetrieben; objektive Stellung des Stammbetriebes im künftigen einheitlichen Reproduktionsprozeß des Kombinats; langfristig stabile ökonomische Entwicklung des Stammbetriebes; politisch-ideologische und kadermäßige Bedingungen und Erfahrungen insbesondere auch der Leitungskader zur

Leitung der größeren Maßstäbe des Reproduktionsprozesses; Vorhandensein eines möglichst hohen technischen Niveaus der Ausrüstungen und der erforderlichen Reproduktionskraft zur Durchsetzung des wissenschaftlich-technischen Fortschritts und der Realisierung von Rationalisierungsmaßnahmen in den Betrieben des Kombinats.

Überall dort, wo diese Bedingungen annähernd gegeben waren, verfügte der Stammbetrieb über die entscheidenden objektiven und subjektiven Voraussetzungen zur Leitung des Kombinats insgesamt.

Im Prozeß der Organisation des einheitlichen Reproduktionsprozesses im Kombinat vollzogen sich auch Veränderungen im Leitungssystem des Stammbetriebes. Die heute tatsächlich entstandenen organisatorischen Lösungen sind unterschiedlich und nicht in jedem Falle durch die spezifischen Reproduktionsbedingungen bzw. den Entwicklungsstand der Arbeitsteilung erklärbar.

Die Leitung des Kombinats über den Leitungsapparat des Stammbetriebes ist auch heute überall dort erfolgreich, wo der Stammbetrieb als Großbetrieb existiert, mit mehreren Mittel- bzw. Kleinbetrieben zum Kombinat vereinigt wurde und selbst einen entscheidenden Anteil am Produktionsvolumen verkörpert, sowie sehr häufig in solchen Fällen, wo der Stammbetrieb als Montagebetrieb enge Kooperationsbeziehungen mit entscheidenden Vorfertigungsbereichen bzw. zu anderen Kombinatsbetrieben entwickelt hat. In diesen über den Stammbetrieb geleiteten Kombinaten vollzogen sich häufig Veränderungen in der zentralen Leitung des Kombinats, die in folgende Richtungen gehen:

– *Einsatz eines Produktionsdirektors bzw. Direktors für Plandurchführung zur Leitung der Produktionsbereiche des Stammbetriebes.* Diese Lösung ist sowohl in der Metallurgie, den Gießereien als auch in Kombinaten des Maschinenbaus anzutreffen. Sie führt zu einer wesentlichen Entlastung des Generaldirektors des Kombinats im Prozeß der Leitung der Plandurchführung;

– *Entwicklung und Ausbau der organisatorischen Bedingungen zur einheitlichen zentralen Leitung des Kombinats.* Dies betrifft einerseits die schrittweise Entwicklung der langfristig konzeptionellen Arbeit für das Kombinat, verbunden mit der Konzentration einer Reihe von Spezialisten, die sich vor allem mit der Gesamtentwicklung des Kombinats beschäftigen. Andererseits geht es um die Entwicklung eines straff organisierten Systems der Leitung der Plandurchführung, das die Durchsetzung der Verantwortung aller Leiter von produzierenden Bereichen für diesen Prozeß sichert (Rapportsysteme, Planabrechnung mit Vorschau, leitergerechte Information und anderes mehr);

– *Erhöhung der Rolle der Fachdirektoren (meist verbunden mit ihrem Einsatz als stellvertretende Kombinatsdirektoren) bei der komplexen Vorbereitung von Entscheidungen.* Das betrifft Entscheidungen über Grundlinien der weiteren Entwicklung des Kombinats und eine erhöhte Verantwortung bei der Durchsetzung gegenüber den Betriebsteilen des Stammbetriebes sowie den Kombinatsbetrieben.

Unter den Bedingungen wachsender Größenordnungen der Produktion, der zunehmenden Kompliziertheit der Erzeugnissortimente, der Verflechtung der Kombinatsbetriebe, der territorialen Zersplitterung von Kombinatsbetrieben sowie der erhöhten volkswirtschaftlichen Verantwortung im Rahmen der sozialistischen ökonomischen Integration und der Außenwirtschaftsbeziehungen vollzogen und vollziehen sich in einer Reihe von Kombinaten Veränderungen, die zur *Herausbildung einer eigenen, selbständigen Kombinatsleitung* führen.

Eine solche Entwicklung kann unter bestimmten Reproduktionsbedingungen berechtigt sein, insbesondere dann, wenn die neu entstehende zentrale Leitung des

Kombinats unmittelbar verknüpft ist mit der Wahrnehmung zentralisierter bzw. konzentrierter Aufgaben und Funktionen (z. B. auf dem Gebiet der Forschung und Entwicklung, der Investitionsvorbereitung und Durchführung der Organisation der Absatzbeziehungen und der inneren Kooperation).

Die Entscheidung der Frage, Leitung des Kombinats über den Stammbetrieb oder durch eine selbständige Kombinatsleitung kann nicht generell getroffen werden. Sie kann auch nicht primär vom Standpunkt der Überlastung der Kombinatsdirektoren aus gesehen werden.

Wichtiges Kriterium muß die Sicherung der Leitbarkeit des einheitlichen Reproduktionsprozesses des Kombinats durch das Leitungssystem im Sinne hoher, volkswirtschaftlicher Effektivität sein. Organisatorische Veränderungen der zentralen Leitung des Kombinats sind in der Regel in starkem Maße abhängig von Veränderungen der Arbeitsteilung, Spezialisierung und Konzentration im Kombinat und der sich damit vollziehenden Veränderungen in der wirtschaftsorganisatorischen Grundstruktur. Das berührt auch die *Eigenverantwortung von Kombinatsbetrieben und die Erhöhung der Eigenverantwortung von Betriebsteilen innerhalb des Stammbetriebes.* Die Eigenverantwortung der Kombinatsbetriebe und Betriebsteile ist stets an die Wahrnehmung der Aufgaben gebunden, die sich aus der objektiven Stellung der produzierenden Bereiche im Reproduktionsprozeß ergeben. Verändert sich mit der Weiterführung der Arbeitsteilung, Spezialisierung und Konzentration die Stellung von Betrieben im Reproduktionsprozeß, so führt dies objektiv zu neuen Ziel- und Aufgabenstellungen, zur Veränderung der notwendigen Rechte, Pflichten sowie der materiellen und finanziellen Fonds, um diese neuen Aufgaben effektiv und eigenverantwortlich lösen zu können. Der Entwicklungsprozeß der Kombinate zeigt, daß diese Prozesse nicht mit einer sogenannten Einschränkung der Eigenverantwortung von Kombinatsbetrieben bzw. Betriebsteilen charakterisiert werden können. Vielmehr geht es darum, *entsprechend dem jeweiligen Entwicklungsstand der Arbeitsteilung, Spezialisierung und Konzentration in richtiger Weise die Eigenverantwortung der Kombinatsbetriebe bzw. Betriebsteile auszugestalten insbesondere in bezug auf die Planung und die wirtschaftliche Rechnungsführung.* Schließlich werden bei der Weiterentwicklung der Leitungsorganisation in den Kombinaten auch Probleme berührt, die mit der *leitungsmäßigen Beherrschung komplexer Neuerungsprozesse* verbunden sind. Es ist offensichtlich, daß die leitungsmäßige und organisatorische Beherrschung von Neuerungsprozessen an Bedeutung gewinnt und sich das ganze Leitungssystem der Kombinate auf derartige Prozesse einstellen muß.

Intensivierungs- und Rekonstruktionsvorhaben betreffen alle Phasen des Reproduktionsprozesses, sind hochgradig mit der Tätigkeit verschiedenster Leitungsorgane, Betriebe, wissenschaftlicher Einrichtungen sowie mit dem Territorium verflochten und müssen in bestimmten Zeiträumen bewältigt werden. Bei der organisatorischen Lösung der auf diesem Gebiet vor der Leitung stehenden Aufgaben geht es unter anderem um die richtige Verknüpfung von aufbau- und prozeßorganisatorischen Regelungen, darum, die auf vertikale Koordinierung gerichtete Linie-Stab-Organisation stärker mit einem flexiblen System horizontaler Koordinierung zu verbinden, ohne die derzeitige Grundstruktur der Organisation der Leitung aufzugeben. Dabei gilt es, die in einer Reihe von Kombinaten gewonnenen Erfahrungen mit der *Anwendung des Auftragsleiterprinzips* und der Durchsetzung einer *höheren Verantwortung der Fachorgane für die horizontale Koordinierung von Intensivierungsvorhaben* stärker auszuwerten.

1.1. *Die weitere Festigung und Entwicklung der Kombinate ist entscheidend davon abhängig, wie es gelingt, die Kombinate in den Reproduktionsprozeß der Volkswirt-*

schaft einzuordnen. Die planmäßige Stärkung der materiell-technischen Basis durch die langfristige Planung volkswirtschaftlicher Komplexe ist dabei der Ausgangspunkt für die Ziel- und Aufgabenstellung der Entwicklung des Produktionsprofils in den Kombinaten. Das erfordert die richtige Einordnung der Kombinate in den Reproduktionsprozeß der Volkswirtschaft entsprechend den Entwicklungstendenzen des wissenschaftlich-technischen Fortschritts, die Sicherung einer stabilen Entwicklung der Kooperationsbeziehungen zwischen den Betrieben bzw. Kombinaten, insbesondere der Zulieferindustrie und der Finalproduktion, und die Herausbildung einer hochgradigen Übereinstimmung zwischen der Entwicklung der Industriezweige und der Territorien.

So werfen z. B. im Maschinenbau der zunehmende Anlagencharakter der Arbeitsmittel, die Verbindung verschiedener technologischer Verfahren und Maschinen zu Maschinensystemen, die einen Komplex von Arbeitsaufgaben lösen, langfristig gesehen, neue Fragen der Wirtschaftsorganisation auf. Es muß untersucht werden, wie die entsprechenden Kombinate auf die Wahrnehmung von GAN-Funktionen für die Lieferung kompletter Industrieanlagen und Maschinensysteme vorbereitet werden. Für die Wahrnehmung solcher Funktionen müssen die Bedingungen ausgearbeitet werden, um sie effektiver durchführen zu können. Es ist festzulegen, welche Befugnisse für diese Kombinate erforderlich sind.

Eine höhere Effektivität in der Arbeit der Kombinate zu gewährleisten erfordert, im Rahmen der Volkswirtschaft die Entwicklung stabiler Kooperationsbeziehungen zu sichern. Dabei geht es u. a. um die Lösung folgender Probleme:

a) *Das Niveau der Zusammenarbeit zwischen den Kombinaten der Zulieferindustrie und den Industriezweigen der Finalproduktion ist zu erhöhen.* Gute Erfahrungen gibt es in jenen Kombinaten, die mit den wichtigsten Zulieferbetrieben bereits längere Zeit planmäßig zusammenarbeiten. Diese Zusammenarbeit beginnt bereits in der Forschung und Entwicklung zur Sicherung der Qualität der Zuliefererzeugnisse und ihrer Anpassung an die technischen und ökonomischen Anforderungen neuer Finalprodukte und schließt die Abstimmung über Liefertermine und Umfang der Lieferungen entsprechend dem Fertigungsrhythmus der Finalproduzenten ein. Die Entwicklung der Kombinate hat gezeigt, daß die Stabilität ihrer Produktion und die richtige Nutzung ihrer inneren Reserven dann gewährleistet werden konnte, wenn über die langfristige Planung und Bilanzierung aus volkswirtschaftlicher Sicht heraus die Entwicklung der Zulieferproduktion mit der des Finalproduzenten gesichert war und die Zulieferindustrie nicht qualitativ oder quantitativ hinter der Finalproduktion zurückblieb.

b) Die Entwicklung stabiler Kooperationsbeziehungen ist zugleich mit der *Weiterführung der Spezialisierung und Konzentration der Produktion im Maßstab der Volkswirtschaft* zu verbinden.

In diesem Zusammenhang spielt der *Auf- und Ausbau zentraler Fertigungen* eine wesentliche Rolle für die Erhöhung des Produktionsniveaus. Der Aufbau zentraler Fertigungen innerhalb der Kombinate hat wesentlich zur Steigerung der Produktivität der Betriebe beigetragen und das technologische Niveau der Fertigung erhöht. Ihre Einrichtung sollte aber auf solche Teile und Baugruppen beschränkt werden, die nur im Rahmen des Kombinats verarbeitet werden bzw. bei denen die Spezialisierung über die Grenzen des Kombinats hinweg keine volkswirtschaftlichen Effekte bringt. Im Zusammenhang mit der Festigung der Kombinate, dem rationellen Einsatz ihrer Fonds sowie der bestmöglichen Nutzung des gesellschaftlichen Arbeitsvermögens ist der Prozeß der Spezialisierung durch den Auf- und Ausbau zentraler Fertigungen über die Kombinats- und Zweiggrenzen hinweg stärker zu entwickeln, da hier größere volkswirtschaftliche Effekte erzielt werden können. Bei der Einrichtung solcher zentralen Fertigung muß von vornherein die Produktionskapazität so ausgelegt werden, daß sie den wachsenden Bedarf an Teilen und Baugruppen voll decken kann. Ist diese Möglichkeit nicht gegeben, sollte mit der Errichtung zentraler Fertigungen gewartet werden, da bei der Errichtung von Teilkapazitäten die Kooperationsbeziehungen erschwert und unübersichtlich gestaltet werden, die gesellschaftlichen Aufwendungen zunehmen und das Vertrauen in die Leistungsfähigkeit zentraler Fertigungen herabgemindert wird.

c) *Für die weitere Festigung der Kombinate kann es vorteilhaft sein, wichtige Zulieferer entsprechend den engen Verflechtungen mit dem Kombinat zu einer Wirtschaftseinheit im Kombinat zusammenzufassen.*

Die Entscheidung darüber ist jedoch nicht allein von dem quantitativen Verhältnis der Zulieferungen abhängig zu machen, sondern erfordert die Berücksichtigung weiterer Kriterien (z. B. die Einordnung des Zulieferbetriebes in die langfristige wissenschaftlich-technische und produktionsorganisatorische Entwicklung seines Zweiges; die Einordnung des Zulieferbetriebes in den technologischen Prozeß der neuen Wirtschaftseinheit sowie in den Neuerungsprozeß innerhalb des Kombinats).

Durch die Zuordnung von Zulieferern zu den Finalproduzenten entstehen neue Verantwortungsbereiche. Damit kann ein wesentliches Kooperationsproblem im Sinne des jeweiligen Kombinats gelöst werden. Aber gleichzeitig können für die Volkswirtschaft neue Kooperationsprobleme entstehen. Es kommt also darauf an, die administrativen Grenzen so zu ziehen, daß sowohl die Kombinate sich stabil entwickeln können als auch die volkswirtschaftlichen Kooperationsbeziehungen sicherer werden.

Für die weitere Entwicklung der Kombinate ist die Abstimmung ihrer Entwicklungsvorstellungen hinsichtlich der Spezialisierung der Produktion, der Produktionssortimente, des Produktionsvolumens, der Investitionstätigkeit, der Arbeitskräfte sowie der Anforderungen an die weitere Verbesserung der Arbeits- und Lebensbedingungen *mit den jeweiligen Territorialorganen wesentliche Bedingung* für die rationelle Einordnung des Kombinats und seiner Betriebe in die Entwicklung der Territorien sowie *für die Sicherung der Produktionsaufgaben* des Kombinats insgesamt. Dort, wo eine langfristige Abstimmung zwischen den territorialen Möglichkeiten und den aus den volkswirtschaftlichen Entscheidungen sowie der wissenschaftlich-technischen Entwicklung hervorgehenden Produktionsanforderungen an die Kombinate erfolgt, hat das die Kontinuität des Produktionsprozesses erhöht und größere Sicherheit in die Kooperationsbeziehungen gebracht.

Durch die Vervollkommnung der langfristigen Planung sowie die bessere Bilanzierung der materiellen Fonds und des gesellschaftlichen Arbeitsvermögens muß eine bessere Koordinierung zwischen der Kombinats- und Territorialentwicklung erreicht werden.

Vor allem geht es dabei um die Ausarbeitung langfristiger Intensivierungskonzeptionen in den Kombinaten und Ministerien, die mit den Leitungsorganen in den Territorien abzustimmen sind. Das erfordert von den Kombinaten und Ministerien, eine enge Zusammenarbeit mit den Räten der Bezirke zu entwickeln. Gleichzeitig werden Untersuchungen in den Betrieben der Ballungsgebiete durch die Organe des Kombinats und der Territorien über entsprechenden Bedarf, den zweckmäßigen Standort, den rationellen Einsatz von Arbeitskräften und den ökonomischen Nutzeffekt von Spezialisierungsvorhaben erforderlich.

Verbunden mit der weiteren Entwicklung der Kombinate und der selbständigen Entwicklung der Klein- und Mittelbetriebe sind durch die Vervollkommnung der Erzeugnisgruppenarbeit für die sozialistische Intensivierung in den Klein- und Mittelbetrieben, insbesondere der bezirksgeleiteten Industrie, weitere Reserven zu erschließen.

Die spezifische Funktion der Erzeugnisgruppenarbeit besteht darin, den wissenschaftlich-technischen Fortschritt in allen Betrieben des Industriezweiges, unabhängig von ihrer Unterstellung, durch die bessere Nutzung der vorhandenen Potenzen, besonders der der Großbetriebe und Kombinate, zu beschleunigen. Es geht darum, die spezifischen Bedingungen der Klein- und Mittelbetriebe mit wachsender Effektivität für die Erfüllung der Aufgaben des jeweiligen Industriezweiges bei der Deckung des Bedarfs der Volkswirtschaft zu nutzen.

Für die Durchsetzung dieser umfassenden Aufgabe ist die politisch-ideologische, ökonomische und organisatorische Arbeit in den Erzeugnisgruppen zu entwickeln. Selbst in erfolgreichen Industriezweigen beschränkt sich zur Zeit die Erzeugnisgruppenarbeit noch zu sehr auf die Bilanzierung des Absatzes der Erzeugnisse, der Materialversorgung oder der Maschinen und Ausrüstungen. Alle bisherigen Erfahrungen führen zu der Schlußfolgerung, künftig die Erzeugnisgruppenarbeit in einer höheren Qualität und auch mit einer größeren Verbindlichkeit durchzuführen. Das erfordert ein höheres Niveau der Zusammenarbeit zwischen den Leitungsorganen der Industriezweige und der Territorien sowie die Vervollkommnung der Aufgaben, Rechte und Pflichten der Erzeugnisgruppenleitbetriebe.

2. Einführungsvortrag

G. FRIEDRICH

Einführungsvortrag auf der 22. Tagung des Wissenschaftlichen Rates für die wirtschaftswissenschaftliche Forschung

Mit dem Gegenstand unserer heutigen Beratung knüpfen wir unmittelbar an die 14. Tagung des Rates an, die sich mit den Aufgaben der sozialistischen Betriebe und Kombinate bei der Intensivierung des Reproduktionsprozesses beschäftigte und setzen damit zugleich die Diskussion im Rat fort, die zu den Komplexen volkswirtschaftliche Effektivität und sozialistisches Sparsamkeitsprinzip, Beschleunigung des wissenschaftlich-technischen Fortschritts, Materialökonomie und Sicherung der Rohstoffbasis u. a. geführt wurden. Das besondere Anliegen unserer heutigen Tagung besteht darin, aus den vielfältigen Anforderungen der Weiterführung des politischen Kurses der Hauptaufgabe, die u. a. Gegenstand vorangegangener Ratstagungen waren, die Konsequenzen für die Vervollkommnung der Leitung, Planung und ökonomischen Stimulierung zu ziehen und zu prüfen, welchen weiteren Beitrag hierzu die wirtschaftswissenschaftliche Forschung zu leisten vermag.

Ausgangspunkt unserer heutigen Beratung sollte dabei die Forderung des Programms der SED sein, „den demokratischen Zentralismus zu stärken, indem die zentrale staatliche Leitung und Planung mit der schöpferischen Aktivität der Werktätigen und der eigenverantwortlichen Tätigkeit der Betriebe, Kombinate, VVB und Genossenschaften sowie der örtlichen Staatsorgane wirkungsvoll verbunden wird."[1]

Entsprechend den Festlegungen in der Leitung des Rates haben wir uns in den Thesen besonders auf die weitere Entwicklung und Festigung der Kombinate in der sozialistischen Industrie konzentriert.

In den einführenden Bemerkungen möchte ich mich auf drei Fragen konzentrieren, die in der Diskussion über die vorliegenden Thesen eine gewisse Schlüsselstellung einnehmen.

1. Welche Faktoren sind bestimmend für die Spezifik der Leitung, für die Anforderungen an die Leitung in einer gegebenen Etappe der Gestaltung der entwickelten sozialistischen Gesellschaft?

a) Die Spezifik der Leitung wird in starkem Maße vom erreichten Stand der Produktivkräfte und Produktionsverhältnisse geprägt, wie er im *Vergesellschaftungsgrad der Produktion* zum Ausdruck kommt. Daraus ergeben sich unmittelbare Konsequenzen für

– die wirtschaftsorganisatorischen Grundformen Betrieb, Kombinat, Zweigleitung, für ihr Verhältnis zueinander, für ihre Stellung im Reproduktionsprozeß und im gesamten Leitungssystem der Volkswirtschaft sowie für die Beantwortung der Frage

[1] Programm der Sozialistischen Einheitspartei Deutschlands, Berlin 1976, S. 34/35.

nach der der entwickelten sozialistischen Gesellschaft gemäßen ökonomischen Grundeinheit, die sich im Prozeß der Entwicklung großer Wirtschaftseinheiten herausbildet;

– das Verhältnis von Zweigleitung und Leitung eines Territoriums, das für den weiteren Ausbau der materiell-technischen Basis der Volkswirtschaft zunehmend an Gewicht gewinnt; besonders tritt dies im Zusammenhang mit Fragen der Nutzung territorial gebundener Ressourcen und der rationellen Standortverteilung der Produktivkräfte hervor;

– die anzuwendenden Methoden der Leitung und Planung und ihrer Vervollkommnung, d. h. bei der Entwicklung dieser Methoden muß vor allem der mit der weiteren Vergesellschaftung der Produktion zunehmenden Komplexität ökonomischer und sozialer Prozesse Rechnung getragen werden;

– die Organisationsformen und -methoden der Leitung und Planung der Prozesse der sozialistischen ökonomischen Integration; mit der Bildung internationaler Wirtschaftsorganisationen entstehen neue Ansatzpunkte für die Entwicklung der Produktivkräfte, kommt zum Ausdruck, wie die Vergesellschaftung der Produktion die Internationalisierung des Wirtschaftslebens vorantreibt.

Damit wird deutlich, daß Organisationsformen der Leitung nicht nur passiv den erreichten Stand der Produktivkräfte und Produktionsverhältnisse widerspiegeln, sondern stets so gestaltet werden müssen, daß sie aktiv die Entwicklung der Produktivkräfte und Produktionsverhältnisse vorantreiben. Die Leitung und Planung unter den Bedingungen der entwickelten sozialistischen Gesellschaft muß so vervollkommnet werden, daß Raum geschaffen wird für die Weiterführung der Vergesellschaftung der Produktion, wobei die enge Verbindung von Wissenschaft und Produktion als ein entscheidender Aspekt dieses Vergesellschaftungsprozesses besonderes Gewicht erhält.

Nachdrücklich möchte ich hervorheben, daß es bei den Wechselbeziehungen zwischen Vergesellschaftung der Produktion und Leitung keineswegs allein oder in erster Linie um Organisationsfragen der Wirtschaft und ihrer Leitung geht – der Grad der Vergesellschaftung der Produktion prägt die Art und Weise des Zusammenwirkens der zentralen staatlichen Organe mit den Wirtschaftseinheiten und den territorialen Staatsorganen im Prozeß der Ausarbeitung und Durchführung des Planes und ist von nicht zu unterschätzendem Gewicht für die Methoden der Planung und die Gestaltung der wirtschaftlichen Rechnungsführung.

b) Die Spezifik der Leitung wird bestimmt durch *die wirtschaftspolitische Strategie der Partei*, die im politischen Kurs der Hauptaufgabe, in der Einheit von Wirtschafts- und Sozialpolitik, in der Grundorientierung auf den weiteren Ausbau der materiell-technischen Basis der Volkswirtschaft und der Vertiefung der sozialistischen ökonomischen Integration ihren Ausdruck findet. Der Generalsekretär des ZK der SED, Genosse Erich Honecker, unterstrich in seinem Bericht an den IX. Parteitag der SED, daß jeder Schritt in der Vervollkommnung der Leitung, Planung und ökonomischen Stimulierung darauf gerichtet sein muß, die im Fünfjahrplan 1976 bis 1980 gesetzte wirtschafts- und sozialpolitische Zielstellung unter konsequenter Nutzung der qualitativen Wachstumsfaktoren zu realisieren.

Damit sind die Ziele in der Leitung der Wirtschaft eindeutig und klar fixiert, jene Ziele, denen die Vervollkommnung der Leitung Rechnung tragen muß. Das Kernproblem für die Vervollkommnung der Leitung, Planung und ökonomischen Stimulierung besteht dabei darin, durch eine hohe Qualität der Leitung den notwendigen Leistungsanstieg in der Volkswirtschaft zu sichern.

c) Die Spezifik der Leitung der Wirtschaft wird dadurch bestimmt, daß die *intensiv erweiterte Reproduktion* den Grundtyp der Reproduktion der entwickelten sozialistischen Gesellschaft darstellt. *Hierin liegt ein gravierendes, übergreifendes Moment für die Vervollkommnung der Leitung, Planung und ökonomischen Stimulierung in der entwickelten sozialistischen Gesellschaft.* Die Frage nach dem sozialistischen Wirtschaftsmechanismus, wie sie in der sowjetischen Literatur diskutiert wird, ist vor allem die Frage danach, wie das Leitungssystem beschaffen sein muß, um hohe Effektivität der Produktion zu sichern, um die Verhaltensweisen der Leiter und der Produktionskollektive, jedes einzelnen Mitglieds der Gesellschaft auf effektiveres Wirtschaften auszurichten, auf ein Wirtschaften, bei dem die Effektivität schneller wächst als der Ressourceneinsatz.

Im Zentrum stehen die Beschleunigung des wissenschaftlich-technischen Fortschritts und die vielfältigen, mit dem wissenschaftlich-technischen Fortschritt verbundenen materiellen Prozesse, die ökonomischen und sozialen Bedingungen in ihren Beziehungen zu den Ergebnissen des wissenschaftlich-technischen Fortschritts.

Auf die Anforderungen, die sich aus der Intensivierung der Produktion für die Leitung ergeben, komme ich im zweiten Teil meines Einführungsvortrages zurück. Hier sei nur darauf verwiesen, daß die Intensivierung der Produktion die Wirkungsbedingungen der ökonomischen Gesetze des Sozialismus verändert, die Leitung vor neue Erfordernisse der Ausnutzung dieser Gesetze stellt (vgl. hierzu These 1).

d) Die Spezifik der Leitung der Wirtschaft einer entwickelten sozialistischen Gesellschaft wird dadurch bestimmt, daß sie untrennbarer Bestandteil der *politischen Organisation der sozialistischen Gesellschaft* in ihrer Gesamtheit ist, die durch das engste Zusammenwirken staatlicher und gesellschaftlicher Organe unter Führung der Partei der Arbeiterklasse charakterisiert wird. Für die Leitung der Wirtschaft gilt ebenso wie für die Leitung der Gesellschaft insgesamt das gleiche Grundanliegen: sicherzustellen, daß die Menschen immer besser in die Lage versetzt werden, ihre gesellschaftlichen Verhältnisse, ihre Arbeits- und Lebensbedingungen mit sich immer weiter entwickelnder Bewußtheit selbst zu gestalten. Die wachsende Rolle des subjektiven Faktors, die insbesondere in der sich weiter ausprägenden führenden Rolle der Partei der Arbeiterklasse, in der wachsenden Qualifikation und allseitigen Entwicklung sozialistischer Persönlichkeiten ihren Ausgangspunkt hat, muß letztlich ihren Niederschlag in der bewußteren, umfassenderen Ausnutzung der ökonomischen und sozialen Entwicklungsgesetze der Gesellschaft finden und damit zur Entfaltung der Triebkräfte der sozialistischen Gesellschaft beitragen. Die Dialektik in den Beziehungen zwischen subjektivem Faktor und objektiven Bedingungen seines Wirkens besteht unter anderem darin, daß die wachsende Rolle des subjektiven Faktors zugleich von immer größer werdendem Gewicht und zunehmender Komplexität der objektiven Bedingungen des gesellschaftlichen Lebens begleitet ist. Daraus erwachsen zunehmende Ansprüche an das Niveau der Leitung der gesellschaftlichen Prozesse.

2. Wie gelingt es, die Leitung, Planung und ökonomische Stimulierung immer konsequenter auf die Intensivierung der Produktion einzustellen?

Auf dem 9. FDGB-Kongreß wies Genosse Erich Honecker erneut mit Nachdruck darauf hin, daß die sozialistische Intensivierung der Produktion mit größter Entschiedenheit vorangebracht werden muß, daß sie voll und ganz als Hauptweg unseres ökonomischen Fortschritts durchzusetzen ist. Er bezeichnete das als eine der bedeutendsten Aufgaben unserer sozialistischen Planwirtschaft.

Analysen in einer größeren Zahl von Betrieben beweisen, daß Schrittmaß und volkswirtschaftliche Ergebnisse bei der Leitungs- und Effektivitätsentwicklung insbesondere dort erreicht worden sind, wo es gelang, die Faktoren der Intensivierung in ihrer Komplexität zur Wirkung zu bringen. Im Grad der Ausnutzung dieser Faktoren werden allerdings Unterschiede sichtbar, die letztlich aus nicht voll genutzten Reserven resultieren.

Für die weitere Erfüllung der Aufgaben des Fünfjahrplanes ist die Mobilisierung dieser Reserven jedoch von großer Bedeutung.

Die Untersuchungsergebnisse verdeutlichen, daß die Intensivierung der Produktion qualitativ neue Forderungen an das Niveau und die Qualität der Leitungstätigkeit stellt. Es ist zu gewährleisten, daß z. B. der aus lebendiger Arbeit erzielte hohe Effektivitätszuwachs nicht durch einen überproportionalen Anstieg der vergegenständlichten Arbeit gemindert wird, daß sich der Freisetzungseffekt bei Arbeitsplänen durch rationellen Einsatz neuer Technik in der Grundmittelausstattung einschließlich der Aussonderung veralteter Grundmittel erhöht, daß die Ergebnisse von Forschung und Entwicklung mit hohem Niveau und international anerkannten technischen und ökonomischen Leistungsparametern beschleunigt Anwendung und Verbreitung finden.

Um den Prozeß der sozialistischen Intensivierung weiter voranzutreiben, muß die Arbeit in Wissenschaft und Praxis unter anderem vor allem in folgender Richtung verstärkt werden:

a) *Erweiterung des Zeithorizonts der Planung.* Mit der langfristigen Planung, dem Ausbau des Fünfjahrplanes zum Hauptinstrument der Leitung der Wirtschaftstätigkeit werden bessere Bedingungen geschaffen für die Erhöhung der Stabilität der für die Intensivierung bedeutsamen, langfristig wirkenden Entscheidungen. Das bezieht sich vorrangig auf Forschung und Entwicklung, Investitionen, strukturelle Entwicklungsprobleme. Ein weiterer Aspekt besteht darin, daß mit dem Ausbau des Fünfjahrplanes zum Hauptinstrument stabilere Rahmenbedingungen für den Handlungsspielraum der großen Wirtschaftseinheiten – Kombinate, VVB – geschaffen werden. Eine Grundvoraussetzung für die in der vorgegebenen Richtung wirkende Funktion des Fünfjahrplanes ist die Erhöhung des Grades der Bilanziertheit der Aufgaben und des Ressourceneinsatzes; langfristige Planung und langfristige Bilanzierung bedingen einander.

b) *Planung, Leistungsbewertung und ökonomische Stimulierung* sind so auszubauen, daß die Betriebe, Kombinate und Zweigleitungsorgane auf die effektivsten Lösungen im volkswirtschaftlichen Interesse orientiert werden. Mit dem Beschluß des Ministerrates vom 25. 3. 1976 zur Leistungsbewertung der Betriebe und Kombinate wurde die Grundrichtung für die weitere Qualifizierung der Leitung, Planung, Abrechnung und Stimulierung hoher Produktionsleistungen durch Vertiefung der Intensivierung in Industrie- und Baubetrieben gekennzeichnet. Er bietet bessere Möglichkeiten für eine schnelle Reaktion auf Bedarfsveränderungen, stimuliert über neue Preisbildungsgrundsätze den wissenschaftlich-technischen Fortschritt und eine hohe Materialökonomie, zwingt zu besserer Planvorbereitung.

Mit dem Beschluß zur Leistungsbewertung erhalten die qualitativen Wachstumsfaktoren in der Planausarbeitung, -durchführung und -abrechnung der Betriebe stärkeres Gewicht. Das führte zu einer höheren Qualität der Intensivierungskonzeptionen, zu ihrer stärkeren Ausrichtung auf die komplexe Nutzung der Intensivierungsfaktoren. Mitunter wird allerdings die notwendige Einheit qualitativer und quantitativer Faktoren vernachlässigt bzw. werden quantitatives und qualitatives Wachstum sogar einander gegenübergestellt. Das ist jedoch ebensowenig zulässig wie eine Gegenüberstellung von bedarfsgerechter Produktion und hoher Effektivität. Das Ziel der sozialistischen Produktion erfordert bedarfs- und qualitätsgerechte Produktion mit hoher Effektivität. Beide Forderungen bilden eine Einheit.

Die Anwendung des Beschlusses über die Leistungsbewertung wirft zugleich eine Reihe weiterer Fragen auf, die wissenschaftlicher Untersuchungen bedürfen: Die ökonomisch begründete Anwendung des Preis-Leistungs-Verhältnisses unter Berücksichtigung jener Gebrauchswertparameter, die zu entsprechendem ökonomischen Nutzen beim Anwender führen sowie die Berücksichtigung des internationalen technisch-ökonomischen Niveaus; die vollständigere Erfassung der Faktoren der Effektivitätssteigerung in der Planung und der Ausweis der Effektivitätsentwicklung in der Abrechnung; die stärkere Bindung der ökonomischen Stimuli an die Qualität und Effektivität der Arbeit; die stärkere Durchsetzung der Einheit von Plan, Bilanz und Vertrag im Interesse einer besseren Bedarfsdeckung u. a. m.

In dem Bemühen, Leitung, Planung und ökonomische Stimulierung noch konsequenter auf die Intensivierung der Produktion einzustellen, kann uns das sorgfältige Studium der Erfahrungen der Sowjetunion sehr helfen. Hier werden bereits für den Zeitraum 1976 bis 1980 eine Reihe wesentlicher Veränderungen vorgenommen, die darauf abzielen, Qualität und Effektivität der Produktion in den Mittelpunkt der Leistungsbewertung und ökonomischen Stimulierung zu stellen, die Wirtschaftseinheiten und Leitungsorgane stärker auf das Endprodukt zu orientieren, die Rolle des Verbrauchers in den Wirtschaftsbeziehungen anzuheben und die Vertragsgerechtheit der Produktion stärker zu werten.

c) Das *Leistungsprinzip* in der Wirtschaft ist noch *vollkommener durchzusetzen.* Das gilt sowohl für die Ausschöpfung von Reserven im laufenden Prozeß als auch für die weitere Beschleunigung des wissenschaftlich-technischen Fortschritts für längere Zeiträume. Mit der Stimulierung von Wissenschaft und Technik und hoher Produktionsleistungen sollen Leistungsbereitschaft und Arbeitsvermögen in der kontinuierlichen Erfüllung anspruchsvoller Pläne ihren Niederschlag finden. Eine hervorragende Rolle kommt dabei der wissenschaftlichen Arbeitsorganisation zu. Sehr sorgfältig sind in diesem Zusammenhang auch die Erfahrungen auszuwerten, die mit der Einführung der Grundlöhne gewonnen werden. Die objektiv wachsenden gesellschaftlichen Anforderungen erzwingen die bedeutende Erhöhung der Leistung der Volkswirtschaft insgesamt. Die Durchsetzung des Leistungsprinzips betrifft daher nicht nur einzelne und unmittelbare Arbeitskollektive, sondern die ökonomische Stimulierung hoher Leistungen gilt auch im gesamtvolkswirtschaftlichen Maßstab. Preisbildung und wirtschaftliche Rechnungsführung gewinnen zunehmend an Bedeutung.

d) Es sind jene *Planungs- und Leitungsmethoden* auszubauen, *die* es gestatten, *der Komplexität von Neuerungs- und strukturverändernden Prozessen besser Rechnung zu tragen.* Das schließt u. a. die stärkere Anwendung von Methoden der Programmplanung bei wichtigen Vorhaben von Wissenschaft und Technik zur besseren Beherrschung der mit dem jeweiligen Vorhaben verbundenen ökonomischen, technischen und sozialen Voraussetzungen und Konsequenzen ein. Ein Kernproblem der komplexen Nutzung der Intensivierungsfaktoren zur Erhöhung der volkswirtschaftlichen Effektivität besteht darin, die Wirkungszusammenhänge zwischen wissenschaftlich-technischen Neuerungsprozessen, Vorbereitung und Durchführung von Investitionen und Entwicklung der Produktions- und Außenwirtschaftsstruktur mittels des Planes besser zu beherrschen.

3. Welche Wege bieten sich für die weitere Festigung der Kombinate und die Vervollkommnung ihrer Leitung an?

Die Grundorientierung des IX. Parteitages der SED für die weitere Festigung der Kombinate lautet:

– den Reproduktionsprozeß in den Kombinaten so zu entwickeln, daß alle Effektivitätspotenzen dieser Wirtschaftsorganisation voll ausgeschöpft werden können,

– sie zu solchen Wirtschaftseinheiten zu entwickeln, die noch besser in der Lage sind, die Grundfragen ihrer erweiterten Reproduktion vorausschauend und im Komplex zu lösen,

– alle grundlegenden Erfahrungen in der rationellen Organisation der Arbeit der Kombinate und ihrer Betriebe systematisch mit dem Ziel zu verallgemeinern, die Leitungstätigkeit effektiver zu gestalten.

Davon ausgehend sind diese Fragen in den Thesen ausführlich behandelt worden. An dieser Stelle sollen daher nur zwei Aspekte hervorgehoben werden:

a) Die Effektivität der Kombinate, ihre daraus resultierende Überlegenheit gegenüber Einzelbetrieben ist in starkem Maße von ihren inneren materiellen Strukturen und deren Veränderungen abhängig. Ein Kernproblem dabei besteht darin, durch die Strukturierung bessere Bedingungen für die Beherrschung von Neuerungsprozessen zu schaffen. Das erfordert die Sicherung der Proportionalität in den produktionsvorbereitenden Bereichen sowie den Ausbau der Rationalisierungsmittelfertigung und die Einrichtung von Bauabteilungen in den Kombinaten. Intensivierung und Erhöhung der Produktion verlangen immer mehr „maßgeschneiderte" Lösungen, die nicht Gegenstand der Serienfertigung des Maschinenbaus sein können; allerdings muß der Maschinenbau mit seinen Potenzen an Wissenschaft, Technik und Technologie bessere Voraussetzungen für den Rationalisierungsmittelbau schaffen.

b) Analysen machen sichtbar, daß Kombinate und Betriebe unter durchaus gleichgelagerten Bedingungen zu unterschiedlichen Ergebnissen kommen. Das unterstreicht, welche Bedeutung dem Herangehen von Leitung und Parteiorganisation an die Durchsetzung der Intensivierung, an die Erhöhung von Qualität und Effektivität für die Erreichung besserer Resultate zukommt. Vorliegende Ergebnisse zeigen anschaulich, in welch hohem Maße Leistungskraft und Resultate von den Fähigkeiten, dem Anspruchsniveau, der Risikobereitschaft und den Kampfpositionen der Leiter der Wirtschaftseinheiten geprägt werden, d. h. welche entscheidende Rolle die Grundhaltung der Leiter spielt.

In der wissenschaftlichen Arbeit zur Vervollkommnung der Leitung, Planung und ökonomischen Stimulierung, bei der Erarbeitung, wissenschaftlich begründeter Lösungsvorschläge besteht die Verpflichtung, immer wieder die Fragen zu prüfen: Entspricht die Leitung dem herangereiften Niveau der Produktivkräfte und Produktionsverhältnisse? Ist sie auf die wirtschafts- und sozialpolitische Zielsetzung, die in den Parteibeschlüssen verankert ist, ausgerichtet? Bewegt sie sich in der Richtung, die für die Effektivität maßgebend ist, und wie muß sie sich im Zusammenhang mit der gesamten Entwicklung der sozialistischen Gesellschaft immer weiter vervollkommnen? Nur so sind Lösungswege zu finden; denn die Funktion der Wissenschaft besteht nicht in erster Linie darin, Fragen lediglich aufzuwerfen, sondern darin, Fragen, die das Leben stellt, mit sorgfältigen Analysen zu beantworten.

Die in den letzten Jahren im Wissenschaftlichen Rat für Fragen der Leitung in der Wirtschaft vorgelegten Untersuchungsergebnisse unterstreichen, daß im Grunde alle Fragen der Leitung der Wirtschaft in ihrem untrennbaren Zusammenhang mit den zu leitenden materiellen Prozessen der gesellschaftlichen Entwicklung, insbesondere der Reproduktion, betrachtet werden müssen. Die materiellen Prozesse haben – insbesondere in Verbindung mit der wirtschafts- und sozialpolitischen Zielstellung – einen bestimmenden Einfluß auf die Wirksamkeit und Reaktionsfähigkeit der Leitung. Das heißt, die Leitung bewegt nicht nur die Prozesse, indem sie sie insbesondere mittels des Planes gestaltet, sondern sie wird selbst durch diese Prozesse geprägt. Daher müssen auch bei allen Überlegungen der Leitung, Planung und ökonomischen Stimulierung immer die realen Bedingungen der Reproduktion genau so in Rechnung gestellt werden, wie das Niveau und der Funktionsmechanismus der Leitung, wie das Verhalten der Menschen, die den gesellschaftlichen Entwicklungsprozeß mit ständig wachsender Bewußtheit und immer höherem Qualifikations- und daraus resultierendem Anspruchsniveau mitgestalten.

3. Diskussion

C.-H. Janson

Leitung und Planung voll auf die Intensivierung einstellen

Mit den vorliegenden Thesen hat sich der Rat Problemen zugewandt, die von großer gesellschaftlicher Tragweite und Aktualität sind. Die Thesen werden zu einem Zeitpunkt vorgelegt, wo die Partei die Frage der Verwirklichung einer *neuen Qualität der Leitung und Planung und der Erhöhung der Verantwortung jedes Leiters stellt.*

Auf dem 9. FDGB-Kongreß hat der Generalsekretär des ZK unserer Partei, Genosse Erich Honecker, mit einfachen klaren Worten gesagt, worum es geht: Die den Interessen des Volkes dienende Politik des IX. Parteitages hat sich im Leben bewährt. Die Hauptaufgabe in ihrer Einheit von Wirtschafts- und Sozialpolitik, diese von der Arbeiterklasse und dem ganzen Volk begrüßte und getragene Politik wird weiterhin fortgesetzt. Unsere Wirtschaft bleibt auf Wachstum eingestellt. *Die Beschlüsse des IX. Parteitages werden unter veränderten außenwirtschaftlichen Bedingungen konsequent weiter durchgeführt.* Das erfordert, jetzt die *Intensivierung mit einer neuen höheren Qualität zu verwirklichen.*

Das muß seinen Ausdruck in einer Erhöhung der Leistungen, im Erreichen des bestmöglichen Verhältnisses von Aufwand und Ergebnis finden und verlangt die schnelle Steigerung der Qualität und Effektivität der gesamten Arbeit. Das ist eine Kampfaufgabe im echten Sinne des Wortes für die Leitung der Wirtschaft. Sie betrifft das Denken und Handeln von Millionen Menschen. Sie verlangt die volle Wahrnehmung der persönlichen Verantwortung der leitenden Kader in den Staatsorganen und in der Wirtschaft. Sie ist gerichtet auf das *Zusammenspiel von wissenschaftlicher Leitung und Masseninitiative.*

Die Leitung ist auf die Entfaltung der schöpferischen Initiative der Menschen gerichtet. Das ist eine der großen Reserven, über die wir verfügen. Das erfordert im Sinne der Konferenz des Zentralkomitees der SED über die politische Massenarbeit, die ökonomische Propaganda zu verstärken. Die Verwirklichung einer neuen Qualität der Leitung und Planung bedarf der Mitarbeit der Wirtschaftswissenschaftler, insbesondere der Leitungswissenschaftler. Es geht darum, wie Genosse Kurt Hager sagte, die Erkenntnisse der Wissenschaft als Wachstums- und Effektivitätsfaktor zu nutzen. Die Wissenschaftler sollten an der umfassenden Analyse der herangereiften Fragen und an konstruktiven Wegen zu ihrer Lösung mitarbeiten.

Aus der Vielzahl der vorliegenden diskussionswürdigen Probleme wird auf zwei eingegangen:

1. Leitung und Planung müssen voll auf die Intensivierung eingestellt werden und neben den quantitativen in stärkerem Maße der Erschließung der qualitativen Wachstumsfaktoren entsprechen. Das ist noch ein weites Feld, um in Gemeinschaftsarbeit von Wissenschaft und Leitungspraxis die dem Sozialismus eigenen Gesetzmäßigkeiten und Vorzüge besser zu nutzen. Die Feststellung der Thesen ist zu unterstreichen, daß an die Vervollkommnung der Leitung von allen Seiten und Ebenen, d. h. komplex, herangegangen werden muß.

Ziel ist die weitere Vertiefung der Intensivierung, die komplexe Nutzung ihrer Faktoren und eine umfassende Rationalisierung der Produktion.

Besonders notwendig ist, die *ökonomische Wirksamkeit des wissenschaftlich-technischen Fortschritts* für die Steigerung der Effektivität der ganzen Volkswirtschaft zu verstärken. Das muß auch zu einem wesentlich größeren Produktionsvolumen konkurrenzfähiger, devisenrentabeler Erzeugnisse führen.

Im Zusammenhang mit der Nutzung der qualitativen Wachstumsfaktoren verdient die Leistungsbewertung in umfassendem Sinne größere Aufmerksamkeit.

Zwei Aspekte bedürfen einer tieferen wissenschaftlichen Durchdringung:

a) eine gründliche Analyse der Ergebnisse und Wirksamkeit der geltenden Beschlüsse und gesetzlichen Bestimmungen mit dem Ziel, gute Ergebnisse zu verallgemeinern und konstruktive Vorschläge auszuarbeiten, wie Leitung, Planung und Stimulierung noch wirksamer auf die komplexe Nutzung der 10 Punkte der Intensivierung, die Produktion hochwertiger Erzeugnisse entsprechend dem Bedarf des Inlands und des Exports und die Einhaltung des Prinzips der strengsten Sparsamkeit gerichtet werden.

b) tiefgründige theoretische Untersuchungen anzustellen, wie die Erfordernisse der ökonomischen Gesetze in der entwickelten sozialistischen Gesellschaft besser bei der Planung und Leistungsbewertung genutzt werden können, damit die Überlegenheit des Sozialismus über den Kapitalismus letztlich in einer höheren Qualität, Effektivität und Produktivität ihre Widerspiegelung findet.

2. Zu Recht nimmt in den Thesen die Entwicklung der Kombinate einen bedeutenden Platz ein. Mit seinen Ausführungen auf der Beratung des Sekretariats des ZK der SED mit den 1. Kreissekretären und auf der 5. Tagung des ZK über die weitere Ausgestaltung und die Bildung neuer Kombinate hat Genosse Erich Honecker eindeutig die Richtung bestimmt, um dieses bedeutende herangereifte Problem bei der weiteren Vervollkommnung der Leitung und Planung unserer Volkswirtschaft zu lösen. Die Erhöhung der Effektivität, die umfassende Rationalisierung werden davon maßgeblich beeinflußt. Die Erfahrungen nach dem VIII. Parteitag der SED besagen, daß in den zentralgeleiteten Kombinaten die größten Fortschritte bei der Erhöhung der Produktivität und Effektivität auf dem Wege der Intensivierung und Rationalisierung erreicht wurden. Ihre Steigerung der Arbeitsproduktivität von 1970 bis 1976 ist höher als in der übrigen Industrie. In diesen Kombinaten wurden leistungsstarke Forschungs- und Entwicklungspotentiale geschaffen und eng mit dem Produktionsprozeß verbunden. Damit sind Voraussetzungen vorhanden, wissenschaftlich-technische Spitzenleistungen zu erreichen und die Überleitungsfristen zu verkürzen. Es wurde begonnen, einen einheitlichen Reproduktionsprozeß herauszubilden und die reale Vergesellschaftung der Produktion weiterzuführen. Die Weiterführung der analytischen Arbeit auf diesem Gebiet und die tiefgründige gewissenhafte Ausarbeitung weiterer Schritte ist eine erstrangige Aufgabe, die hohes Verantwortungsbewußtsein, weite Voraussicht, wissenschaftliche Gründlichkeit, aber auch Kühnheit erfordert. Dabei dürfen die Unterschiede in den Bedingungen, im Verlauf des Prozesses und in den erzielten Ergebnissen nicht übersehen werden.

Angesichts der großen politischen und ökonomischen Tragweite von Veränderungen in der Wirtschaftsorganisation ist die Notwendigkeit schrittweisen Vorgehens zu unterstreichen. Effektivität und Stabilität sind die grundlegenden Bedingungen für alle Maßnahmen. Im Grunde genommen – und das zeigen die Thesen auch – geht es um den ganzen Komplex der Leitung und Planung großer Wirtschaftseinheiten, der vom Standpunkt des Vorwärtsdrängens neu durchdacht werden muß. Es sei gestattet, einige

Fragestellungen herauszugreifen, zu deren Beantwortung die Mitarbeit der Wirtschaftswissenschaften notwendig und erwünscht erscheint:

– wie durch bewußte Nutzung der Vergesellschaftung der Produktion ein spürbar größerer Beitrag zur Intensivierung, besonders zur Beschleunigung des wissenschaftlich-technischen Fortschritts geleistet werden kann;

– wie unter dem Aspekt einer schnellen Steigerung der Effektivität die Rolle des Kombinats und seiner Betriebe zu entwickeln ist, einschließlich der in den Thesen klar umrissenen Rolle des Stammbetriebes;

– wie die Zulieferbetriebe in die Kombinate verstärkt einbezogen werden können, wie eine umfassende Rationalisierung schnell auszuweitender Produktion von Rationalisierungsmitteln sowie eigener Bauleistungen gewährleistet werden kann;

– wie die Kombinate im Rahmen des Planes langfristige Strukturpolitik betreiben, wie sie stärker direkt mit den Außenmärkten zu konfrontieren sind mit dem Ziel, unmittelbar mit Spitzenleistungen und ökonomisch gewichtigen sowie rentablen, verkaufsfähigen Produkten zu reagieren;

– wie die effektive Entwicklung der Kombinate mit den territorialen Erfordernissen planmäßig besser in Übereinstimmung zu bringen ist.

Der IX. Parteitag der SED hat die Arbeit der Leiter in Staat und Wirtschaft hoch gewürdigt. Die große Mehrzahl von ihnen arbeitet klug und mit Hingabe für die erfolgreiche Durchführung der Parteibeschlüsse und hat ihre Fähigkeit in der sozialistischen Wirtschaftsführung vervollkommnet. Ihre prinzipienfeste Arbeit, die in enger Verbindung mit den Werktätigen auf die Durchführung des ihnen von der Partei und der Arbeiterklasse erteilten gesellschaftlichen Auftrages gerichtet ist, ist eine Grundvoraussetzung der Qualifizierung der Leitung und Planung. Diese subjektive Seite der Leitung, die Verallgemeinerung der besten Leitererfahrungen erhält mit der wachsenden Größe der Wirtschaftseinheiten zunehmende Bedeutung.

Gemeinsam mit den Leitern sollten die Wissenschaftler sehr gründlich überlegen, was diesen Genossen für Rüstzeug aus dem Arsenal der Leitungswissenschaft gegeben werden kann, das ihnen hilft, die vor ihnen stehenden Aufgaben gut zu lösen und die weiterentwickelten Kombinate rationell zu leiten.

Das Jahr der 60. Wiederkehr des Roten Oktober sollte für uns Verpflichtung sein, die Erfahrungen der Sowjetunion bei der Vervollkommnung der Leitung, Planung und ökonomischen Stimulierung noch gründlicher zu studieren und die Zusammenarbeit mit den sowjetischen Leitungswissenschaftlern noch enger zu gestalten. Diese Zusammenarbeit hat unsere Arbeit befruchtet. Sie war und ist eine große Hilfe für uns. Auch in Zukunft werden die Hauptrichtung und das Herangehen an die Vervollkommnung der Leitung und Planung in der DDR in Übereinstimmung mit den Erfahrungen der Sowjetunion bestimmt werden.

J. Oelschlägel

Zu einigen Fragen der Rolle des Fünfjahrplanes, der Leistungsbewertung und der wirtschaftlichen Rechnungsführung

Gegenwärtig arbeiten wir im Zusammenwirken mit anderen zentralen staatlichen Organen und Wissenschaftlern an Fragen der weiteren Vervollkommnung der Leitung, Planung und ökonomischen Stimulierung entsprechend den Beschlüssen des IX. Parteitages der SED. Es geht dabei darum, den demokratischen Zentralismus weiter zu stärken, indem die zentrale staatliche Leitung und Planung mit der schöpferischen Aktivität der Werktätigen in den Betrieben, Kombinaten, Genossenschaften und den örtlichen Staatsorganen immer wirkungsvoller verbunden wird. Deshalb möchte ich zum Ausdruck bringen, daß wir die Vorschläge und Beratungen des Wissenschaftlichen Rates zu diesen Fragen mit Aufmerksamkeit verfolgen und die vorgelegten Thesen unser volles Interesse finden.

Bei unseren Überlegungen gehen wir davon aus, daß in Durchführung der Beschlüsse des IX. Parteitages der SED bereits durch die Parteiführung und den Ministerrat grundlegende Maßnahmen getroffen worden sind, die auf die Stärkung der zentralen staatlichen Planung, die straffe Leitung und Kontrolle der Durchführung der Pläne, die Erhöhung der Verantwortung der Kombinate und Betriebe für die wirksame Nutzung der qualitativen Faktoren der Intensivierung und auf die bessere Übereinstimmung der volkswirtschaftlichen und betrieblichen Interessen gerichtet sind. Solche grundlegenden Maßnahmen zur Vervollkommnung von Leitung, Planung und ökonomischer Stimulierung wurden im Beschluß zur Leistungsbewertung der Betriebe und Kombinate, im Beschluß zur Verbesserung der Leitung und Planung der Investitionstätigkeit, im Beschluß über die Planung, Bilanzierung und Stimulierung des Anlagenexports und anderen Beschlüssen festgelegt.

Die Einschätzungen über die Wirkung dieser Beschlüsse, die wir in zahlreichen Konsultationen in Betrieben, Kombinaten und wirtschaftsleitenden Organen gewonnen haben, beweisen die Notwendigkeit und Wirksamkeit der beschlossenen Maßnahmen. Gleichzeitig wurde aber auch deutlich, daß zu ihrer komplexen Durchsetzung eine weitere Qualifizierung der Leitungstätigkeit auf allen Ebenen erforderlich ist. Die volle Einordnung dieser Beschlüsse in alle grundlegenden Planungsregelungen und -instrumente ist deshalb ein wichtiger, notwendiger Schritt zur weiteren Vervollkommnung von Leitung, Planung und ökonomischer Stimulierung für den Zeitraum 1981 bis 1985.

Unsere gegenwärtige Arbeit ist darauf gerichtet, entsprechend den Beschlüssen des IX. Parteitages der SED und der nachfolgenden Tagungen des ZK weitere Maßnahmen für die Vervollkommnung der Leitung, Planung und ökonomischen Stimulierung zur Verwirklichung der Hauptaufgabe und insbesondere der qualitativen Faktoren des wirtschaftlichen Wachstums auszuarbeiten. Dabei geht es gleichzeitig darum, die zentrale staatliche Planung stärker auf die Grundfragen der gesellschaftlichen Entwicklung zu konzentrieren und die Verantwortung der Kombinate für die komplexe Beherrschung ihres Reproduktionsprozesses weiter zu erhöhen.

Bevor ich hierzu einige weitergehende Ausführungen mache, möchte ich hervorheben, daß wir die in den Thesen des Wissenschaftlichen Rates zu diesen Fragen enthaltenen Anregungen für sehr wertvoll halten und in den Hauptfragen eine volle Übereinstimmung des Herangehens feststellen können.

Der gegenwärtige Fünfjahrplanzeitraum wird gegenüber unseren bisherigen Anstrengungen auf dem Gebiet der Fünfjahrplanung insbesondere dadurch charakterisiert, daß es gelungen ist, erstmalig für einen Fünfjahreszeitraum staatliche Planauflagen an zentralgeleitete Betriebe zu übergeben und in diesen Betrieben selbst Fünfjahrpläne auszuarbeiten. Wir stimmen mit der in den Thesen gegebenen Einschätzung überein, daß es sich hierbei um Schritte von prinzipieller Bedeutung für die Entwicklung des Fünfjahrplanes zum Hauptinstrument der Leitung der Wirtschaftstätigkeit handelt. Dabei muß allerdings berücksichtigt werden, daß das richtige Wirksamwerden dieser Schritte ein Prozeß ist, an dessen Vervollkommnung wir kontinuierlich weiterarbeiten müssen. Die bisherige Erfüllung der Produktions- und Leistungsziele der vom Fünfjahrplan 1976 bis 1980 abgeleiteten Jahresvolkswirtschaftspläne sowie die gewachsene Kontinuität und Stabilität des Planablaufes beweisen die prinzipielle Richtigkeit der eingeleiteten Maßnahmen.

Um die Rolle des Fünfjahrplanes im Zeitraum 1981 bis 1985 auf allen Ebenen der Leitung und Planung weiter zu erhöhen, kommt es vor allem darauf an, die Konzentration auf die Hauptfragen des wirtschaftlichen Wachstums und der Verwirklichung des sozialpolitischen Programms weiterzuführen und eine dementsprechende volkswirtschaftliche materiell-technische Bilanzierung zu sichern sowie, daraus abgeleitet, die konkreten in sich übereinstimmenden staatlichen Planauflagen für die Zweige und Bereiche, Bezirke und Kreise sowie für Betriebe und Kombinate nach Jahren gegliedert festzulegen.

Die Lösung dieser Fragen *in ihrer Einheit* und verbunden mit Maßnahmen, die darauf gerichtet sind, die Hauptfaktoren der Intensivierung noch komplexer zur Wirkung zu bringen, sehen wir als das entscheidende Kettenglied an, um die Rolle des Fünfjahrplanes weiter zu erhöhen. Dieser Linie müssen der Aufbau, die Gliederung und der Grad der Detailliertheit sowie die Art und Weise der Ausarbeitung des zentralen Fünfjahrplanes für den Zeitraum 1981 bis 1985 entsprechen.

Das hat selbstverständlich einerseits Konsequenzen bis zur Gestaltung der Nomenklatur der staatlichen Plankennziffern des Fünfjahrplanes, die dem Grundsatz der stärkeren Konzentration des zentralen Planes auf die Grundfragen und einer dementsprechenden weiteren Erhöhung der Eigenverantwortlichkeit der Kombinate und Betriebe Rechnung tragen muß.

Andererseits ist die mit dem Fünfjahrplan 1976 bis 1980 erstmalig durchgeführte Bilanzierung von ca. 250 Material-, Ausrüstungs- und Konsumgüterpositionen über einen Zeitraum von 5 Jahren fortzuführen, die Bilanznomenklatur und die Planung und Verwendung von Bilanzreserven zu vervollkommnen, um zur weiteren Stabilisierung der materiellen Proportionen des Fünfjahrplanes beizutragen.

Wir unterstützen daher die in den Thesen herausgearbeitete Auffassung, daß die Erhöhung des Grades der Bilanziertheit der Aufgaben und des Ressourceneinsatzes ein Kernproblem der wirksameren zielsetzenden und stimulierenden Funktion des Fünfjahrplanes ist. Nach unserer Auffassung muß man allerdings diese Frage in ihrer dialektischen Wechselwirkung zu der Aufgabenstellung sehen, eine weitere Konzentration auf die Hauptfragen der Reproduktion zu erreichen.

Zur Weiterentwicklung der Leistungsbewertung auf gesamtvolkswirtschaftlicher Ebene sowie in den Betrieben und Kombinaten möchte ich nochmals unterstreichen, daß für die Vervollkommnung von Leitung, Planung und ökonomischer Stimulierung der Beschluß des Ministerrates vom 25. 3. 1976 zur Leistungsbewertung der Betriebe und Kombinate von grundlegender Bedeutung ist. Er ist der Ausdruck für neue Wege, die wir zur Vertiefung der Intensivierung der Produktion, zur Erhöhung der Effektivität und der Qualität der gesellschaftlichen Arbeit beschritten haben. Bei der Ausarbeitung der Pläne für die Jahre 1977 und 1978 wurden in diesem Sinne gute Ergebnisse erzielt. Sie zeigen, daß die Durchführung des Beschlusses die Initiativen der Betriebskollektive vergrößert und so dazu beiträgt, Forschung und Entwicklung zu beschleunigen, neue Erzeugnisse mit höheren Gebrauchseigenschaften zu produzieren, die Kosten zu senken, Material und Rohstoffe einzusparen und die Produktion zu rationalisieren.

Jetzt stehen wir vor der Aufgabe, die im Ergebnis der Intensivierung der gesellschaftlichen Produktion, der Rationalisierung und Rekonstruktion wachsende Leistungen, auch besonders in bezug auf eine höhere Qualität der Produktion, noch umfassender in den volkswirtschaftlichen Leistungs- und Effektivitätskennziffern widerzuspiegeln. Dabei geht es einerseits generell darum, das Prinzip noch vollkommener durchzusetzen, daß sich die im Ergebnis der Intensivierung der Produktion, insbesondere der Einsparung von Energie, Rohstoffen und Material verändernde Relation zwischen vergegenständlichter und lebendiger Arbeit bei der Einführung neu- und weiterentwickelter Erzeugnisse, bei der Steigerung der Erzeugnisqualität oder auch bei einer notwendigen Veränderung des Produktionssortiments positiv auf den Leistungsausweis der Betriebe und Kombinate in Planung und Abrechnung auswirken. Jeder weiß aus Erfahrung, daß dieses Problem in Zukunft noch besser gelöst werden muß, um die Stimulierung einer bedarfs- und qualitätsgerechten Produktion für die Bevölkerung, die Wirtschaft und den Export noch stärker zu gewährleisten.

Andererseits geht es darum, die im Zusammenhang mit der Intensivierung in allen Wirtschaftsbereichen wachsende Bedeutung sogenannter „nichtindustrieller" Leistungen, wie z. B. der Leistungen für Forschung und Entwicklung, der Projektierungsleistungen, eigener Bauleistungen für Rationalisierungsmaßnahmen oder auch die im Zusammenhang mit der wachsenden Produktion kompletter Anlagen zu erbringenden Leistungen besser in die Planung und Abrechnung der Leistungskennziffern einzuordnen.

Für die Ausarbeitung des Fünfjahrplanes 1976 bis 1980 waren die Vervollkommnung der konzeptionellen Planvorbereitung und die erreichte höhere Qualität der Planberechnungen auf allen Ebenen der Wirtschaftsleitung von großer Bedeutung. Dieser Erfahrung entspricht die Forderung des IX. Parteitages der SED, die langfristige Planung schrittweise auszubauen. Deshalb wurden nach dem IX. Parteitag die Arbeiten an den Hauptrichtungen und Grundproportionen der volkswirtschaftlichen Entwicklung und der weiteren Vervollkommnung der Produktionsstruktur bis 1990 verstärkt.

In den Betrieben und Kombinaten wurde die Arbeit an den Intensivierungskonzeptionen mit dem Ziel weitergeführt, die Möglichkeiten zur Erhöhung der Effektivität der Produktion systematisch aufzudecken und planwirksam zu machen sowie einen längerfristigen Vorlauf für die wissenschaftlich-technische Entwicklung der Produktion, insbesondere für die Haupterzeugnisse zu schaffen.

Nach unseren bisherigen Erfahrungen kommt es in der langfristigen Planung vor allem darauf an, stärker ihren konzeptionellen Charakter hervorzuheben und bewußt zu machen. Damit im Zusammenhang steht auch die Notwendigkeit, die Arbeiten im Rahmen der langfristigen Planung kontinuierlich durchzuführen und ihre Ergebnisse laufend entsprechend dem Erkenntnisfortschritt zu präzisieren. Ein noch nicht vollständig gelöstes Problem besteht gegenwärtig auch noch darin, das koordinierte Zusammenwirken der Staats- und Wirtschaftsorgane bei der langfristigen Planung weiterzuentwickeln. Es müssen die Formen und Methoden verbessert werden, wie ausgehend von spezifischen Bedingungen in den Bereichen und Zweigen die wirtschaftsleitenden Organe und die Kombinate durch die zuständigen zentralen Staatsorgane in die langfristige Planung noch besser einbezogen werden können.

Die Hauptrichtungen bei der Entwicklung der langfristigen Planung werden gegenwärtig vor allem durch

– die Arbeiten an den Grundlinien und Hauptproblemen der Entwicklung der Volkswirtschaft,

– die Arbeiten an Entwicklungskonzeptionen für die Lösung volkswirtschaftlich bedeutender Aufgaben oder Querschnittsprozesse bzw. für Bereiche und Bezirke sowie

– die Arbeit an den Intensivierungskonzeptionen in den Betrieben und Kombinaten

charakterisiert. Mit diesen Arbeiten sind Voraussetzungen für eine weitere Erhöhung der Qualität, Stabilität und Bilanziertheit des Fünfjahrplanes 1981 bis 1985 zu schaffen.

An dieser Stelle möchte ich hervorheben, daß nach unserer Auffassung, ausgehend von den Anstrengungen zur Stärkung der Rolle des Fünfjahrplanes als Hauptinstrument der Wirtschaftstätigkeit und dem Ausbau der langfristigen Planung, dem richtigen funktionellen Zusammenwirken zwischen langfristiger Planung, Fünfjahrplan und Jahresplan bei der Leitung der Wirtschaftstätigkeit eine große Bedeutung im Rahmen der weiteren Vervollkommnung der Leitung, Planung und ökonomischen Stimulierung zukommt.

Die Überlegungen zur weiteren Ausgestaltung der wirtschaftlichen Rechnungsführung und ökonomischen Stimulierung gehen von dem Grundsatz aus, noch gezielter als bisher auf die Durchsetzung der wirtschaftspolitischen Zielstellungen des Planes einzuwirken und die qualitativen Faktoren des Wirtschaftswachstums noch besser zur Wirkung zu bringen.

Deshalb ist vorgesehen, Maßnahmen auszuarbeiten um

– die Fonds der wirtschaftlichen Rechnungsführung und ökonomischen Stimulierung leistungsabhängiger und noch gezielter für die Durchsetzung der Intensivierung zu nutzen;

– ausgehend von der weiteren Entwicklung des Fünfjahrplanes zum Hauptinstrument der Wirtschaftstätigkeit, die wirtschaftliche Rechnungsführung und ökonomische Stimulierung sowie die Arbeit mit dem Gegenplan stärker auf die Erfüllung und Übererfüllung des Fünfjahrplanes auszurichten und

– im Zusammenhang mit der weiteren Festigung und der Erhöhung der Verantwortung der Kombinate für ihren Reproduktionsprozeß die wirtschaftliche Rechnungsführung und ökonomische Stimulierung auf der Ebene der Kombinate weiterzuentwickeln.

Dabei gehen unsere Überlegungen dahin, daß zum Beispiel solche Voraussetzungen geschaffen werden, die es gestatten, für jeden Werktätigen die Verbindung zwischen Vorgabe, Abrechnung, Auswertung und Stimulierung seiner Leistungen und der Erfüllung der Planaufgaben des Betriebes sichtbar zu machen.

Um die stimulierende Wirkung des Prämienfonds für die Durchsetzung der Intensivierung zu erhöhen, wird angestrebt, die materielle Interessiertheit der Betriebskollektive stärker auf Qualität und Effektivität zu orientieren. Schließlich ist auch daran gedacht, zur Förderung des eigenen Rationalisierungsmittelbaus und zur Entwicklung eigener Baukapazität für Zwecke der Rationalisierung künftig einen größeren Anteil des Leistungsfonds für Maßnahmen der sozialistischen Rationalisierung einzusetzen. Wie aus den zur Beratung vorliegenden Thesen hervorgeht, gibt es für unsere Überlegungen weitgehende Übereinstimmung bezüglich der einzuschlagenden Arbeitsrichtungen. Jetzt kommt es darauf an, die unseren Zielstellungen entsprechenden konkreten Regelungen und Festlegungen auszuarbeiten, um unter Berücksichtigung aller spezifischen Bedingungen ein hohes Maß an Wirksamkeit zu erreichen.

H. Maier

Probleme der Vervollkommnung der Leitung und Planung des wissenschaftlich-technischen Fortschritts

Auf dem 9. FDGB-Kongreß hob Genosse Erich Honecker hervor, daß die Vertiefung der Intensivierung vor allem erfordert, „den wissenschaftlich-technischen Fortschritt mit aller Konsequenz zu beschleunigen und auf ausgewählten Gebieten ein bestmögliches Verhältnis von Aufwand und Ergebnis zu gewährleisten". Die Leitung und Planung ist stärker als bisher auf ein höheres Tempo des wissenschaftlich-technischen Fortschritts auszurichten, das es ermöglicht, bei ausschlaggebenden Produkten und Technologien internationale Spitzenpositionen zu erreichen bzw. zu halten. Ich möchte hier zu einigen Problemen der Vervollkommnung der Leitung und Planung des wissenschaftlich-technischen Fortschritts sprechen.

Eine wichtige Reserve für die Erhöhung der Wirksamkeit des wissenschaftlich-technischen Fortschritts liegt in der Verbesserung des Stils und des qualitativen Niveaus der Leitung und Planung, in der Erhöhung ihrer Zielorientiertheit, Komplexität, ihres Konkretheitsgrades und ihrer exakten Abrechenbarkeit. Dies deshalb, weil die wichtigsten effektivitätshemmenden Faktoren aus dem teilweisen Mangel an realen, stabilen Entwicklungskonzeptionen der Zweige und der Kombinate sowie aus ihrer ungenügenden Einordnung in die Gesamtvolkswirtschaft resultieren. Daraus resultiert ein noch nicht volles Beherrschen langfristig stabiler, effektiver Beziehungen zwischen Produktion, Wissenschaft, Investitionen, Arbeitsvermögen und Außenwirtschaft. Doch vom Beherrschen dieser Beziehungen hängt aber entscheidend ab, daß die vor uns stehenden wissenschaftlich-technischen Aufgaben als Kampfaufgabe ersten Ranges von den Wissenschaftlern, Ingenieuren und Arbeitern verstanden werden und diese all ihre kreativen Anlagen und Fähigkeiten für ihre Lösung mobilisieren. Meines Erachtens müßte im Mittelpunkt der Leitung und Planung des wissenschaftlich-technischen Fortschritts mehr als bisher stehen:

Eine gründliche Herausarbeitung der Grundprobleme der stabilen Entwicklung der Zweige, der Kombinate und ihre Einordnung in das volkswirtschaftliche Gesamtkonzept der Beschleunigung des wissenschaftlich-technischen Fortschritts. Hierbei gilt es, langfristig ein effektives Verhältnis von Kontinuität und Dynamik zu erreichen. Die ständige Änderung der Schwerpunkte der Entwicklung einzelner Zweige und Kombinate – in einigen Zweigen kann man sogar einen Zyklus von Änderungen alle 2 bis 3 Jahre feststellen – führt zu hohen Verlusten, Disproportionen und einem nicht vertretbaren operativen Aufwand.

Ein Kernproblem besteht darin, die Qualität des Plans Wissenschaft und Technik selbst zu erhöhen. Er muß aussagefähiger als bisher gemacht werden, so daß er real zum Hauptbestandteil des Planes der Entwicklung des Kombinats, des Zweiges und der Volkswirtschaft werden kann. Dies erfordert, der Herausarbeitung von konkreten Vorgaben für Forschung, Entwicklung und Überführung eine größere Aufmerksamkeit zu widmen. Nur konkrete, unseren volkswirtschaftlichen Notwendigkeiten entsprechende Vorgaben (für Qualitätsentwicklung, Senkung des Material- und Energieverbrauchs etc.) können das für die Effektivitätsentwicklung notwendige Tempo des wissenschaftlich-technischen Fortschritts sichern. Diese Vorgaben müssen sich an internationalen Bestwerten orientieren und so gestellt und abrechenbar sein, daß ideenreiche Arbeit geradezu erzwungen wird. Es geht hierbei natürlich nicht nur um die technischen Qualitäts- und Leistungsparameter, sondern auch um die ökonomischen. Wir sind uns sicher einig, daß niemandem auf dem Papier gut erfüllte Pläne nützen, Wenn die vor uns stehenden Aufgaben nicht noch besser bewältigt werden. Auch beim wissenschaftlich-technischen Fortschritt muß viel mehr von dem real erzielten Endergebnis ausgegangen werden.

Gleichzeitig muß es besser als bisher gelingen, die bilanzierte Planung des Zweiges mit der projektbezogenen und erzeugnisorientierten Planung zu verbinden. Hierbei gilt es, die Zielprogramm-Methode in stärkerem Umfang dazu anzuwenden, um die zur Lösung von konkreten wissenschaftlich-technischen Aufgaben notwendigen Arbeiten – von der Grundlagenforschung bis zur Überführung – zu erfassen, die von ihnen zu erbringenden Leistungen konkret zu synchronisieren und dabei die technischen Qualitäts- und Aufwandsparameter zu optimieren. Dies ermöglicht den Einsatz des Forschungs- und Realisierungspotentials, unabhängig von den Ressortgrenzen, und eine große Kontinuität in der Projektdurchführung durch Überwindung von Hemmnissen, die durch die Planung in Jahresscheiben entstehen.

Mit dem Ziel-Programm-Herangehen müssen wir systematisch Ergebnisse erarbeiten, mit denen wir in der Welt bestehen können und die uns helfen, die Fünfjahrplanziele heute und nach 1980 zu erreichen. Zur Erarbeitung solcher Ergebnisse, zur Programmierung und Optimierung von angestrebten Projektabläufen ist die Netzplantechnik und Systemanalyse in der Planung des wissenschaftlich-technischen Fortschritts, vor allem in der Zielprogrammplanung, stärker als bisher anzuwenden.

Sie ermöglichen neben der Erfassung des logischen Projektablaufs und der Zeit vorgangsbezogen und über den integrierten Netzplan auch projektbezogen zu planen und auf der Grundlage der hier fixierten Soll-Vorgaben das Projekt zu überwachen und zu steuern.

Die Vorteile der Netzplantechnik und Systemanalyse liegen gegenüber den bisherigen Planungsmethoden: erstens in der konkreten Bestimmung der Vorgaben für ein Projekt; zweitens in der konsequenten Analyse und Durchdringung des Objektes, d. h. des gesamten Ablaufs unter Berücksichtigung aller technologischen und logischen Abhängigkeiten. Durch wiederholte Berechnung unter veränderten Annahmen läßt sich hier durch Vergleich und Auswahl von Varianten und Abstimmung der Parameter eine Optimierung anstreben; drittens in der exakten Erfassung aller zur Realisierung eines Projekts notwendigen wissenschaftlich-technischen Leistungen sowie in der Möglichkeit, sie konkret zu adressieren, ständig zu kontrollieren und qualitativ zu bewerten; viertens in der Versachlichung aller Planungs-, Termin-, Qualitäts-, Kontroll- und Steuergespräche; fünftens in der Möglichkeit, die Auswirkung von Veränderungen der verschiedenen Parameter bei Nichteinhaltung von Vorgaben frühzeitig zu erkennen, rechtzeitig gezielt einzugreifen und die Wirkung eingeleiteter Maßnahmen kurzfristig klar erkennen zu können.

Ein entscheidendes Kettenglied zur Erhöhung der Wirksamkeit von Wissenschaft und Technik liegt in einer neuen Qualität der Übereinstimmung von Plan Wissenschaft und Technik und Investitionsplan. Vor allem ist es notwendig, eine größere Effektivität in der Investitionsvorbereitung zu erreichen, um eine stabile Übereinstimmung von bilanzierten und tatsächlich vorhandenen Realisierungskapazitäten zu sichern.

Durch engeres Zusammenwirken von Investitionsplanung und Plan Wissenschaft und Technik gilt es, zwei sich widersprechende Aufgaben auf dem Wege eines sinnvollen volkswirtschaftlichen Kompromisses zu lösen. Einerseits ist es notwendig, um die neuen Forschungs- und Entwicklungserkenntnisse in das Projekt einfließen zu lassen, die Parameter des Projekts nach oben so lange wie möglich offenzuhalten. Andererseits ist vom Standpunkt der kürzesten Realisierung eines Projektes eine möglichst schnelle Festlegung der Parameter und der technologischen Verfahren notwendig. Dieser Widerspruch kann im Interesse des Zeitfaktors nur dann gelöst werden, wenn es gelingt, noch bevor die wissenschaftlich-technische Arbeit, die Entwicklung und Konstruktion abgeschlossen sind, mit der materiellen Realisierung so zu beginnen, daß sie für weitere technologische Verbesserungen offen ist. Dies setzt eine neue Qualität der Vorbereitung und Realisierung von Investitionen voraus, die nur in Zusammenarbeit mit den Wissenschaftlern bei konkreter und zielgerichteter Leitung der Investitionstätigkeit, deren Hauptinhalt die Materialisierung des wissenschaftlich-technischen Höchststandes sein muß, erreicht werden kann. Das muß auch bei der Bewertung der Investitionstätigkeit der Kern- und Angelpunkt werden.

Gleichzeitig muß verhindert werden, daß ein solches „Offenhalten" von Investitionen für neueste wissenschaftlich-technische Ergebnisse nicht als Vorwand für Verzögerungen im Überführungsprozeß benutzt wird. Hier ist die persönliche, politische Verantwortung der Leiter und die Kontrolltätigkeit der Partei von ausschlaggebender Bedeutung. Besonders in solchen Zweigen mit hohem wissenschaftlich-technischen Fortschritt wie z. B. der Chemie ist es notwendig, im Plan nicht nur die Fertigstellung einer bestimmten Investition, sondern auch die Zeitintervalle ihrer Rekonstruktion zu erfassen. Die ungenügende Vorbereitung der Investitionen, ihre nicht rechtzeitige Einordnung in den volkswirtschaftlichen Reproduktionsprozeß, die verspätete Sicherung der Zulieferungen aus der eigenen Volkswirtschaft führen zu einem schnell wachsenden Anlagenimport.

Eine wichtige Voraussetzung für die schnellere Realisierung wissenschaftlich-technischer Ergebnisse ist die Überwindung von Engpässen bei der Projektierung durch bessere Bilanzierung der Projektierungskapazitäten, Herstellung der Einheit von Planung des Zweiges und der Bilanzierung der Projektierungskapazitäten. Auch hier gilt es, neben der Planung in Jahresscheiben eine objektbezogene Planung entsprechend der Realisierungsdauer zu sichern. Dies betrifft auch die Schaffung besserer materiell-technischer Voraussetzungen für die Überführung (Roh- und Hilfsstoffe, Anlagen und Ausrüstungen, einschließlich Versuchsanlagen) sowie die bessere Einsatzvorbereitung neuer und weiterentwickelter Produkte und volkswirtschaftlicher Nebenprodukte. Besonders gilt es, eine umfassende Nutzung von Versuchs- und Pilotanlagen über Kombinatsgrenzen hinweg zu sichern, um zu verhindern, daß diese wichtigen Bestandteile materiell-technischer Basis der Forschung zweckentfremdet eingesetzt werden.

Die gegenwärtige Anwendung der ökonomischen Regelungen und der gültigen ökonomischen Kennziffern dient unzureichend der Beschleunigung des wissenschaftlich-technischen Fortschritts. Meines Erachtens stehen die rein quantitativen Kennziffern noch zu sehr im Mittelpunkt der Leistungsbewertung der Betriebe und Kombinate.

Bei aller Bedeutung der quantitativen Kennziffern für Planung von volkswirtschaftlichen Grundproportionen reichen sie allein nicht aus, um die komplexen Prozesse der Effektivitätsentwicklung eines solchen Zweiges wie z. B. der Chemie mit ihren mehr als 100 000 Erzeugnissen zu erfassen. In der Steigerung der Kennziffer Warenproduktion und der auf ihr beruhenden Kennziffer Arbeitsproduktivität können sich sowohl Prozesse der Erhöhung der Effektivität als auch ein Verlust an Effektivität durch Erhöhung der Materialintensität und Störung der Proportionalität widerspiegeln. Dies wird in den Thesen meines Erachtens völlig zu Recht hervorgehoben.

Deshalb müssen diese Kennziffern in ihrer Aussage durch eine Reihe qualitativer Kennziffern näher bestimmt und ergänzt werden. In diese Richtung zielen die Beschlüsse der Partei- und Staatsführung zur komplexen Leistungsbewertung der Betriebe und Kombinate in Realisierung der Beschlüsse des IX. Parteitages. Wir sind der Meinung, daß die quantitativen Kennziffern Warenproduktion und Arbeitsproduktivität erst dann einen realen Ausweis der erreichten Effektivitätssteigerung widerspiegeln, wenn sie durch folgende Kennziffern näher bestimmt und ergänzt werden:

– Erfüllung des geplanten Sortiments der Produktion in Volumen und Qualität. Hier spielt die Einheit von Plan und Vertrag eine wichtige Rolle;

– Entwicklung solcher Leistungskennziffern wie Senkung des spezifischen Material- und Energieverbrauchs in direkter oder substitutiver Weise;

– Innovationsgrad des Erzeugnisses und seine technologische und ökonomische Perspektive;

– Freisetzung von Arbeitskräften;

– Importintensität des Erzeugnisses und sein Beitrag zur Importablösung;

– Exportrentabilität.

Eine komplexe Effektivitätsrechnung und reale Bestimmung des ökonomischen Effekts wissenschaftlich-technischer Neuerungen setzt auch voraus, daß eine exakte Kostenrechnung durchgeführt wird, die es ermöglicht, nicht mit den Leistungen des Kombinats bzw. einer wissenschaftlich-technischen Leistung verbundene Kosten gesondert auszuweisen. Es müssen auch Wege gefunden werden, um die besonderen Aufwendung des ersten Anwenders wissenschaftlich-technischer Ergebnisse gesondert auszuweisen und sie in spezifischer Weise zu finanzieren, um zu verhindern, daß wissenschaftlich-technische Ergebnisse auf Grund überhöhter Preise sich nicht schnell genug ausbreiten können. Erst bei der Erfüllung dieser qualitativen Kennziffern sollten die mit der Kennziffer Warenproduktion und Arbeitsproduktivität verbundene Stimulierung des Gewinns, des Prämienfonds etc. wirksam werden.

Abschließend möchte ich noch auf ein Problem eingehen, das eine nicht unbedeutende Rolle im Leben unserer Wirtschaft spielt, nämlich der Import von Technologien und Anlagen aus kapitalistischen Ländern. Die Probleme, die mit einem solchen Import verbunden sind, werden meines Erachtens oft unterschätzt, so daß der erhoffte Effekt nicht selten ausbleibt. Wir müssen hier folgendes beachten:

In der Regel wird vom kapitalistischen Produzenten eine Lizenz für ein Verfahren, Erzeugnis oder eine Anlage erst dann verkauft, wenn er bereits neue Lösungen so weit vorangetrieben hat, daß er in Kürze mit ihnen auf dem Markt erscheinen kann. Die kapitalistischen Lizenzkäufer schützen sich gegen diese Gefahr dadurch, daß sie 1. den Lizenzverkäufer zu zwingen versuchen, sich an Investitionen zur Realisierung der gekauften Lizenz zu beteiligen, um diesen am ökonomischen Risiko der Realisierung der Lizenz partizipieren zu lassen. Eine 2. Möglichkeit besteht darin, die erworbene Lizenz als Grundlage für Neuentwicklungen zu nutzen, die die Konkurrenz einer neuen Produktion des Lizenzverkäufers nicht zu fürchten braucht, ja, diesen sogar zwingen kann, diese Neuentwicklungen wiederum als Lizenz zu erwerben.

Eine Nutzung des letzteren Weges durch Lizenzerwerber aus sozialistischen Ländern setzt meines Erachtens voraus, daß eine weit vorausschauende Abstimmung der Entwicklung der Produktion, des Forschungspotentials und der Lizenzpolitik erfolgt ist, um auf diesem Gebiet voranzukommen. Hierbei müssen Erscheinungen überwunden werden, daß – um den Kauf von Lizenzen zu rechtfertigen – mit ihnen korrespondierende

Forschungsthemen liquidiert werden. In Wirklichkeit ist dies jedoch eine „Scheinökonomie", da hierdurch nur bewirkt wird, daß man sich dauerhaft im Nachtrab gegenüber Lizenzverkäufern befindet. Gleichzeitig dürfen bei einem Technologietransfer mit Hilfe von Lizenzverträgen, die Patente, Gebrauchsmuster und know how umfassen sollten, solche Probleme nicht unterschätzt werden wie unterschiedliche oder fehlende Standards (Normen), unterschiedliche Semantik und Interpretation von Begriffen (Auslegung), unterschiedliche Planungs- und Konstruktionshilfe, exakte Festlegungen und Objektivierung von know how, welches in Personen gespeichert ist, u. a.

Die Erfahrung lehrt, daß der Import von neuesten Anlagen aus dem kapitalistischen Ausland nicht zwangsläufig zu hohen wissenschaftlich-technischen Ergebnissen führen muß. Beim Import von neuen Anlagen muß besser als bisher beachtet werden:

– Durch Ausschreiben kann eine eingehende Prüfung der eingereichten Projektangebote erfolgen und es wird nicht lediglich nach allgemeinen Marktpositionen und Renommee eines Anbieters entschieden. Es ist durchaus möglich, daß eine renommierte Firma bei der Durchführung eines speziellen Projektes über keine ausreichenden Erfahrungen verfügt.

– Es sind stabile Begutachtungsgruppen solcher Projekte notwendig, um vom kapitalistischen Beratungs- und Planungsunternehmen unabhängig zu sein, da diese in der Regel nicht ohne Lieferinteressen sind, vor allem dann, wenn sie über Referenzanlagen verfügen, um den Auftraggeber von den Vorzügen bestimmter technologischer Prozesse zu überzeugen.

– Mit Hilfe solcher eigenen Gutachtergruppen muß besser als bisher die Möglichkeit genutzt werden, den Projektauftragnehmer dazu zu bringen, bestimmte für unsere Volkswirtschaft relevante Parameter und Normative zur Art, Größe, Anordnung und Technologie des Projektes einzuarbeiten. Eine einfache Verpflanzung eines woanders entstandenen Projekts in den Organismus unserer Volkswirtschaft muß zwangsläufig zu Störungen führen.

– Besonders wichtig ist es, sich beim Kauf von industriell noch nicht erprobten Verfahren vor allzu großer Kühnheit – oftmals in Form „wir kaufen das Allerneueste" – und mangelnder Sorgfalt zu hüten. Die latenten Gefahren stecken im Detail und können oft selbst von einer qualifizierten Gutachtergruppe nicht überschaut werden. Es ist daher wichtig, sich vom Verkäufer nicht das gesamte Risiko der Applikation neuester technologischer Verfahren aufbürden zu lassen. Daher ist es auch wichtig, in den Verträgen für solche Importe Bestimmungen festzulegen, die den Lieferanten zwingen, mit Ersatzlieferung in konventioneller Technologie oder in anderer Weise einen Ausgleich zu schaffen, wenn die neuen Verfahren nicht dauerfunktionsfähig sind und auch nach einer angemessenen Nachbesserungszeit nicht abgenommen werden können.

Insgesamt kann gesagt werden, es kann nur dann neue Technik und Technologie erfolgreich aus dem kapitalistischen Ausland importiert werden, wenn die Auswahl der zu importierenden Anlagen, ihre Bewertung und Risikominderung sich auf eigene wissenschaftlich-technische Leistungen und Kenntnisse stützen können.

G. Prey

Zur Erhöhung der volkswirtschaftlichen Effektivität durch komplexe Lösungen von Querschnittsproblemen und zur besseren Nutzung der vorhandenen Fonds mit Hilfe der wissenschaftlich-technischen Arbeit

Der Bezugspunkt für die erstgenannte Problemstellung sind die Formulierungen in These 2 zur komplexen Lösung volkswirtschaftlicher Querschnittsprobleme, die eine Verknüpfung von Wissenschaft und Technik mit den Fragen des gesamten Reproduktionsprozesses sowie der Materialökonomie und Rohstoffwirtschaft umfassen.

Damit steht der Gedankengang in These 3 im Zusammenhang, daß Wissenschaft und Technik häufig über andere Effektivitätsfaktoren, wie die Produktionsstruktur und das Niveau der Investitionstätigkeit, wirksam werden. In dieser These wird weiterhin erwogen, in der wissenschaftlichen Arbeit von der Themen- zur Programmplanung überzugehen, um hiermit die entsprechenden Anschlußstücke der wissenschaftlich-technischen Arbeit zur Investitionsdurchführung, zur Produktionsstruktur und zu den Zulieferungen besser zu erfassen.

Im zweiten Teil nehme ich Bezug auf Aussagen in These 3 zur Erhöhung der Effektivität des volkswirtschaftlichen Reproduktionsprozesses durch bessere Nutzung bereits akkumulierter Mittel. Abschließend möchte ich einige Bemerkungen zu den Problemen der zentralen Fertigung, wie sie in These 11 angesprochen sind, aus der Sicht der chemischen Industrie machen.

Zum *ersten* Problemkreis:

Die Erfahrungen der zurückliegenden Jahre lehrten uns, daß für solche Forschungskomplexe, die einen hohen Verflechtungsgrad innerhalb des Industriezweiges besitzen und das Zusammenwirken verschiedener Forschungseinrichtungen der chemischen und anderer Industriezweige sowie der Akademie der Wissenschaften der DDR und des Hochschulwesens erforderlich machen, wenn überhaupt, nur mit einem hohen Koordinierungsaufwand zu beherrschen sind.

Wir haben uns deshalb entschlossen, zu derartigen volkswirtschaftlich entscheidenden Problemstellungen „komplexe Forschungs- und Überführungsprogramme" zu erarbeiten und unter eine einheitliche Leitung zu stellen. Zu diesen Komplexen, für die im Planzeitraum 1976 bis 1980 in der chemischen Industrie bisher 10 vorgesehen sind, gehören vorrangig solche, die für die Sicherung der Rohstoffbasis der Volkswirtschaft bzw. die Zulieferungen an andere Zweige von großer Bedeutung sind.

Die Zielsetzungen für die komplexen Forschungs- und Überführungsprogramme werden aus Weltstandsvergleichen abgeleitet und mit den volkswirtschaftlichen Gegebenheiten in der DDR in Beziehung gesetzt. Die entscheidenden Aussagen der Programme müssen sich in der Formulierung der strategischen Zielstellungen für die wissenschaftlich-technische Arbeit widerspiegeln.

Es kommt darauf an, neben der Charakterisierung des Gebrauchswertes und der ökonomischen Effekte vor allem auch die Fristen für die einzelnen Etappen von der Forschung bis zur Produktionsaufnahme eindeutig festzulegen. Das ist auch deshalb wichtig, weil eine Reihe von Forschungs- und Entwicklungsergebnissen der chemischen

Industrie der letzten Zeit nicht vom Niveau des Forschungsergebnisses her kritikwürdig sind, sondern von der in Anspruch genommenen Zeit für die Überführung.

Die Voraussetzungen zur Erreichung der notwendigen Zielstellungen werden mit der Herstellung der Kooperationsbeziehungen bereits in der Phase von Forschung und Entwicklung geschaffen.

Diese Kooperationsbeziehungen müssen innerhalb des Industriezweiges, zu anderen Zweigen und ebenso zu den Einrichtungen der Akademie der Wissenschaften und des Hochschulwesens hergestellt werden und auch ihren Niederschlag in den internationalen Beziehungen finden. In einem frühen Stadium der Forschungsarbeiten sind alle erforderlichen Leistungen für die anwendungstechnische Seite vorzubereiten und planwirksam zu machen.

Ein genauso hohes Maß an enger Kooperation erfordert die Verknüpfung aller zur Überführung der Forschungsarbeiten notwendigen Aktivitäten beim Hersteller des Erzeugnisses bzw. Entwickler des Verfahrens mit denen des Anwenders der wissenschaftlichen Ergebnisse. Der erste wichtige Schritt hierzu ist die Koordinierung der Forschungsarbeiten mit den Maßnahmen zur Rekonstruktion vorhandener Anlagen bzw. zur Vorbereitung von Investitionen. Wir haben in den letzten beiden Jahren viel Kraft darauf verwandt, einen hohen Grad der Verflechtung zwischen dem Plan Wissenschaft und Technik und dem Plan der Vorbereitung der Investitionen herbeizuführen.

Unsere Auffassung ist, daß die Planung von komplexen Forschungs- und Überführungsprogrammen die Arbeit mit dem Plan Wissenschaft und Technik keineswegs ersetzen und der Plan Wissenschaft und Technik sich nicht in eine Summe von komplexen Forschungsprogrammen auflösen kann. Zur Festlegung von Forschungs- und Überführungsprogrammen gehen wir nach dem Auswahlprinzip vor und stellen die eingangs erwähnten Kriterien in den Vordergrund. Ein solches komplexes Programm geht natürlich über die Grenzen eines Kombinats, ja des Industriezweiges hinaus.

Zur Gewährleistung der Komplexität bei der Erarbeitung und Durchführung der Programme ist eine einheitliche Leitung unerläßlich. Hierbei kann der Einsatz eines Auftragsleiters durchaus die geeignete Form sein, aber sicher nicht die ausschließliche. Zur zweckmäßigsten Form der Leitung des Prozesses haben wir noch keine genügend ausgereiften, verallgemeinerungswürdigen Vorstellungen und beabsichtigen daher, von Fall zu Fall die Leitungsformen im Ministerium zu entscheiden. Es ist vorgesehen, daß die gegenwärtig verantwortlich gemachten Generaldirektoren das jeweilige Programm, die Leitungsform und den Organisationsablauf dem Ministerium zur Beratung vorlegen und der Minister diese bestätigt.

Zum *zweiten* Problemkreis:

Aufbauend auf mehrjährigen Erfahrungen und umfassenden Untersuchungen der technologischen Prozesse im Zweig haben wir zur Intensivierung der Produktionsprozesse und zur Erhöhung des technologischen Niveaus die Erarbeitung wissenschaftlicher Prozeßanalysen in der chemischen Industrie zu einer für uns wichtigen Methode entwickelt.

Die Durchsetzung der Arbeit mit Prozeßanalysen war selbst ein Prozeß, da nicht vom ersten Tage an allen Verantwortlichen im Zweig bewußt war, daß die Erarbeitung einer Prozeßanalyse in einem hohen Grad wissenschaftliche Arbeit ist.

Bei dieser analytischen Tätigkeit besteht die Kunst nicht allein darin, die einzelnen Phasen des Prozesses isoliert auf ihr wissenschaftlich-technisches Niveau hin bis ins letzte zu betrachten, sondern in einer sinnvollen Verknüpfung der Teilprozesse mit dem Ausweis des ökonomischen Ergebnisses in seiner Gesamtheit.

Die Komplexität wird damit charakterisiert, daß sowohl die Hauptprozesse sorgfältig wissenschaftlich-technisch analysiert werden, genauso aber auch die Hilfs- und Nebenprozesse und die Herstellung optimaler Beziehungen zwischen ihnen.

Von großer Bedeutung sind des weiteren die exakte Analyse der energetischen Prozesse und des Stoffflusses, der in eine hohe Materialökonomie einmünden muß.

Ein weiterer entscheidender Aspekt für die Komplexität von Prozeßanalysen ist die Integrierung aller derjenigen Faktoren, die das gesellschaftliche Arbeitsvermögen bestimmen und über die wissenschaftliche Arbeitsorganisation erfaßt werden. Das Ergebnis dieser analytischen, wissenschaftlichen Durchdringung der Prozesse muß die Quellen für die Erhöhung des Nutzeffektes der Produktion bei gleichzeitiger Verbesserung der Arbeits- und Lebensbedingungen sichtbar machen.

Diese Ergebnisse können in folgenden Formen auftreten

- Veränderung der Fahrweise der Anlage,
- Aufdeckung von Kapazitätsengpässen,
- Herausarbeitung der entscheidenden Rekonstruktionsmaßnahmen,
- notwendige Forschungs- und Entwicklungsarbeiten usw.

Wir haben die Erfahrung gemacht, daß dieser Weg nur erfolgreich beschritten werden kann, wenn die Arbeit mit Prozeßanalysen planwirksam wird. Für den Zeitraum 1976 bis 1980 haben wir 80 derartige Analysen in den Plan aufgenommen und den Generaldirektoren konkrete Arbeitsaufträge erteilt.

Zur Umsetzung der Ergebnisse aus den Prozeßanalysen werden mit den Plänen Wissenschaft und Technik bzw. dem Investitionsplan die notwendigen Voraussetzungen geschaffen.

Mit den bereits durchgeführten Prozeßanalysen hat sich eine außerordentlich fruchtbare Gemeinschaftsarbeit zwischen den Experten des Industriezweigs und denen der Einrichtungen der Akademie der Wissenschaften und der Hochschulen entwickelt. Wir haben von dem Wissen der an der Akademie und den Hochschulen beschäftigten Wissenschaftler sehr viel profitiert und ich weiß von den Aussprachen mit diesen Genossen und Kollegen, daß diese Tätigkeit für sie ebenfalls von großer Bedeutung für die Weiterentwicklung ihrer wissenschaftlichen Arbeit ist. Sie sehen hierbei eine enge Wechselbeziehung ihrer wissenschaftlichen Arbeit mit den volkswirtschaftlichen Erfordernissen auf lange Sicht.

Bei der Auswahl der in den Plan aufgenommenen 80 Prozeßanalysen haben wir uns in erster Linie von ihrer volkswirtschaftlichen Notwendigkeit leiten lassen.

Es haben sich drei Kategorien von Prozeßanalysen herauskristallisiert:

1. Es kommt darauf an, vor allem solche Anlagen in hohem Maße zu intensivieren, die in den letzten Jahren errichtet wurden und deren Verschleißgrad noch nicht groß ist, wie z. B. die Anlagen im Düngemittelkombinat Piesteritz.

2. Wir halten es für sinnvoll, auch für die Stabilisierung, Rationalisierung und Rekonstruktion alter und in hohem Grade verschlissener Anlagen solche Prozeßanalysen zu erarbeiten und mit ihnen die Voraussetzungen für eine volkswirtschaftlich sinnvolle Rekonstruktion zu schaffen, die Gewähr für einen definierten Produktionszuwachs bieten. Hier handelt es sich z. B. um Anlagen des Chemiekombinates Bitterfeld.

3. Die Erfahrungen bei der Errichtung und Inbetriebnahme *neuer* Anlagen haben gezeigt, daß die Kenntnisse über die verfahrenstechnischen Grundlagen und die technologischen Lösungen nicht in ausreichendem Maße vorhanden sind. Deshalb haben wir uns entschieden, auch für solche Vorhaben, die sich noch im Stadium der Projektierung bzw. Errichtung befinden, derartige Analysen mit dem Ziel zu erarbeiten,

möglichst kurzfristig nach Inbetriebsetzung einen störungsfreien Dauerbetrieb bei gleichzeitiger Einhaltung der geplanten Parameter zu gewährleisten.

Die Zielstellung ist in jedem Fall die Erhöhung des Nutzeffekts der Fonds. Bezüglich der ersten beiden Kategorien handelt es sich um bereits akkumulierte Fonds. Für die Objekte der dritten Kategorie, die materiell noch nicht realisiert sind, ist jedoch über den Einsatz der Fonds entschieden und deshalb deren volkswirtschaftliche Wirksamkeit von größter Bedeutung.

Mit Aufmerksamkeit haben wir die Problemstellung der These 11 betrachtet, in der u. a. die Zweckmäßigkeit der Einrichtung von zentralen Fertigungen im Interesse der weiteren Spezialisierung und Konzentration der Produktion erörtert wird.

Eine ähnliche Rolle wie sie die zentrale Fertigung in der metallverarbeitenden Industrie spielt, haben die Zwischenprodukte in der chemischen Industrie, wobei hier gegenüber den in der These gemachten Aussagen Unterschiede bestehen. Die Entwicklung der volkswirtschaftlich notwendigen Zwischenprodukten-Chemie muß einer vertikalen und horizontalen Verflechtung im Industriezweig Rechnung tragen.

Das ergibt sich aus dem Charakter dieser Erzeugnisse und ihrer weiteren Verwertung. Damit sprengt die Zwischenprodukten-Chemie auch die Kombinatsgrenzen. Für uns ist daher die Standortwahl derartiger Anlagen und die Zuordnung zu einem Kombinat, das die technologisch und ökonomisch besten Voraussetzungen bietet, von großer volkswirtschaftlicher Bedeutung.

Ich vertrete deshalb die Auffassung, daß man aus den Erkenntnissen der metallverarbeitenden Industrie für die zentrale Fertigung nicht ohne weiteres Rückschlüsse auf die Ökonomie der Zulieferindustrie aller Zweige ziehen darf.

Wir betrachten den Problemkreis der Zwischenprodukte als gegenwärtig nicht ausreichend beherrschte Problematik und als Gegenstand weiterer wissenschaftlicher Untersuchungen.

S. Tannhäuser

Zu einigen Bedingungen der weiteren Effektivitätsentwicklung in den Kombinaten der sozialistischen Industrie

In allen sozialistischen Ländern ist ein anhaltender Konzentrationsprozeß in sämtlichen Bereichen der Wirtschaft zu verzeichnen. Dieser Prozeß ist eine wesentliche Bedingung, um die Hauptaufgabe in ihrer Einheit von Wirtschafts- und Sozialpolitik durch bedeutende Erhöhung der Effektivität und durch Wachstum der Produktion erfüllen zu können.

Damit sind natürlich auch tiefgreifende Fragen der sozialistischen Betriebswirtschaft angesprochen; denn das Kombinat sehen wir als den dem Entwicklungsstand von Produktionsverhältnissen und Produktivkräften bestimmenden Typ sozialistischer Betriebe an. Zur Erschließung der Reserven durch weitere Entwicklung der Kombinate wurden in den Thesen zahlreiche Vorschläge unterbreitet, denen ich zustimme. Besonderes Augenmerk verlangt die Tatsache, daß die Bildung der Kombinate in der ersten Phase in der überwiegenden Zahl der Fälle ein bloßer Zentralisationsakt der Unterstellung verschiedener Einzelbetriebe unter einheitlicher Leitung in einer neuen Wirtschaftseinheit war, aber damit noch nicht eine tatsächliche Kombination der Produktion herbeigeführt war, die wir als die materielle Verflechtung von im Stofffluß verbundenen spezialisierten Produktionsstufen bei möglichst hohen Produktionsmaßstäben innerhalb einer Wirtschaftseinheit ansehen.

Innerhalb der zunächst zentralisierten Kombinatsbetriebe den Spezialisierungsprozeß, und damit die Vergrößerung des Produktionsmaßstabes voranzutreiben und gleichzeitig qualitativ neue Verflechtungsbeziehungen zu gestalten, bietet wichtige Ansatzpunkte zur Erschließung großer Reserven in den Kombinaten, weil damit auch in sehr vielen Fällen neue leistungsfähige Verfahren und Technologien eingeführt und die Selbstkosten der Erzeugnisse gesenkt werden können.

Die Thesen fordern an verschiedener Stelle, die Geschlossenheit des Reproduktionsprozesses zu gewährleisten. Diese Forderung führt aus betriebswirtschaftlicher Sicht zu wichtigen Bedingungen der weiteren Effektivitätsentwicklung in den Kombinaten.

– Zunächst muß man sich darüber klar werden, was unter geschlossenem Reproduktionsprozeß zu verstehen ist. Ein geschlossener Reproduktionsprozeß eines Betriebes (Kombinats) ist meines Erachtens dann gegeben, wenn der Betrieb alle Phasen des Reproduktionsprozesses – die Produktionsvorbereitung, die Produktionsdurchführung und die Realisierung – umfaßt und er im Rahmen des staatlichen Planes eigenverantwortlich den Kreislaufprozeß seiner produktiven Fonds im Sinne der intensiv erweiterten Reproduktion mit den darin eingeschlossenen ökonomischen wie sozialen Zielsetzungen vollziehen kann.

– Geschlossenheit des Reproduktionszyklus – und ich stimme hierbei ebenfalls mit den Thesen überein – kann damit nicht Autarkie des Kombinats bedeuten. Diese Feststellung zu wiederholen, halte ich deshalb für außerordentlich wichtig, weil damit auch keine Rückdelegierung von arbeitsteilig schwer erfüllbaren Aufgaben, z. B. auf dem Investitionsgebiet, erfolgen darf ohne gleichzeitige Umgruppierung der Kräfte und Mittel. Wenn große Kombinate der chemischen Industrie des Bezirkes Halle 1969 rund 600 Projektanten an die damals gebildeten GAN abgegeben haben, so kann heute niemand von den Kombinaten sprunghafte Erhöhungen der Projektierungsleistungen zur Schließung von Bilanzlücken erwarten. Ähnliches gilt für die im Prinzip völlig richtige Einrichtung von Bauabteilungen und für den Rationalisierungsmittelbau. Wenn aber diese kombinatsinternen Baukapazitäten in der Weise in die Bilanzierung eingehen, daß sich die Bauindustrie in Höhe dieser Kapazität aus zentralen Vorhaben zurückzieht, wo wird der Sinn dieser Einrichtungen, für effektivitätssteigernde Rationalisierungen und schnellere Überleitung neuer wissenschaftlich-technischer Erkenntnisse bei voller Nutzung der Sachkunde über die bereits bestehenden und zu realisierenden Prozesse, wieder zunichte gemacht. Die Eigenverfügbarkeit und die hohe Disponibilität solcher Kapazitäten sind unabdingbare Voraussetzung hoher Effektivität von Kombinaten der heute erreichten Größenordnung.

– Schließlich ist zur Geschlossenheit des Reproduktionszyklus zu bemerken, daß es ihn zu fordern nicht heißen kann, die allgemeinen Vorteile der gesellschaftlichen Arbeitsteilung aufzugeben. Wenn also beispielsweise Anwenderkombinate neue Arbeitsmittel für ihre Zwecke entwickelt haben, an denen auch bei einer Reihe anderer Stellen Bedarf besteht, wie uns das bei Untersuchungen in der Bauindustrie begegnete, so stellt sich das nicht als erfolgreicher Rationalisierungsmittelbau dar, wenn jeder Bedarfsträger mit Hilfe seiner Reparaturwerkstätten ein oder zwei Stück mit Methoden handwerklicher Manufaktur herstellt.

Als zentrales Problem des geschlossenen Reproduktionsprozesses für Kombinate halte ich die Gewährleistung der Kontinuität im Zyklus Wissenschaft–Technik–Produktion. Hier unterstütze ich die Thesen vor allem darin, den wissenschaftlich-technischen Fortschritt nicht nur – wie das leider oft der Fall ist – als eine Frage von Forschung und Entwicklung zu interpretieren, sondern auch die Überleitungsprobleme, besonders die Investitionen einzubeziehen. Nach wie vor gelten hier die Forderungen des Beschlusses des Politbüros des ZK der SED über Investitionen vom Juni 1975, den Plan Wissenschaft und Technik und die Investitionsvorbereitung so zu entwickeln, daß ein koordiniertes Zusammenwirken von Forschung und Entwicklung, Investitionsvorbereitung und -durchführung gewährleistet ist.

Kontinuität im Zyklus Wissenschaft–Technik–Produktion als Bedingung hoher Effektivität der Betriebe führt zwangsläufig an die Nahtstelle zwischen Forschung und Entwicklung sowie technische Realisierung, an die Überleitung, als das entscheidende Glied in dieser Kette. Wir stellen mitunter ungenügendes wissenschaftlich-technisches Niveau unserer Erzeugnisse, Arbeitsmittel oder Verfahren fest, kritisieren die zu wenigen Patentanmeldungen, die zu hohen Aufwendungen für ein Patent, die ungenügende Kreativität oder Originalität der Forschungsergebnisse und streiten uns um – der Sache nach völlig richtige – Fragen der Aufgabenstellung, der Vorgabe ökonomischer Ziele, der Bildung von Forschungskollektiven, der Auftragsleitung, der Bildung von Geldfonds und vieles andere mehr. Dabei dürfen wir jedoch nicht aus den Augen verlieren, daß sich bei einem großen Teil der in Forschung und Entwicklung tätigen Genossen und Kollegen die Ungewißheit über die technische Realisierbarkeit ihrer Erzeugnisse tief in ihr Bewußtsein eingegraben hat, und hier meines Erachtens einer der entscheidenden initiativhemmenden Faktoren im Zyklus Wissenschaft–Technik–Produktion zu suchen ist. Wenn ich also noch einige Gedanken zur Kontinuität dieses Zyklus äußere, dann immer auch unter dem Aspekt, der Notwendigkeit, solche psychologischen, initiativhemmenden Faktoren aus der Welt zu räumen, die den Leistungsaufschwung unserer Kombinate in hohem Maße beeinträchtigen. Mit der Gewährleistung der Kontinuität des Zyklus Wissenschaft–Technik–Produktion ist zunächst die innere Organisation der Kombinate angesprochen. Hierzu gehört eine sinnvolle Verbindung von zentraler Leitung mit der Übertragung hoher Eigenverantwortung an die Leiter der einzelnen Teile und Einrichtungen des Kombinats. Allerdings ist diese Möglichkeit auch von äußeren Bedingungen, vom ökonomischen und juristischen Handlungsspielraum unterer Leitungsebenen, von der Wirksamkeit unserer Geldkategorien, selbst vom Arbeitsstil, also auch davon abhängig, nach welchen Kriterien die Arbeit des Generaldirektors eines Kombinats von seinem Vorgesetzten eingeschätzt wird. Wird er nur an der Erfüllung der operativen Tagesaufgaben gemessen, so kommt er nicht umhin, innerhalb des Kombinats selbst in die operativen Prozesse einzugreifen, um stets dazu aussagefähig zu sein, aber er schränkt damit den Raum für die Delegierung von Eigenverantwortung auf die Leiter der einzelnen Betriebe oder Einrichtungen des Kombinats ein. Dann aber werden auch die Überleitungsprozesse in dieser Weise gesteuert, und man muß feststellen, daß unter der Bedingung operativ orientierter Führungstätigkeit Instabilität in viele, eigentlich langfristig getroffene Entscheidungen getragen wird.

Neben der inneren Organisation der Kombinate wird die Nahtstelle zwischen Forschung und Entwicklung sowie technischer Realisierung bei verfahrensbezogenen neuen wissenschaftlichen Erkenntnissen vorwiegend durch Investitionsprozesse bestimmt (was in hohem Maße für die Grundstoffindustrie zutrifft, wo sich die Erzeugnisse weniger, dafür die Produktionsverfahren schneller verändern). Bei erzeugnisbezogenen Erkenntnissen, also bei sonst gleicher materiell-technischer Ausrüstung neue oder weiterentwickelte Erzeugnisse einzuführen, hängt der Erfolg in hohem Maße von der Reaktionsfähigkeit des mit dem betreffenden Produktionsprozeß verbundenen Verflechtungssystems zusammen.

Die Lösung der zentralen Effektivitätsfrage, den wissenschaftlich-technischen Fortschritt im Kombinat in hohem Tempo zu bewältigen erweist sich also als ein inneres Leitungs-, Planungs- und Stimulierungsproblem des Kombinats, gleichzeitig aber auch als eine Frage der allgemeinen volkswirtschaftlichen Bedingungen, unter denen die Kombinate arbeiten. Hierbei spielt ohne Zweifel die wirtschaftliche Rechnungsführung eine außerordentlich große Rolle. Über die objektive Notwendigkeit der Anwendung der wirtschaftlichen Rechnungsführung, zur Realisierung des Sparsamkeitsprinzips beizutragen, braucht nicht gesprochen zu werden. Nicht ausgelassen werden darf aber die Feststellung, daß die Anwendung von Geldkategorien allein noch nicht Anwendung der wirtschaftlichen Rechnungsführung bedeutet; denn das Ziel besteht ja darin, mit Hilfe der Geldkategorien ökonomische Verhaltensnormen zu setzen und durch ihre Praktizierung ökonomische Verhaltensweisen bei den Menschen auszulösen.

Bei der Nutzung der Geldkategorien für die Beeinflussung der Verhaltensweisen der Werktätigen muß man zweierlei auseinanderhalten:

1. Die Geldkategorien, beispielsweise der Gewinn, können symbolische Zeichen für die Qualität der Leitungstätigkeit sein. Das war anfänglich in unserer Wirtschaft vor Einführung der wirtschaftlichen Rechnungsführung der Fall, als im allgemeinen nur die Meßfunktion des Geldes genutzt wurde. Indem aber ein Leiter nach der Höhe oder Relation von Geldkategorien gelobt oder getadelt wurde, löste man bestimmte Verhaltensweisen bei ihm aus, die er auf das von ihm geleitete Kollektiv übertrug. Das vermögen die Geldkategorien immer herzugeben.

2. Der Gewinn oder andere Geldkategorien können neben dieser moralischen Wir-

kung auch so gehandhabt werden, daß ihrer Höhe entsprechend im Betrieb Geldmittel zur Eigenverwendung für die kollektive und individuelle materielle Interessierung sowie für die Umgestaltung der Produktions- und Zirkulationsbedingungen verbleiben. Hier erlangen die Geldmittel reale ökonomische Wirkung und werden zu einem wichtigen Mittel der Selbstverwirklichung des Menschen.

Nur wenn auch die zweite Bedingung erfüllt ist, können wir meines Erachtens auch von wirtschaftlicher Rechnungsführung sprechen. Damit aber die Verhaltensweisen den ökonomischen Verhaltensnormen entsprechen, sind drei Bedingungen zu erfüllen:

1. Das Kombinat muß mit einer den volkswirtschaftlichen Erfordernissen entsprechenden Eigenverantwortung ausgestattet sein.

2. Die in Abhängigkeit vom wirtschaftlichen Erfolg zugestandene Verfügung über Geldmittel muß dadurch real wirksam werden, daß das Geld nach der Entscheidung des Kombinats materiell realisiert werden kann, und

3. Das ökonomische Verhalten des Kombinats muß plandeterminiert, ökonomisch risikobehaftet sein.

Meiner Meinung nach stellt die vom IX. Parteitag genannte Forderung den demokratischen Zentralismus zu stärken, indem die zentrale staatliche Leitung und Planung mit der schöpferischen Aktivität der Werktätigen und der eigenverantwortlichen Tätigkeit der Betriebe und Kombinate verbunden wird,[1] noch zahlreiche nicht gelöste Aufgaben.

Bei der unmittelbaren und wechselseitigen Beziehung zwischen kombinatsinternen und volkswirtschaftlichen Bedingungen für die Sicherung hoher Effektivität der Kombinate durch schnellen wissenschaftlich-technischen Fortschritt ist die weitere Bearbeitung dieses Problems unbedingt notwendig. Wenn auf dem Investitionsgebiet in wichtigen Positionen das Aufkommen von Investitionsgütern Bilanzdefizite aufweist, so muß natürlich gerade die Nahtstelle zwischen Forschung und Entwicklung sowie technischer Realisierung nicht nur im Investitionsablauf, sondern auch in der notwendigen Reaktionsfähigkeit der Kombinate, in der stimulierenden Wirkung der Geldkategorien und auch in der bewußtseinsmäßigen Sicherheit der Forscher und Entwickler zu beträchtlichen Abstrichen führen. Man kann nicht an der Tatsache vorbei, daß die wirtschaftliche Rechnungsführung Meß-, Stimulierungs- und in den durch den Plan gesetzten Proportionen auch eine Verteilungsfunktion hat. Nur in dieser Einheit bei unbedingter Priorität des zentralen staatlichen Planes kann sie wirkungsvoll zur Beschleunigung des wissenschaftlich-technischen Fortschritts und der Erhöhung der Effektivität der Kombinate beitragen. Das heißt klare Bestimmung der Entscheidungsfelder der zentralen Leitungsorgane und der Kombinate, heißt aber auch, die Kombinate mit den ihrer Verantwortung entsprechenden Rechten auszustatten. Genosse Breshnew sagte auf dem XXV. Parteitag der KPdSU:

„Das Wesen der organisatorischen Fragen läuft, einfach gesagt, darauf hinaus, daß jeder seinen Aufgaben nachkommt, wobei er mit den dafür erforderlichen Rechten ausgestattet sein und in ihrem Rahmen die ganze Fülle der Verantwortung tragen muß. Diese elementare Lebensregel ist zugleich das A und O der Leitungswissenschaft und -praxis."[2]

[1] Vgl. E. Honecker, Bericht des Zentralkomitees der Sozialistischen Einheitspartei Deutschlands an den IX. Parteitag der SED, Berlin 1976, S. 84.

[2] L. I. Breshnew, XXV. Parteitag der KPdSU, Rechenschaftsbericht des Zentralkomitees der KPdSU und die nächsten Aufgaben der Partei in der Innen- und Außenpolitik, Berlin 1976, S. 75.

Die Realisierung dieses Grundsatzes durch entsprechende Ausgestaltung der wirtschaftlichen Rechnungsführung bei den Kombinaten verlangt, den Erfordernissen des Gesetzes der planmäßigen, proportionalen Entwicklung der Volkswirtschaft und des Wertgesetzes entsprechend, volkswirtschaftliche Äquivalenz- und Proportionalitätsbedingungen zu gewährleisten. Das ist die ureigenste Pflicht der zentralen Staats- und Wirtschaftsorgane.

Meines Erachtens stellt sich dieses Problem besonders auf dem Investitionsgebiet kompliziert dar. Wenn eben 100 und mehr Prozent des Aufkommens an Investitionsgütern bereits durch zentrale Entscheidungen gebunden sind, dann kann durch innerbetriebliche Reaktionen, durch Bildung und Aufschlüsselung von Geldfonds kaum noch etwas Wesentliches bewegt werden. Diese Fragen in der weiteren Untersuchung zu halten, sehe ich als wesentlich für die Steigerung der Effektivität der Kombinate durch schnelleren wissenschaftlich-technischen Fortschritt unter Nutzung der objektiven Möglichkeiten der wirtschaftlichen Rechnungsführung an.

W. Opitz

Einige Erfahrungen bei der Leistungsbewertung und Fragen der Wirtschaftsorganisation

Zunächst möchte ich bemerken, daß in den Thesen zur weiteren Vervollkommnung der Leitung, Planung und ökonomischen Stimulierung der gesellschaftlichen Produktion die aktuellen Probleme der Leitungs- und Planungstätigkeit richtig angesprochen werden, mit denen sich Leiter auf allen Ebenen täglich auseinandersetzen müssen. Ich stimme den Thesen voll zu.

In nicht wenigen Betrieben, Kombinaten und VVB hat sich auf Grund der zunehmenden Kompliziertheit der materiellen Prozesse und der diesen z. B. auf den Gebieten der Kooperation und der Erzeugnisgruppenarbeit zum Teil nicht mehr voll gerecht werdenden Regelungen der Planung und ökonomischen Stimulierung ein überwiegend operativ orientierter Leitungsstil herausgebildet.

Der nicht immer ausreichende Grad der Bilanziertheit der Aufgaben und des Ressourceneinsatzes, wie dies in den Thesen auch deutlich festgestellt wird, die teilweise noch nicht voll erreichte und immer wieder im laufenden Planjahr zu sichernde Proportionalität von Zulieferungen und Finalproduktion, nicht ausreichend stabile Entscheidungen u. a. zu wissenschaftlich-technischen Aufgaben in Verbindung mit dem Einsatz von Investitionsmitteln und zum Teil die Verzögerung von Entscheidungen zum laufenden Plan bewirken, daß die vielfältigen Initiativen und hervorragenden Leistungen der Kollektive in den Betrieben und Kombinaten noch nicht im denkbaren Umfang zur Wirkung kommen. Besonders begrüße ich die in These 4 dargelegte Position, wo mit Nachdruck auf die Einhaltung und schöpferische Umsetzung der vom Ministerrat beschlossenen Grundlagen hinsichtlich der Leistungsbewertung der Betriebe und Kombinate und der weiteren Qualifizierung der Leitung, Planung, Abrechnung und Stimulierung hoher Produktionsleistungen zur Vertiefung der Intensivierung in den Industrie- und Baubetrieben hingewiesen wird. Diese Forderung entspricht vor allem bei Industriezweigen, die Komsumgüter oder Zulieferungen für Konsumgüter produzieren, den konkret praktischen Bedingungen und Erfordernissen. Die Praxis zeigt jedoch, daß hier noch zu lange Zeiträume vergehen, bis Entscheidungen durchgängig bis zum Betrieb im volkswirtschaftlichen und betrieblichen Interesse getroffen werden.

Mit dem Ausbau des Fünfjahrplanes zum Hauptinstrument der Leitung der Wirtschaft werden meines Erachtens *eindeutig* bessere Bedingungen geschaffen, um die volkswirtschaftlich notwendige Leistungs- und Effektivitätsentwicklung zu sichern, die zunehmende Komplexität ökonomischer und sozialer Prozesse besser zu beherrschen und die Kontinuität und Proportionalität der Produktion vollkommener zu gewährleisten.

In meinem Beitrag möchte ich auf zwei Probleme eingehen, die in den vorliegenden Thesen mit behandelt werden:

1. Zu einigen Erfahrungen bei der Durchführung des Beschlusses des Ministerrates zur Leistungsbewertung der Kombinate und Betriebe

Insgesamt kann eingeschätzt werden, daß sich der Beschluß des Ministerrates zur Leistungsbewertung der Betriebe und Kombinate – wie es auch in These 4 des vorliegenden Materials dargestellt wird – bei konsequenter Durchsetzung und schöpferischer Anwendung sehr positiv auf die Leistungsentwicklung auswirkt und auswirken wird. Damit wurden grundsätzliche Regelungen beschlossen, die dazu führen, die Einheit von bedarfs- und qualitätsgerechter Produktion, dynamischem Leistungswachstum und hoher Effektivität zu sichern. Das betrifft insbesondere die wichtigen Fragen zur Durchsetzung der intensiv erweiterten Reproduktion und vor allem der Beschleunigung des wissenschaftlich-technischen Fortschritts mit der Anerkennung der Leistungen der Kollektive in den Betrieben, z. B. bei der Einsparung von Material, Rohstoffen und Energie.

Auch die Regelungen für die Neu- und Weiterentwicklung von Erzeugnissen führen insgesamt dazu, daß die Anstrengungen der Kollektive um minimalen Materialeinsatz und niedrigsten Arbeitszeitaufwand für die Fertigung neu- bzw. weiterentwickelter Erzeugnisse bereits in der Phase der Forschung und Entwicklung sowie Produktionsvorbereitung erhöht werden. Die bisher gültigen Regelungen führten zum Teil dazu, daß in das neu- oder weiterentwickelte Erzeugnis Reserven für die in den Folgejahren zu bringenden Einsparungen durch den Plan der sozialistischen Rationalisierung „eingebaut" wurden. Diese Denk- und Handlungsweise kann mit den neuen Regelungen überwunden werden.

Bestimmte Probleme bei der Anwendung des Preis-Leistungs-Verhältnisses sind meines Erachtens in solchen Betrieben zu lösen, die einen hohen Anteil an Zulieferungen in ihren Erzeugnissen realisieren. Das ist z. B. in einigen Betrieben des Haushaltgroßgerätekombinates Monsator der VVB Eisen-, Blech- und Metallwaren (EBM) der Fall. So ist die Weiterentwicklung der Erzeugnisse im Waschgerätewerk notwendigerweise mit der weiteren Vervollkommnung vieler Baugruppen verbunden, so z. B. der Steuerung, des Antriebssystems und der Laugenpumpe. Mit der Anwendung des Preis-Leistungs-Verhältnisses könnten von den Zulieferern neue Gebrauchswerte und damit begründet neue Betriebspreise geltend gemacht werden, die die Kosten beim Finalproduzenten erhöhen und zum Teil die eigene Kostensenkung eliminieren könnten. Außerdem könnte die Regelung, daß nach fünf Jahren der Betriebspreis entsprechend der Kostenentwicklung wieder neu reguliert wird, eventuell dazu führen, daß Zulieferbetriebe bestrebt sind, im wesentlichen neu- oder weiterentwickelte Baugruppen am Anfang des Fünfjahrplanzeitraumes in die Produktion überzuleiten, um möglichst über einen langen Zeitraum die entsprechenden Erlöse zu sichern. Selbstverständlich geht es bei der von mir dargestellten Problematik weitgehend um die Fragen der Zusammenarbeit von Zulieferern und Finalproduzenten auf dem Gebiet von Forschung und Entwicklung. So kommt es z. B. darauf an, daß solche Baugruppen entwickelt werden, die zu höheren Gebrauchseigenschaften des Finalerzeugnisses führen. Gleichzeitig sollte man aber evtl. auch einen solchen Gedanken untersuchen, inwieweit, ausgehend von der Gebrauchswerterhöhung des Finalproduktes, der jeweilige Anteil der Zulieferbaugruppen ermittelt und durch eine entsprechende Gestaltung des Betriebspreises anerkannt werden kann. Damit würden meines Erachtens sowohl der Zulieferer als auch der Finalproduzent an der Weiterentwicklung ihrer Erzeugnisse ökonomisch stimuliert. Eine Regelung suchen wir gegenwärtig über die konsequente Behandlung des Problems der Devisenrentabilität, die sich bei der Neubzw. Weiterentwicklung eines Erzeugnisses keinesfalls verschlechtern darf. Beachten müssen wir darüber hinaus, daß eine Steigerung der industriellen Warenproduktion über veränderte Preise uns nichts nützt, wenn nicht gleichzeitig die Stückzahlen pro Jahr steigen und damit der Bedarf des Binnenmarktes immer besser gedeckt und die Exportaufgaben erfüllt werden.

Den ersten Gedanken möchte ich an einem Zahlenbeispiel demonstrieren: Die Gebrauchswerterhöhung beim neuentwickelten Waschvollautomaten in Höhe von angenommen 10% ist anteilig zurückzuführen auf veränderte Gebrauchswerte z. B. der Baugruppe Steuerung mit 30%, des Antriebssystems mit 20%, der Heizung mit 20% und 30% durch wissenschaftlich-technische Maßnahmen beim Finalproduzenten selbst. Diese Anteile an der Gebrauchswerterhöhung des Finalproduktes sollten sowohl beim Zulieferer als auch beim Finalproduzenten bei der Festlegung des Betriebspreises Anerkennung finden. Meines Erachtens kann dieser Gedanke auch damit begründet werden, daß letztlich den Verbraucher nicht der Gebrauchswert der Baugruppen Steuerung, Antriebssystem oder Heizung interessiert, sondern der Gebrauchswert bzw. die Gebrauchswertveränderung des Finalproduktes, also der Waschmaschine.

2. Zu einigen wirtschafts- und leitungsorganisatorischen Fragen

Die in den Thesen dargestellten Fakten insbesondere zur Leistungsentwicklung der Kombinate und weiterer wirtschaftsorganisatorischer Probleme der Volkswirtschaft widerspiegeln die Praxis. Daß dabei die Entwicklung sehr vielgestaltig und differenziert verlaufen ist und verläuft, machen die Thesen ebenso deutlich.

In den Thesen 9 und 10 des vorliegenden Materials werden die unterschiedlichen Formen der Kombinate hinsichtlich ihrer Struktur, ihrer Leitungsorganisation und anderem dargestellt und zum Teil bewertet.

Die Struktur der Kombinate der VVB EBM ist im Prinzip so, daß die einzelnen Kombinatsbetriebe spezialisierte Einheiten sind, die entweder ein Erzeugnis oder eine bestimmte Gruppe von Erzeugnissen ohne wesentliche Kooperation mit anderen Kombinatsbetrieben herstellen bzw. deren Zulieferer wiederum Kombinate und Betriebe anderer Bereiche sind. So sind z. B. im Kombinat Monsator die Betriebe DKK Scharfenstein als Spezialbetrieb für die Produktion von Kühlschränken und Verdichtern, das Waschgerätewerk Schwarzenberg für Waschmaschinen, das Wärmegerätewerk Elsterberg für Kohleherde, das Gasgerätewerk Dessau für Gasherde und Gaswasserdurchlauferhitzer, das Wärmegeräte- und Armaturenwerk Berlin für Gasraumheizer verantwortlich. Ein Zulieferkombinat ist u. a. im Bereich der VVB EBM das Kombinat Schlösser und Beschläge Döbeln. Auch hier sind die einzelnen Betriebe, wie z. B. Elsterwerda für Tür- und Fensterbeschläge, Luckenwalde für Möbelaußenbeschläge, Pegau für Türeinsteckschlösser und Döbeln für Fahrzeugschlösser und -beschläge zusammengefaßt und stellen von den Erzeugnissen her gesehen weitestgehend spezialisierte Wirtschaftseinheiten dar.

Neben Analogien in der Fertigungstechnik, Fertigungsorganisation und im Materialeinsatz war ein wesentliches Kriterium für die Zusammenlegung der Betriebe zu Kombinaten im Industriezweig EBM die anwenderseitige Orientierung der Finalerzeugnisse, das heißt also Haushaltgroßgeräte, Haushaltwaren (1000 kleine Dinge des täglichen Bedarfes), Schlösser und Beschläge sowie Hartkurzwaren.

Bereits zum Zeitpunkt der Bildung der Kombinate zeigte sich meines Erachtens, daß in den Prozessen der materiellen Produktion ökonomische Effekte durch Spezialisierung und Konzentration teilweise nur in begrenztem Umfang erreichbar sind. Hauptanliegen war die Herausbildung spezialisierter und zentralisierter Einrichtungen und Einheiten in den produktionsvorbereitenden Bereichen, im Kundendienst, im Absatz sowie in weiteren querschnittsorientierten Abteilungen. Trotz der Erfolge, die zu verzeichnen sind, muß ich für meinen Bereich einschätzen, daß zwar die leistungsfähigsten Betriebe zu Stammbetrieben erklärt wurden, aber diese Betriebe von den materiellen Bedingungen her nicht immer so entwickelt waren, daß sie den mit der Kombinatsbildung gestiegenen Anforderungen in vollem Umfange gerecht werden konnten. Hinzu kommt, daß zum Teil bedingt durch die weitestgehende Spezialisierung der einzelnen Kombinatsbetriebe viele Fragen der Bilanzierung, Planung und insbesondere Abrechnung direkt zwischen Ministerium, VVB und Kombinatsbetrieb behandelt werden. Es ist notwendig, vor allem auf dem Gebiet der Bilanzierung, Planung und Abrechnung die Verantwortung des Kombinats als ganzes zu erhöhen und dies natürlich unter Beachtung der sehr unterschiedlichen Kombinatstypen.

Notwendig erscheint es auch, an volkswirtschaftlich noch effektiveren Formen der Konzentration der Produktion zu arbeiten. So wäre meines Erachtens z. B. der Zusammenschluß der Betriebe, die Gasherde und Elektroherde herstellen und heute noch verschiedenen VVB und Ministerien unterstehen, eine gute Grundlage für eine effektivere Arbeit und die Erschließung von Reserven in allen Phasen des Reproduktionsprozesses.

Damit werden die in den Thesen angesprochenen möglichen Effekte aus der Kombinatsleitung voll wirksam und gleichzeitig wird der Prozeß der Schaffung und des weiteren Ausbaus z. B. zentraler Kapazitäten für die Entwicklung und den Bau von Rationalisierungsmitteln und Werkzeugen, die Forschung und Entwicklung für Erzeugnisse und Verfahren bis hin zum Absatz und Kundendienst gefördert.

Ich stimme in diesem Zusammenhang mit den Ausführungen von Prof. Dr. Gerd Friedrich zur Notwendigkeit der Schaffung eigener Rationalisierungsmittelkapazitäten in den Betrieben völlig überein. Ich möchte aber ebenso betonen, daß eine Reihe von spezifischen Produktionsmitteln, die viele Betriebe gleichermaßen benötigen, in zentralisierten Betrieben der dafür zuständigen Bereiche gesichert werden müssen. Zum Beispiel ist es wenig effektiv, wenn viele Rationalisierungsmittelabteilungen die erforderlichen Schaltschränke für elektrische Anlagen selbst herstellen.

Eine weitere Frage im Zusammenhang mit der Schaffung eigener Kapazitäten für den Bau von Rationalisierungsmitteln ist meiner Meinung nach die Höhe des Bedarfs der einzelnen Betriebseinheit an solchen Kapazitäten für Instandhaltung, Werkzeugbau und -reparatur sowie Sondermaschinen. Es kann volkswirtschaftlich nicht vertretbar sein, in kleinen Betrieben in Produktionshilfsabteilungen in großem Umfang Werkzeugmaschinen zu installieren, die bedingt durch die Betriebsgröße und den Bedarf an derartigen Leistungen in geringem Umfang ausgenutzt werden. Hier ist die Orientierung auf Herausbildung zentraler Kapazitäten in dafür geeigneten Kombinatsbetrieben, in der VVB oder auch auf territorialer Ebene volkswirtschaftlich sinnvoll.

Einen unmittelbaren Zusammenhang sehe ich auch hier zu der in den Thesen getroffenen Feststellung, daß die Erzeugnisgruppenarbeit auf ein neues, höheres Niveau gebracht werden muß. Dabei möchte ich unterstreichen, daß die in den Thesen enthaltenen Vorstellungen zur Erhöhung z. B. der Verbindlichkeit von Vereinbarungen zwischen wirtschaftsleitenden Organen und den Territorialorganen, die Vervollkommnung der Aufgaben, Rechte und Pflichten der Erzeugnisgruppenleitbetriebe in Form der Zuordnung von Funktionen der Planung und Bilanzierung, der Zentralisierung von Fonds zur Durchsetzung gemeinsamer Maßnahmen der sozialistischen Intensivierung innerhalb der Erzeugnisgruppe diesen Prozeß unterstützen.

Bejahen möchte ich dabei den Gedanken der Notwendigkeit der Zweigplanung schon von der Staatlichen Plankommission aus. Gegenwärtig orientieren wir diese Arbeit zu sehr auf die Arbeit der Erzeugnisgruppen-Leitbetriebe bzw. in die Bereiche der VVB. Nach meinem Dafürhalten ist neben den von mir genannten Faktoren zur Erhöhung der Verantwortung der VVB und der Erzeugnisgruppen-Leitbetriebe eine immer stärkere zentrale Steuerung der Industriezweigprobleme, die sich über verschiedene Unterstellungsverhältnisse hinweg ergeben, erforderlich.

Auch den Gedanken der Programmplanung unterstütze ich voll und ganz. Bei koordinierter und komplexer Planung der wissenschaftlich-technischen Entwicklung und der erforderlichen Produktionspotenzen aller Baugruppen, die zu einem Finalprodukt gehören, ist die erforderliche volkswirtschaftliche Proportionalität und Effektivität zu sichern.

Die Wege, die wir im Industriezweig Eisen-Blech-Metallwaren zur Vertiefung der Intensivierung durch qualifizierte Leitung der Arbeitsprozesse beschreiten, sind folgende:

1. Die Erfahrungen der Arbeiterklasse für alle Betriebe im Zweig nutzen, d. h. die Methoden der Besten generell durchsetzen, die Erfahrungen der Arbeiter vor Ort studieren, die Verbesserung der überbetrieblichen Nachnutzung von Neuerungen und die höhere Qualität des Leistungsvergleiches.

2. Das Produktions- und Wissenschaftspotential durch enge sozialistische Gemeinschaftsarbeit immer wieder neu zusammenführen, um schnell produktionswirksame Lösungen zu schaffen und das Gesetz der Ökonomie der Zeit damit voll zur Wirkung zu bringen. Gute Beziehungen bestehen insbesondere hier mit der TH Karl-Marx-Stadt und der Ingenieurhochschule Zwickau.

3. Zwischen Final- und Zulieferbetrieben immer engere Kontakte knüpfen und gemeinsam nach Wegen zur Erreichung des wissenschaftlich-technischen Höchststandes bei Baugruppen und Finalerzeugnissen suchen. Die Erkenntnis, daß der Zulieferbetrieb über das Niveau der Finalproduktion ein entscheidendes Wort mitspricht, muß zu hoher Gemeinsamkeit in der Arbeit Anlaß geben.

4. Die Erzeugnisgruppenarbeit durch effektivere Nutzung von Maschinen und Anlagen und die rationelle Organisation, z. B. von Transport- und Instandhaltungsprozessen verbessern. Eine große Hilfe stellen hierbei die zum Bau von Rationalisierungsmitteln gebildeten Kooperationsverbände dar, wie z. B. in Aue und Dessau.

5. Die ständige Verbesserung der Arbeits- und Lebensbedingungen der Werktätigen immer wieder neu in Übereinstimmung mit den Fortschritten in der Produktion bringen. Hierbei spielt insbesondere die Beseitigung von Arbeitsplätzen mit körperlich schwerer Arbeit, die Vermeidung von Arbeitsunfällen und -erkrankungen, die Verbesserung des Werkküchenessens sowie die ärztliche Betreuung eine bedeutende Rolle.

Eine große Hilfe für unsere Arbeit bilden die Erfahrungen, welche die Konferenz des Zentralkomitees der Sozialistischen Einheitspartei Deutschlands zu den weiteren Aufgaben der politischen Massenarbeit vermittelte.

Hier wurde erneut deutlich, daß jeden Tag durch die Kommunisten in den Betrieben und wissenschaftlichen Einrichtungen der Weg zu höheren Leistungen im Wettbewerb gesucht und gezeigt werden muß.

F. HABERLAND

Langfristige Intensivierungskonzeption – grundlegendes Leitungs- und Planungsinstrument zur Vertiefung des Intensivierungsprozesses

In den 29 Betrieben und Stammbetrieben von Kombinaten – die wir in diesem Jahr mit aktiver Unterstützung unserer Partei hinsichtlich der erzielten Ergebnisse bei der Intensivierung ihres Reproduktionsprozesses untersucht haben – konnten wir folgende Abhängigkeit feststellen:

Resultate und Tempo bei der Erhöhung der Effektivität der Produktion entsprechen vor allem dort den Beschlüssen der Partei, wo mit großer Verantwortung an und mit einer langfristigen Intensivierungskonzeption auf hohem Niveau gearbeitet und sie zur Grundlage für die Ausarbeitung des Plans gemacht wird.

Auf welche Erfahrungen und noch besser zu lösende Probleme sind wir dabei gestoßen?

Welche Erkenntnisse sind wichtig für die sichere Erfüllung des laufenden Fünfjahrplans und die rechtzeitige Vorbereitung des nächstfolgenden Fünfjahrplans (1981 bis 1985)?

Zunächst hat es sich als wichtig herausgestellt, bei Existenz eines durchgängig auf alle Ebenen der Volkswirtschaft beauflagten Fünfjahrplans 1976 bis 1980 in den Betrieben die Funktionen der vorliegenden Intensivierungskonzeption bis 1980 klar zu bestimmen. Die Untersuchungen haben unterstrichen, daß die Intensivierungskonzeption nunmehr vor allem folgende Funktionen zu erfüllen hat: Erstens müssen sie die staatlichen Planaufgaben und -auflagen für die Jahrespläne dieses Zeitraumes durch konkrete plan- und abrechenbare, kontrollfähige Maßnahmen sichern; zweitens können sie einer zielstrebigen politischen Führungstätigkeit und staatlichen Leitung bei der Realisierung der geplanten Intensivierungs- bzw. Rationalisierungsmaßnahmen dienen und drittens haben sie die Initiative der Werktätigen im sozialistischen Wettbewerb auf die qualitäts- und termingerechte Verwirklichung der Maßnahmen in der Intensivierungskonzeption, auf die weitere Verbesserung des Verhältnisses zwischen Aufwand und Ergebnis zu orientieren.

In den meisten der untersuchten Betriebe haben die Parteiorganisationen angeregt, die vorliegenden Intensivierungskonzeptionen auf der Grundlage der Maßstäbe des IX. Parteitages und der Beschlüsse der 2., 4. und 5. Tagung des ZK der SED gründlich und kritisch zu überprüfen und dafür zu sorgen, daß sie inhaltlich weiter angereichert und noch enger mit dem Ringen um die allseitige Planerfüllung verbunden werden. Allgemein konnten wir feststellen, daß in den Konzeptionen die Aufgaben zur Beschleunigung des wissenschaftlich-technischen Fortschritts und zur besseren Verwertung seiner Ergebnisse im Mittelpunkt stehen. In der Anleitung zur weiteren Vervollkommnung dieses Teils der Intensivierungskonzeption empfehlen viele Parteileitungen den staatlichen Leitern, entsprechend den Beschlüssen der 2. Tagung des ZK das im eigenen Verantwortungsbereich erreichte wissenschaftlich-technische Niveau der Erzeugnisse und Technologien, der Produktion insgesamt, kompromißlos zu analysieren, es mit nationalen und internationalen Bestwerten zu vergleichen und an den Ergebnissen dieses Vergleichs die bisher vorgesehene Zielsetzung kritisch zu überprüfen. Unumgänglich ist es, im Stadium der Aufgabenstellung für Forschung und Entwicklung bereits das künftige wissenschaftlich-technische Niveau – also zum Zeitpunkt der Markteinführung und -bewährung – richtig zu bestimmen. Nur so können die Möglichkeiten des wissenschaftlich-technischen Fortschritts für die Erhöhung der Leistungskraft unserer Volkswirtschaft und den Export voll zur Geltung gebracht werden.

Einige Betriebe haben aufgrund dieser Empfehlung neue, anspruchsvollere Aufgaben für die wissenschaftlich-technische Arbeit in ihre Intensivierungskonzeptionen aufgenommen.

Einen breiten Raum in den Konzeptionen nehmen die Aufgaben zur Verbesserung der Materialökonomie ein. Indes sah sich eine Reihe von Parteileitungen veranlaßt, darauf hinzuwirken, daß die Maßnahmen zur Verbesserung der Materialökonomie insbesondere in dem Teil der Intensivierungskonzeptionen einen festen Platz einnehmen, der zur Beschleunigung des wissenschaftlich-technischen Fortschritts und der besseren Verwertung seiner Ergebnisse dient. In Forschung und Entwicklung wird bekanntlich der Grundstock für eine hohe Materialökonomie gelegt.

Indem die bislang in den Konzeptionen festgelegten Maßnahmen zur Verwirklichung der zehn Punkte der Intensivierung einer kritischen aber konstruktiven, parteimäßigen Einschätzung und Wertung unterzogen wurden, ist eine neue Etappe in der schöpferischen Diskussion der Werktätigen zur wesentlichen Vertiefung der Intensivierung und damit für die Erfüllung der staatlichen Planauflagen 1977 sowie des gesamten Fünfjahrplanes eingeleitet worden: Mit Hilfe ehrenamtlicher Parteikommissionen „Wissenschaft und Technik" sind die Parteileitungen dazu übergegangen, die Umsetzung wichtiger Maßnahmen aus der Intensivierungskonzeption in die jeweiligen Planteile – beispielsweise in den von Wissenschaft und Technik für 1977 – unter Kontrolle zu nehmen. Damit werden frühzeitig die den Maßstäben der 2. Tagung des ZK gemäße Konzipierung dieser Aufgaben im Plan Wissenschaft und Technik (Teil I und II) sowie ihre Realisierung beeinflußt.

Die Untersuchungen des Zentralinstituts für sozialistische Wirtschaftsführung beim ZK der SED erlauben einige generelle Schlußfolgerungen für die weitere Arbeit an und mit der Intensivierungskonzeption bis 1980:

1. Die Intensivierungskonzeption sollte im Grunde genommen inhaltlich alle jene Quellen oder Faktoren zur Erhöhung der Effektivität erfassen, wie sie in den zehn Punkten der Intensivierung skizziert worden sind, denn sie drücken objektive Erfordernisse der ökonomischen Gesetze des Sozialismus unter den Bedingungen einer überwiegend intensiv erweiterten Reproduktion aus. Die Erfahrungen lehren: Wird der eine oder andere Faktor außer acht gelassen, kann es passieren, daß der mögliche große volkswirtschaftliche Nutzeffekt durch ein Intensivierungsvorhaben nicht ausgeschöpft wird. Oder es treten gegenläufige Wirkungen ein, die ein eventuell besseres Ergebnis schmälern. So ergaben die Untersuchungen unseres Instituts, daß in einigen Intensivierungskonzeptionen neben den bereits erwähnten Fragen auch solchen noch nicht der gebührende Platz eingeräumt ist wie der zuverlässigen Bestimmung des Bedarfs, der Vervollkommnung der technologischen Forschung und technologischen Arbeit, der besseren Nutzung der Möglichkeiten der mit den hauptsächlichsten Kooperationspartnern abgestimmten Rationalisierung sowie erforderlichen Maßnahmen zur weiteren Vervollkommnung der Leitung, Planung, Leistungsbewertung und Stimulierung. Wachsendes Gewicht für die Vertiefung der Intensivierung, für die Erhöhung der Effektivität erlangt auch das miteinander koordinierte Vorgehen der Betriebe im Territorium. In Wahrnehmung ihrer eigenen Verantwortung gilt es, die Vorteile und

die Vielfalt der Möglichkeiten territorialer Rationalisierung für die Erfüllung der volkswirtschaftlichen Aufgaben und die weitere Entwicklung gesellschaftlicher Prozesse umfassender auszuschöpfen. Das Erfassen der grundlegenden Ansatzpunkte für die Intensivierung sollte sich auch stärker auf alle Bereiche des einheitlichen Reproduktionsprozesses erstrecken. Nicht selten werden für die Intensivierung des Gesamtprozesses so wichtige Bereiche wie Materialwirtschaft, Absatz, Instandhaltung, Hauptmechanik u. a. bei den Überlegungen vernachlässigt.

2. Die Intensivierungskonzeption kann nur dann wirkungsvoll der Planvorbereitung dienen, wenn sie einen Maßnahmecharakter trägt. Globale Vorstellungen und Erklärungen nützen wenig. Folgende Probleme sind hierbei noch besser zu bewältigen: Die konkret zu formulierenden Maßnahmen müssen deutlich machen, wie die Ziele für die Leistungs- und Effektivitätsentwicklung und für die planmäßige Verbesserung der Arbeits- und Lebensbedingungen erreicht werden sollen, und zwar in welchem Zeitraum und mit welchem Aufwand und Ergebnis. Dabei ist immer wieder kritisch zu prüfen, ob die beabsichtigten Maßnahmen tatsächlich auf die Intensivierung zur Erhöhung der Effektivität abzielen oder den Betrieb stärker in eine nicht vorgesehene extensive Entwicklung drängen.

Bedeutsam für die kontinuierliche, stabile Erfüllung des Volkswirtschaftsplanes 1977 einschließlich des Gegenplanes und der folgenden Jahrespläne ist die Sicherheit, mit der die Maßnahmen, die in der Intensivierungskonzeption festgelegt worden sind, realisiert werden können. Das heißt für die Leitung, so genau wie möglich zu prüfen und wiederholt nachzuprüfen, ob die materiell-technischen, finanziellen und kadermäßigen Realisierungsbedingungen für die Maßnahmen zum erforderlichen Termin geschaffen werden können. Dieses „Sichermachen" der Realisierung der Maßnahmen beginnt bereits bei ihrer Konzipierung: Sie müssen den bekannten volkswirtschaftlichen Begrenzungen (z. B. hinsichtlich der Anforderungen an das gesellschaftliche Arbeitsvermögen, an Investitionen, Importe) Rechnung tragen; es sollten keine grundsätzlichen Bedenken hinsichtlich der technischen Lösung bestehen; die wichtigsten Maßnahmen müßten mit den Kooperationspartnern (Zulieferern und Anwendern) im Inland und in den RGW-Mitgliedsländern beraten, abgestimmt und möglichst vertraglich vereinbart sein.

Die Realisierbarkeit der Maßnahmen in der Intensivierungskonzeption kann entweder direkt in dem betreffenden Maßnahmekomplex der Konzeption abgesichert werden oder – wie es viele Betriebe bevorzugen – mit Hilfe einiger spezieller Teilkonzeptionen bzw. besonderer Arbeitsmaterialien und Maßnahmepläne (z. B. Teilkonzeption Materialökonomie; Maßnahmeplan zur Senkung des Arbeitszeitaufwandes im Jahr 1977 in der Produktionsvorbereitung, in der mechanischen Abteilung und in der Montage; Maßnahmepläne zur Senkung der Kosten an Schwerpunkt-Kostenstellen).

Wichtig für die Arbeit mit Teilkonzeptionen, Arbeitsmaterialien oder Maßnahmeplänen ist es, daß sie auf der komplexen Intensivierungskonzeption basieren und deren Zielstellungen zum Ausgangspunkt nehmen. Deshalb sollte auch kein mehr oder weniger isoliertes Nebeneinander der – nur unbedingt notwendigen – Teilkonzeptionen zugelassen werden; vielmehr ist stets ihr „inneres Band" herzustellen und zu sichern.

3. Der IX. Parteitag forderte dazu auf, den inneren Zusammenhang aller mit der Intensivierung verbundenen Faktoren zu erkennen und komplex wirksam zu machen. Die Betrachtung einiger Intensivierungskonzeptionen ergab, daß sie zwar mehr oder weniger vollständig die einzelnen Faktoren der Intensivierung enthalten. Jedoch sind die Konzeptionen im Grunde genommen eine Anzahl zumeist isolierter Maßnahmen auf den einzelnen Gebieten oder zu den einzelnen Intensivierungsfaktoren, beispiels-

weise zur Materialökonomie, Grundfondsökonomie und zur Ökonomie des Arbeitsvermögens. Beziehungen und Verflechtungen zwischen den Faktoren sind selten sichtbar gemacht und dargestellt. Um die komplexe Verwirklichung der zehn Punkte der Intensivierung für die Leistungs- und Effektivitätserhöhung der Betriebe, Kombinate und der Volkswirtschaft noch besser zu beherrschen, haben einige Kombinate mit folgender inhaltlicher und methodischer Anlage ihrer Intensivierungskonzeption nützliche Erfahrungen gemacht: Sie umfaßt eine Konzeption mit den Hauptlinien der Intensivierung im Kombinat, Einzelkonzeptionen für die wichtigsten Schwerpunkte zur maßnahmekonkreten Untersetzung der Aussagen der Hauptlinien der Intensivierung und Intensivierungskonzeptionen für die größeren Kombinatsbetriebe. Jede Konzeption weist die Grundrichtung der Entwicklung des komplexen Prozesses bzw. der Schwerpunkte aus, den Aufwand und Nutzen der Maßnahmen, eine Zusammenfassung des Nutzeffekts und seine Gegenüberstellung zu den konzipierten Entwicklungszielen. Sie macht den Grad des Erreichens der Ziele durch konkrete Maßnahmen für die einzelnen Jahre bis 1980 sichtbar. Die Hauptlinien der Intensivierung werden in der Regel kombinatsbezogen – d. h. bezogen auf den einheitlichen Reproduktionsprozeß der Wirtschaftseinheit – ausgearbeitet, die Maßnahmen betriebsbezogen ausgewiesen, die Aufrechnung des Aufwandes und des Nutzens der Maßnahmen erfolgt ebenfalls betriebsbezogen und ihre Zusammenfassung wieder kombinatsbezogen. Eine zentrale Arbeitsgruppe berücksichtigt die inneren Zusammenhänge der Intensivierungsfaktoren und nimmt die entsprechend aufeinander abgestimmte Einarbeitung in die einzelnen Abschnitte bzw. Komplexe der Intensivierungskonzeption vor.

Ein anderer Weg, um die Komplexität in den „Griff" zu bekommen, ist die auf der Grundlage von Analysen vorzunehmende Ermittlung von Schwerpunkten bzw. Maßnahmekomplexen für die Intensivierung im Betrieb oder Kombinat. Diese Schwerpunkte sind dann in allen wesentlichen Beziehungen und Verflechtungen zu erfassen und in der Konzeption festzuhalten. Beispielsweise ist so die Parteiorganisation im VEB TRO „Karl Liebknecht" Berlin vorgegangen. Mit der Entwicklung und Produktion eines neuen Schaltanlagensystems nach den neuen Wirkprinzipien werden planmäßig folgende komplexe Wirkungen erreicht: Gegenüber den bisherigen Erzeugnissen können ca. 50% des erforderlichen Montageaufwandes, 60% des benötigten Materials und in beträchtlichem Maße Bauleistungen eingespart werden. Nur noch ein Bruchteil der notwendigen land- und forstwirtschaftlichen Nutzfläche braucht im Vergleich zu den bislang üblichen Lösungen in Anspruch genommen zu werden. Angesichts der bedeutenden, auf mehrere Bereiche und Zweige der Volkswirtschaft ausstrahlenden komplexen Wirkung dieses Intensivierungsschwerpunktes sind in der Kooperationskette weitergehende Maßnahmen ausgearbeitet worden. Sie werden dazu führen, daß die Produktion dieses hocheffektiven Schaltanlagensystems bis zum Ende dieses Fünfjahrplanes um ca. 30 % mehr als ursprünglich vorgesehen gesteigert werden kann. Diese Wirkungen konnten nur erreicht werden, weil mit dem neuen Erzeugnis zugleich auch neue Technologien und Verfahren, die speziellen Rationalisierungs- und Fertigungsmittel sowie die erforderlichen Prüf- und Meßmittel entwickelt wurden. Ähnliche „Wirkungsketten" lassen sich planmäßig z. B. bei der Rekonstruktion von Betriebsabteilungen oder Betrieben herstellen.

Wichtige Instrumente der Leitung und Planung, um das komplexe Wirken von Intensivierungsfaktoren planmäßig in die Wege zu leiten, sind Erzeugnispaß und Pflichtenheft. Damit können – aufeinander abgestimmt – Maßnahmen zur Verbesserung der Materialökonomie, zur Energieeinsparung, zur Modernisierung der Grundfonds, zur Hebung des Niveaus der Technologie und Arbeitsorganisation usw. konzipiert, können Maßnahmen zur arbeitsplatzbezogenen Weiterbildung der Werktätigen und für den eigenen Rationalisierungsmittelbau frühzeitig vorbereitet werden.

Wie eingangs gezeigt, befassen sich die Betriebsparteiorganisationen nach den jüngsten Tagungen des ZK der SED besonders intensiv mit einer volkswirtschaftlichen Bewertung des Inhalts ihrer Intensivierungskonzeption, mit der kritischen Einschätzung, ob sie den gesellschaftlichen Anforderungen zur Erfüllung der Ziele des Fünfjahrplanes entspricht.

Anhaltspunkte zur Beurteilung der in der Intensivierungskonzeption vorgesehenen Entwicklung der Reproduktion vermittelt die Beachtung folgender Kriterien:

– Die Produktion muß schneller wachsen als der Materialverbrauch. Aus einer Einheit Rohstoff bzw. Material sind mehr Finalprodukte herzustellen.

– Die Produktion muß schneller steigen als die eingesetzten Grundfonds. Vor allem auf diese Weise kann die Grundfondsquote erhöht werden.

– Die Arbeitsproduktivität muß sich schneller erhöhen als die Fondsausstattung – insbesondere die Grundfondsausstattung – je Arbeiter und Angestellten.

– In einer zunehmenden Anzahl von Betrieben – insbesondere in der verarbeitenden Industrie – muß die Arbeitsproduktivität schneller wachsen als die Warenproduktion. Nur so ist das Arbeitskräfteproblem lösbar, kann auch der Bereich der Dienstleistungen (im weitesten Sinne) durch mehr Arbeitskräfte verstärkt werden.

Diese Kriterien widerspiegeln objektive Erfordernisse der Leistungs- und Effektivitätsentwicklung durch die Intensivierung der Produktion. Tiefer zu den Ursache-Wirkungs-Zusammenhängen vorstoßende ökonomische Analysen – meist in Gestalt von Faktorenanalysen – erleichtern oder ermöglichen schließlich die Ausarbeitung notwendiger Schlußfolgerungen und die Bestimmung der Ansatzpunkte für einzuleitende Maßnahmen.

Gegen Ende dieses Jahres und Anfang 1978 werden viele Betriebe und Kombinate die Arbeiten an der konzeptionellen Vorbereitung des nächsten Fünfjahrplanes aufnehmen. Dabei werden sich die Erfahrungen, die bei der Ausarbeitung und Aktualisierung der Intensivierungskonzeption für den Zeitraum 1976 bis 1980 gesammelt werden konnten, sicher als ein unschätzbarer Fundus für die weitere Vertiefung des Intensivierungsprozesses und für die komplexe Verwirklichung der zehn Punkte der Intensivierung zur Erhöhung der Leistungskraft unserer Volkswirtschaft erweisen.

D. Unterdörfer

Erfahrungen und Schlußfolgerungen bei der Planung und Leitung des Reproduktionsprozesses im VEB Schwermaschinenbau-Kombinat „Ernst Thälmann“ Magdeburg

Mit der Thematik und den Thesen zur weiteren Vervollkommnung der Leitung und Planung und ökonomischen Stimulierung der gesellschaftlichen Produktion und der Entwicklung und Festigung der Kombinate in der sozialistischen Industrie sind im Rahmen der sozialistischen Intensivierung viele aktuelle Probleme einer kritischen Analyse unterzogen.

Es gilt nun, in Zusammenarbeit von Wirtschaftswissenschaftlern und leitenden Funktionären der zentralen staatlichen Organe, der VVB und Kombinate der Industrie grundsätzliche Lösungen zur Sicherung einer hohen Leistungs- und Effektivitätsentwicklung durch Erhöhung des Wirkungsgrades der Intensivierung der Produktion zu erreichen.

Die wirtschaftsorganisatorischen Maßnahmen dabei direkt als Intensivierungsfaktor zu nutzen, war bereits erklärtes Anliegen seit der Bildung des VEB Schwermaschinenbau-Kombinat „Ernst Thälmann" Magdeburg im Jahre 1969.

Thesenartig sollen einige Erkenntnisse dargestellt und zusammengefaßt werden:

1. Leistungs- und Effektivitätszuwachs sowie kontinuierliche Erfüllung von Planaufgaben – entscheidende Kriterien und Ausdruck erfolgreicher Kombinatsbildung

Der VEB Schwermaschinenbau-Kombinat konnte in bezug auf die Leistungs- und Effektivitätsentwicklung im Zeitraum 1971 bis 1975 die aus der Direktive des VIII. Parteitages abgeleiteten Zuwachsraten jährlich und insgesamt erfüllen und überbieten. Der Plan 1976 konnte komplex erfüllt werden und die Erfüllungskontinuität im 1. Halbjahr 1977 bestätigt die Fortsetzung dieser Stabilität im ersten Abschnitt des neuen Fünfjahrplanes.

Die Aufgaben auf dem Gebiet Wissenschaft und Technik, die lang- und mittelfristig geplant und vorbereitet werden, sichern zu 80 % den Leistungszuwachs und die Aufgabenerfüllung auf dem Gebiet der Materialökonomie und gewährleisten damit einen hohen Anteil der Intensivierung an der Leistungs- und Effektivitätsentwicklung des Kombinats. Langfristige Programme der Erzeugnis- und Verfahrensentwicklung, insbesondere für die Haupterzeugnislinien
- Walzwerksanlagen und Walzwerksausrüstungen,
- Anlagen und Ausrüstungen für die Kabel- und Drahtseilherstellung,
- Zementanlagen und Ausrüstungen für die Baustoffwirtschaft, sicherten und sichern, verbunden mit konzeptionellen Vorstellungen über die Entwicklung von Absatz und Außenwirtschaft, eine ausreichende Auftrags- und Vertragslage.

Durch horizontale und vertikale Kombination und Sicherung der Leistungsverflechtungen über den Plan wurden gute Fortschritte in der Vorbereitung und Realisierung von Vorhaben des Anlagenbaues, der Wahrnehmung der immer komplexer werdenden Aufgaben als GAN und HAN für die genannten Haupterzeugnislinien erreicht.

Das brachte die entscheidenden Voraussetzungen für die Wahrnehmung der Aufgaben des Kombinats zur Stärkung der Reproduktionskraft unserer Republik, zur immer besseren Wahrnehmung der Aufgaben aus der sozialistischen ökonomischen Integration, gefördert durch den Status des Kombinats als Exportförderbereich.

Diese unbestechlichen Kriterien, die Stabilität der Entwicklung unseres Kombinats, die trotz noch vorhandener Differenziertheit in der Leistungsdichte zwischen den Kombinatsbetrieben durch hohe Zuwachsraten in der Leistungs- und Effektivitätsentwicklung getragen wird, bleiben auch weiterhin die Beurteilungsgrundlage für den Erfolg getroffener wirtschaftsorganisatorischer Maßnahmen.

2. Die Kombinatsbildung setzt Klarheit über Ausgangssituation, Entwicklungsziele und Bedingungen voraus

Die Bildung des VEB Schwermaschinenbau-Kombinat „Ernst Thälmann" Magdeburg und seine stabile Entwicklung in den letzten Jahren hat sich bestätigt, weil zwei grundlegende Voraussetzungen gegeben waren und sind, die den Kristallisationspunkt der Entwicklung darstellen.

Erstens wurde die Kombinatsbildung aus den Aufgaben und Zielen des volkswirtschaftlichen Reproduktionsprozesses abgeleitet. Die Hauptaufgabe des Kombinats als Exportförderbereich konzentrierte sich von Beginn an auf die Lieferung kompletter Anlagen und technologischer Linien. Der Aspekt der Sicherung der Aufgaben des Anlagenbaues und der Entwicklung der Haupterzeugnislinien zur Stärkung der Exportkraft sowie der Entwicklung der metallurgischen Basis, der Baustoffwirtschaft und der Elektroindustrie unserer Republik war damit das Hauptkriterium für die Gestaltung der Arbeitsteilung innerhalb des Kombinats und der Zuordnung von Betrieben nach technologischen Prinzipien.

So ordnen sich die 14 zum Kombinat gehörenden Betriebe in ihren Leistungen und Leistungsverflechtungen den genannten Haupterzeugnislinien unter, wobei solche Betriebe, wie VEB Spezialmontagen Weimar und VEB Stahl- und Apparatebau Genthin, Querschnittsaufgaben wahrzunehmen haben. Mit dem Aufbau des Ingenieurbüros INGAN Berlin, als Betrieb der Vorbereitung und Realisierung von Anlagenvorhaben mit GAN- und HAN-Funktion, der unmittelbaren Verbindung und Koordinierung mit den Forschungs- und Entwicklungsleistungen der Kombinatsbetriebe untereinander, der Konzentration der Kapazitäten für Walzwerksausrüstungen im Stammwerk und im Betrieb VEB Schwermaschinenbau „Heinrich Rau" Wildau, der Einbeziehung der Montagekapazität in die Realisierungsphase sind am Beispiel der Haupterzeugnislinie Walzwerksanlagen und -ausrüstungen Zuordnungsmerkmale und Richtigkeit der Kombinatsbildung nach technologischen Prinzipien demonstriert.

Zweitens ist ein potenzreiches Stammwerk vorhanden, das bereits vor Zuordnung von weiteren Betrieben Kombinatscharakter besaß.

Das Stammwerk selbst, vor Bildung des Kombinats durch sinnvolle Zusammenführung von metallurgischen Betrieben, Maschinenbaubereichen, Stahlbaubetrieben, Forschungs- und Entwicklungs- sowie anderen technischen Vorbereitungsbereichen ein

Werk mit eindeutigem Kombinatscharakter, stellt 50 % des Leistungsvolumens und der Beschäftigtenzahl des Kombinats.

Die metallurgische Basis des Stammwerkes wurde zunehmend mehr mit zur materiellen Grundlage der Versorgung der Kombinatsbetriebe. Die Forschung und Entwicklung innerhalb des Stammwerkes wurde so weiter konzentriert, daß von einem Forschungszentrum für das Kombinat gesprochen werden kann.

Stammbetrieb und Kombinat werden in Personalunion geleitet, was bedeutet, daß ohne eine zusätzliche Leitungsebene durch den Generaldirektor und durch die Fachdirektoren des Kombinats das Stammwerk geleitet wird. Damit werden besonders hohe Anforderungen an das Qualifikationsniveau der leitenden Kader des Stammbetriebes gestellt bzw. ergibt sich die Notwendigkeit, gezielte Qualifikationsmaßnahmen und die Arbeit mit Nachwuchs- und Reservekadern zum ständigen Bestandteil der Leitungstätigkeit zu erklären.

Durch Konzentration der Kräfte, wie z. B. im Bereich Forschung und Entwicklung, die Zentralisation bestimmter Aufgaben auf Kombinatsebene und damit im Stammwerk, werden zunehmend bessere Bedingungen für die Erfüllbarkeit solcher Aufgaben, wie die Vertiefung der sozialistischen ökonomischen Integration, die Einhaltung außenwirtschaftlicher Vereinbarungen (Länderabkommen und getroffene Spezialisierungsvereinbarungen) geschaffen.

3. Fragen der Planung und Leitung des Kombinats sind nicht von den materiellen Aufgaben und Prozessen zu trennen

Im VEB Schwermaschinenbau-Kombinat „Ernst Thälmann" gab es in den zurückliegenden Jahren keine formale Diskussion über ökonomische und juristische Selbständigkeit der Kombinatsbetriebe oder über die Zentralisation und Dezentralisation von Aufgaben und Fonds.

Die Ursache ist darin zu suchen, daß vom Beginn der Kombinatsbildung die Entwicklungsziele und die Gestaltung der materiell-technischen Produktionsbedingungen für das Kombinat als Ganzes in Entwicklungsmodellen, Intensivierungskonzeptionen und Zielprogrammen langfristig fixiert und im Kollektiv beraten wurden.

Mit der ständigen Beratung solcher Fragen, wie lang- und mittelfristige Programmentwicklung, der Entwicklung von Wissenschaft und Technik einschließlich der Vorbereitung und Realisierung grundfondswirtschaftlicher Aufgaben, der Marktstrategie und Absatzperspektive und der Gestaltung der Arbeitsteilung innerhalb und außerhalb des Kombinats, werden Voraussetzungen geschaffen, die Leitungen und Kollektive der Kombinatsbetriebe ständig in den Prozeß der Gesamtentwicklung einzubeziehen und damit die Fragen der Planung und Leitung des Kombinats als wirtschaftliche Grundeinheit nicht von den materiellen Aufgaben und Prozessen zu trennen.

Damit wird die langfristige Planung innerhalb und außerhalb der offiziellen Fünfjahrplanung zur Existenz- und Stabilitätsfrage für die Entwicklung eines anlagenorientierten Kombinats.

Ausgehend von der praktisch bewährten Einstellung, das Kombinat als eine entscheidende wirtschaftliche Grundeinheit zu betrachten, werden in gegenseitiger Übereinstimmung mit den Leitungen der Kombinatsbetriebe auch die im Rahmen des Jahresplanes ablaufenden Prozesse gestaltet.

Eingriffe, z. B. in den Jahresplan von seiten des Generaldirektors, werden in bezug auf ihre Konsequenz offen und kammeradschaftlich beraten und dort, wo es erforderlich ist, Festlegungen und Maßnahmen unter anderem zur Gestaltung der materiellen Stimulierung der Kollektive getroffen.

Die arbeitsteiligen Beziehungen werden mittelfristig und jährlich mit den Plänen bezüglich der Leistungsverflechtung zwischen den Kombinatsbetrieben verbindlich festgelegt und dabei solche Voraussetzungen geschaffen, daß mit entsprechender Flexibilität auf mögliche Bedarfs- und sich daraus ergebende Sortimentsveränderungen reagiert werden kann.

Die Betonung, unsererseits das Kombinat als wirtschaftliche Grundeinheit zu betrachten, setzt mit voraus, geeignete Formen der Zusammenarbeit der Kombinatsleitung mit den Territorialorganen zu finden, um in völliger Übereinstimmung von Kombinats- und Betriebsinteressen eine verantwortungsvolle Mitarbeit der Territorialorgane bei der Lösung volkswirtschaftlicher Schwerpunktaufgaben zu gewährleisten.

4. Die Erhöhung der Leistungsdichte und der inneren Geschlossenheit des Reproduktionsprozesses innerhalb des Kombinats ist mit der proportionalen Entwicklung der Zulieferindustrie und der Bereiche der Nachauftragnehmer in Übereinstimmung zu bringen

Die lang- und mittelfristige Vorstellung über die Entwicklung des Kombinats, seiner Betriebe und des Erzeugnisprogramms, die zwingende Leistungsverflechtung innerhalb des Kombinats über den Plan, sind für den Bereich eines anlagenorientierten Finalproduzenten nur dann realisierbar, wenn mit der Zulieferindustrie und den Nachauftragnehmern eine proportionale, d. h. quantitativ abgestimmte Leistungsentwicklung einhergeht und die Einheit von Plan, Bilanz und Vertrag in der täglichen Wirtschaftspraxis gewährleistet ist.

Die Fortschritte in der Zusammenarbeit unseres Kombinats mit den verschiedensten Bereichen der Zulieferindustrie und den Kooperationspartnern im In- und Ausland sind in den letzten Jahren unverkennbar, jedoch in einigen Positionen noch instabil und führen im Gefolge zur Diskontinuität der Produktion.

Gepaart mit Problemen der eigenen Leistungsentwicklung führen dann solche Erscheinungen dazu, daß sich, beginnend beim Generaldirektor, die Kombinatsleitung überbetont den operativen Fragen der Plansicherung zuwenden muß und bei bestehender Personalunion neben Erscheinungen der Hektik eine Ablenkung von der Beschäftigung mit Grundsatzfragen erfolgt.

Die Forderungen unseres Kombinats gehen dahin, in Umsetzung der zentralen Beschlüsse die Zulieferindustrie weiter stabil zu entwickeln und beginnend bei der wissenschaftlich-technischen Zusammenarbeit den wachsenden Anforderungen an die Finalproduktion Rechnung zu tragen.

Mit der Forderung nach Stabilisierung der Zulieferindustrie sprechen wir uns gegen Gedanken aus, die darauf hinauslaufen, durch Zuordnung immer weiterer Betriebe der Zulieferindustrie die Bereiche der Finalproduktion weitestgehend „autark“ zu machen.

5. Kombinatsgröße – Anzahl der Betriebe, Betriebsgröße und Stabilität der Betriebe nehmen entscheidenden Einfluß auf Leitungsformen und ihre Effektivität

Unter Beachtung der Programmbreite bzw. der Erzeugnispalette, der damit verbundenen wissenschaftlich-technischen Probleme, der starken Leistungsverflechtung innerhalb und außerhalb des Kombinats, sind wir der Auffassung, daß mit der jetzigen Anzahl von 14 Kombinatsbetrieben bei der Leitung des Kombinats in Personalunion die Grenze der leitungsmäßigen Beherrschung erreicht ist. Diese Problematik wird u. a. neben der Anzahl der Kombinatsbetriebe sichtbar im Vorhandensein von 46 Betriebsstätten und der damit verbundenen territorialen Aufsplitterung und den unterschiedlichen Einflußmöglichkeiten auf die Sicherung der Leistungs-, Effektivitäts- und Arbeitskräfteentwicklung dieser Betriebe und Betriebsstätten in Zusammenarbeit mit den verantwortlichen Territorialorganen. Das Stammwerk des VEB Schwermaschinenbau-Kombinat „Ernst Thälmann" Magdeburg besteht z. Z. aus 26 Betrieben und 39 Hauptabteilungen, wobei die entscheidenden Betriebe des metallurgischen und mechanischen Bereiches größer sind als die Mehrzahl der ökonomisch und juristisch selbständigen Kombinatsbetriebe. Besonders problematisch stellt sich in diesem Zusammenhang die Betriebsgröße der Kombinatsbetriebe dar.

Selbst bei Einbeziehung der Kleinbetriebe, insbesondere der ehemals privaten und halbstaatlichen Betriebe, ist feststellbar, daß der erforderliche Leitungsaufwand – in Relation gesehen – überdurchschnittlich ist. Das ist u. a. dadurch bedingt, daß diese Betriebe auf Grund ihrer Größe in der Einordnung innerhalb der Territorien, wie z. B. beim Problem der Sicherung der Arbeitskräfte, keine vorrangige Rolle spielen und das Qualifikationsniveau der Leitungskader noch nicht voll den wachsenden Anforderungen entspricht. Die Probleme der Plansicherung in diesen Betrieben führen oft dazu, daß unvertretbar viel Leitungskraft von der Entwicklung des Stammbetriebes und der Großbetriebe des Kombinats erzwungenermaßen abgeleitet wird.

Ziel der Kombinatsleitung ist es, diese Störeinflüsse, beginnend bei der Plangestaltung und durch geeignete leitungsmäßige Maßnahmen, so zu minimieren, daß auch mit Unterstützung anderer stabiler Kombinatsbetriebe und deren Leiter, die mit diesen Betrieben leitungsmäßig verflochten sind, direkte Unterstützung bei der Stabilisierung gewährleistet wird.

Diese Aufgabe unterstreicht nochmals sehr eindeutig, daß die Leitung des Kombinats in Personalunion nur dann möglich ist, wenn die Kombinatsaufgaben voll in allen Fachbereichen und Hauptabteilungen des Stammwerkes integriert werden und die leitungsmäßige Gesamtpotenz, insbesondere über die Durchführung von Erfahrungsaustauschen bis hin zur gegenseitigen revisionsmäßigen Überprüfung der Wirtschaftstätigkeit, genutzt wird.

Mit den Darlegungen, selbst unter Hinweis auf bestehende Grenzen, ist der Vorteil, die Zweckmäßigkeit und die Beherrschbarkeit eines auf höheren Leistungs- und Effektivitätszuwachs orientierten Kombinats und seines Reproduktionsprozesses nachgewiesen.

Auf der Grundlage verwertbarer Intensivierungskonzeptionen, langfristiger Pläne und Zielprogramme werden wir Voraussetzungen schaffen, daß der VEB Schwermaschinenbau-Kombinat „Ernst Thälmann" auch in den nachfolgenden Jahren seinen aus den Beschlüssen abgeleiteten Beitrag zur Stärkung unserer Republik, insbesondere ihrer Exportkraft, leistet.

G. Schilling

Zu einigen Fragen der weiteren Vervollkommnung der wirtschaftlichen Rechnungsführung

Kürzlich fand eine gemeinsame Tagung der Wissenschaftlichen Räte für Fragen der Vervollkommnung der Planung und wirtschaftlichen Rechnungsführung und für Fragen der sozialistischen Betriebswirtschaft zu Problemen der weiteren Vervollkommnung der wirtschaftlichen Rechnungsführung statt. Ausgehend von dieser Beratung kann meines Erachtens den in den Thesen – speziell in der These 5 – dargelegten Gedanken zur Weiterentwicklung der wirtschaftlichen Rechnungsführung zugestimmt werden.

Auch in unserer Beratung spielten die Fragen der stärkeren Stimulierung einer bedarfsgerechten Produktion, das erhöhte Gewicht der qualitativen Kennziffern, die Bindung der wirtschaftlichen Rechnungsführung an den Fünfjahrplan, die erhöhte Bedeutung der Selbstkosten, die Herstellung engerer Beziehungen zwischen Leistung, Lohn und Prämie, insbesondere bei der Jahresendprämie, sowie die stärkere Einbindung der Fondswirtschaft in die Funktionsweise der wirtschaftlichen Rechnungsführung eine entscheidende Rolle. Wir sehen darin die wichtigsten Ansatzpunkte, damit die wirtschaftliche Rechnungsführung noch wirkungsvoller dazu beiträgt, die neue Stufe der Intensivierung und die notwendige Leistungssteigerung zu erreichen. Anknüpfend an unsere Beratung möchte ich einige weiterführende Gedanken und Probleme zu den Thesen darlegen.

In den Thesen wird völlig zu Recht auf die enge Verbindung von Planung und wirtschaftlicher Rechnungsführung hingewiesen. In der Tat wird die Wirksamkeit der wirtschaftlichen Rechnungsführung und des gesamten Systems der Leitung, Planung und ökonomischen Stimulierung maßgeblich davon beeinflußt. Diese Frage stand auch bei uns im Mittelpunkt der Diskussion.

Dabei besteht allgemeine Übereinstimmung damit, daß die Planung als Hauptmethode der Leitung die grundlegenden Ausgangsbedingungen für die wirtschaftliche Rechnungsführung schafft. Das wissenschaftliche Niveau, der Reifegrad der Planung sind wichtige Komponenten für die Wirksamkeit der wirtschaftlichen Rechnungsführung. Die wirtschaftliche Rechnungsführung beeinflußt ihrerseits – und das wird manchmal unterschätzt – die Planung, sowohl die Plandurchführung als auch die Planaufstellung. Die mit der wirtschaftlichen Rechnungsführung verbundenen materiellen Interessen der Betriebe und Kombinate wirken aktiv ein auf die Bedarfsgerechtheit der Produktion, auf die Beschleunigung des wissenschaftlich-technischen Fortschritts und die Erhöhung seiner ökonomischen und sozialen Wirksamkeit, auf die Aufdeckung und planwirksame Erschließung von Leistungsreserven, auf die sparsame Inanspruchnahme volkswirtschaftlicher Ressourcen und andere Fragen wirtschaftlicher Tätigkeit der Betriebe und Kombinate bei der Aufstellung und Durchführung des Planes.

Ausgehend von dieser aktiven Rolle der wirtschaftlichen Rechnungsführung ergibt sich die Notwendigkeit, den Prozeß ihrer Vervollkommnung so weiterzuführen, daß die Interessen der Betriebe und Kombinate noch wirksamer auf die konsequente Verwirklichung der Hauptaufgabe, d. h. auf die Sicherung einer bedarfsgerechten Produktion sowie auf die Intensivierung und Leistungssteigerung gerichtet werden. Und dabei bestehen gegenwärtig noch Probleme. Ich möchte einige davon herausstellen. Eine erste Frage betrifft die stärkere Ausrichtung der wirtschaftlichen Rechnungsführung auf die qualitative Entwicklung des Reproduktionsprozesses, die auch in den Thesen angesprochen wird. Es bestehen sicher keine Meinungsverschiedenheiten darüber, daß mit der weiteren erfolgreichen Verwirklichung der Einheit von Wirtschafts- und Sozialpolitik, insbesondere der notwendigen Vertiefung der Intensivierung und Erhöhung der Effektivität des gesellschaftlichen Reproduktionsprozesses, die qualitativen Kennziffern ein größeres Gewicht erlangen müssen, ohne selbstverständlich die quantitativen Kennziffern zu vernachlässigen. Darauf orientieren die Beschlüsse des IX. Parteitages der SED. Genosse Erich Honecker wies nochmals auf dem 9. FDGB-Kongreß darauf hin. Auch im Beschluß zur Leistungsbewertung der Betriebe und Kombinate wird dies gefordert. In der Wirtschaftspraxis dominieren aber nach unseren Erkenntnissen nach wie vor mehr oder weniger die quantitativen Kennziffern. Das hat sicher verschiedene Gründe. Feststeht, daß aber auch die wirtschaftliche Rechnungsführung gegenwärtig die materiellen Interessen der Betriebe noch nicht ausreichend auf die qualitative Entwicklung des Reproduktionsprozesses lenkt. Die Wirksamkeit des Leistungsfonds, der in Abhängigkeit von der Übererfüllung qualitativer Kennziffern gebildet wird, ist durch Probleme in der materiellen Realisierung der angesammelten finanziellen Mittel beeinträchtigt. Außerdem weist er eine zum Teil ungerechtfertigt hohe Differenzierung zwischen den einzelnen Zweigen und Betrieben auf.

Die Prämienfondsbildung ist zwar abhängig von der Erfüllung des Planes und damit auch von der Erreichung qualitativer Kennziffern. Ein Prämienfondszuwachs – und darauf konzentriert sich dann das Interesse der Betriebe und Kombinate – ist jedoch in erster Linie abhängig von der Übererfüllung bzw. Überbietung der Kennziffern Warenproduktion und Nettogewinn, in denen vorwiegend die quantitative Entwicklung des Reproduktionsprozesses zum Ausdruck kommt. Obwohl ein unmittelbarer Vergleich mit den sowjetischen Regelungen nicht ohne weiteres möglich ist, ist dort die Prämienfondsbildung in stärkerem Maße von qualitativen Kennziffern abhängig. Es wird in der UdSSR überhaupt ein engerer Zusammenhang zwischen der Leistungsentwicklung und materiellen Interessiertheit der Betriebe und Kombinate hergestellt. Das ist aber nur eine Seite. Es muß offensichtlich noch weiter gründlich untersucht werden, wie durch die weitere Vervollkommnung der Grundfunktionsweise der wirtschaftlichen Rechnungsführung das ökonomische Interesse der Betriebe noch wirkungsvoller auf die qualitative Entwicklung des Reproduktionsprozesses gerichtet werden kann.

Mit dem Beschluß zur Leistungsbewertung wurde hinsichtlich der Stimulierung des wissenschaftlich-technischen Fortschritts ein wichtiger Schritt getan, und bestehende Hemmnisse wurden eingeschränkt. Es sind meines Erachtens jedoch noch weitere Überlegungen notwendig. Das bezieht sich insbesondere auch auf die Sicherung der Bedarfsgerechtheit der Produktion. Die wirtschaftliche Rechnungsführung orientiert die materiellen Interessen der Betriebe noch weitgehend vorrangig auf eine hohe Warenproduktion, und nicht selten werden dabei auch gewinngünstige Sortimente bevorzugt.

Zweifellos ist die Sicherung einer bedarfsgerechten Produktion nicht in erster Linie abhängig von der wirtschaftlichen Rechnungsführung. Man darf bei aller Bedeutung der wirtschaftlichen Rechnungsführung ihren Einfluß hierbei nicht überbewerten. Vorrangig hängt dies ab von der Bedarfsforschung, von der Planung und Bilanzierung, von der politischen Verantwortung der zuständigen Leiter und natürlich nicht unwesentlich von einer Reihe materieller Bedingungen (Verfügbarkeit über bestimmte Ressourcen, Beherrschung des wissenschaftlich-technischen Fortschritts u. a.). Es wäre aber genauso falsch – und die Praxis beweist das –, den Einfluß der wirtschaftlichen Rechnungsführung auf die Bedarfsgerechtheit der Produktion zu unterschätzen.

Mit den eingeleiteten Maßnahmen zur planmäßigen Veränderung der Industriepreise und dem damit verbundenen Abbau großer Rentabilitätsunterschiede zwischen Erzeugnisgruppen und Einzelerzeugnissen wird – soweit man das gegenwärtig beurteilen kann – auch ein positiver Einfluß auf die Sicherung einer bedarfsgerechten Produktion ausgelöst. Das gleiche trifft zu für die Neuregelungen zur Preisbildung für neue und weiterentwickelte Erzeugnisse, mit denen vor allem der Anreiz auf die Erhöhung der Gebrauchseigenschaften gestärkt wurde. Es erhebt sich aber die Frage, ob das ausreicht.

In der genannten gemeinsamen Tagung der Wissenschaftlichen Räte wurde deshalb ausgehend von den Beschlüssen des IX. Parteitages der SED und in Auswertung sowjetischer Regelungen vorgeschlagen, der Erfüllung der Wirtschaftsverträge im Rahmen der wirtschaftlichen Rechnungsführung und der Leistungsbewertung der Betriebe und Kombinate einen höheren Rang einzuräumen. Die Beurteilung der Kennziffer Warenproduktion und ihre Zugrundelegung für die Zuführung zum Betriebsprämienfonds sollte unter Berücksichtigung der Einhaltung der Lieferverträge erfolgen. Dagegen wurde vorgebracht, daß Vertragserfüllung nicht gleich Bedarfsgerechtheit der Produktion bedeute, insbesondere dann, wenn die Nachfrage das Angebot übersteigt und der Produzent auch eine nicht voll dem Bedarf entsprechende Produktion absetzen kann. Außerdem würde eine solche Regelung zu Verzögerungen beim Vertragsabschluß führen. Schließlich würde der Verwaltungsaufwand erhöht, und es könnten auch ungerechtfertigte Nachteile für einzelne Betriebe entstehen. Zweifellos sind diese Argumente nicht ohne weiteres von der Hand zu weisen. In der Tat bedeutet z. B. Vertragsgerechtheit nicht gleich Bedarfsgerechtheit. Die Diskussion hat aber ergeben, daß es offensichtlich nicht mehr ausreicht, die Argumente hin und her zu diskutieren, sondern daß es vielmehr angebracht erscheint, die Erfahrungen der Sowjetunion gründlich auszuwerten und vielleicht in einzelnen Betrieben oder Zweigen eine solche Regelung einmal zu experimentieren.

Eine letzte Frage, die ebenfalls die Beziehung zwischen der Planung und der wirtschaftlichen Rechnungsführung berührt, ist die Ausrichtung der wirtschaftlichen Rechnungsführung auf den Fünfjahrplan. Die Bedeutung und Dringlichkeit der Lösung dieser Aufgabe wird im allgemeinen nicht bestritten. Es sind dazu aber eine Reihe Voraussetzungen zu schaffen, die erhebliche Schwierigkeiten verursachen.

Die wichtigste Bedingung ist die Stabilität des Fünfjahrplanes und die verbindliche Aufschlüsselung auch der finanziellen Kennziffern auf die einzelnen Jahre, so daß sie prinzipiell die Grundlage für die Ausarbeitung des Planentwurfs des Jahresplanes auf allen Ebenen der Volkswirtschaft bis hin zu den Kombinaten und Betrieben bilden können. Das wiederum setzt voraus, daß die im Verlauf eines Fünfjahrplanes durchzuführenden Preisveränderungen und Lohnerhöhungen im Prinzip bei Ausarbeitung des Fünfjahrplanes bekannt sind. Weitgehende Klarheit muß auch über die Erlöse im Export und die Importpreise bestehen. Das sind die wichtigsten und zugleich kompliziertesten Aufgaben, die es dabei zu lösen gilt. Die größten Probleme existieren hier
ziertesten Aufgaben, die es dabei zu lösen gilt. Die größten Probleme existieren hier
noch weiterer Untersuchungen –, wie muß überhaupt die wirtschaftliche Rechnungsführung aussehen, die auf der Grundlage des Fünfjahrplanes zur Wirkung kommt? Ist sie identisch mit der gegenwärtigen Gestaltung oder sind hier bestimmte Vereinfachungen möglich? Haben hierbei nicht die ökonomischen Normative, wie sie Ge-

nosse Kossygin auf dem XXV. Parteitag der KPdSU forderte, eine wichtige Funktion zu erfüllen? Es erhebt sich aber auch die Frage, welche Einflüsse von der weiteren Entwicklung und Festigung der Kombinate ausgehen, weil eine Reihe von Prozessen durch die zentrale staatliche Planung in einer nicht so großen Detailliertheit beherrscht werden müssen. Vielleicht ist auch ein schrittweises und unter Umständen differenziertes Vorgehen in einzelnen Zweigen möglich. Diese Fragen können gegenwärtig noch nicht befriedigend beantwortet werden, sondern bedürfen weiterer gründlicher Untersuchungen.

W. Bahmann

Zu einigen Leitungserfahrungen in Forschung und Entwicklung

In meinem Beitrag möchte ich einige Erfahrungen zur Leitungstätigkeit von Forschung und Entwicklung darlegen, die wir in der Berliner Werkzeugmaschinenfabrik Marzahn gemacht haben.

Bei der Entwicklung einer neuen Generation von Schleifmaschinen hat sich gezeigt, daß eine langfristige Vorbereitung gekoppelt mit einer hohen Zielstellung bezogen auf die Parameter des Gebrauchswertes und des Fertigungsaufwandes von entscheidender Bedeutung für den Erfolg ist. So wurde z. B. die Zielstellung für neue Wälzlagerschleifautomaten im Hauptparameter Produktivität so fixiert, daß dieser 250 bis 300% höher als bei den Automaten der bisherigen Generation bei gleicher Arbeitsgenauigkeit und einer Aufwandserhöhung von 80% ist.

Zur Sicherung einer solch hohen Zielstellung ist eine intensive Vorbereitung der Entwicklungsarbeit erforderlich. Diese besteht aus frühzeitigen konzeptionellen Arbeiten, die mehrere Jahre vor der K 1 beginnen müssen. Heute sind sie in der F/E-Nomenklatur unter dem Begriff „Studie" enthalten. In dieser Phase kommt es vor allem darauf an, die Forschungsarbeiten zu organisieren, die am Industriezweig-Forschungszentrum und an den technischen Hochschulen zur Sicherung der Zielstellung durchgeführt werden müssen. Dabei ist der gezielten Verfahrens- und technologischen Forschung ein breiter Raum zu geben.

Im Werkzeugmaschinen-Kombinat „7. Oktober" Berlin hat sich dabei die Zusammenarbeit in Verfahrensgruppen besonders bewährt. Hier sind z. B. alle schleifmaschinenherstellenden Betriebe und die Schleifkörper-Union Dresden vereinigt. In bestimmten Zeitabständen werden mehrtägige Klausurberatungen gemeinsam mit Vertretern der Technischen Universität Dresden, der Technischen Hochschule Karl-Marx-Stadt und dem Forschungszentrum Werkzeugmaschinenbau durchgeführt, z. T. auch in Anwesenheit wichtiger Erzeugnisanwender. Auf diesen Beratungen wird die Erzeugniskonzeption der Verfahrensgruppe, die z. Z. bis 1985 reicht, aktualisiert und die Forschungsstrategie für die mittelfristige Planung innerhalb des Fünfjahrplanzeitraumes festgelegt. Dabei bilden die Vorbereitungsarbeiten für neue Erzeugnisgenerationen die Schwerpunkte. Auch der arbeitsteilige Prozeß in der Verfahrens- und Erzeugnisforschung wird dabei festgelegt. Die Ergebnisse sind Bestandteil der Intensivierungskonzeption des Betriebes.

Ein weiterer wichtiger Faktor ist das rechtzeitige Stellen von Entwicklungsforderungen an die Zulieferindustrie und deren Durchsetzung. Die Bedeutung dieser Maßnahme ersieht man aus folgenden Zahlen:

Betrug der wertmäßige Anteil an Fremderzeugnissen in Innenschleifmaschinen im Jahre 1960 etwa 10%, so waren es 1970 bereits 30 bis 35%. Im Jahre 1976 liegt er bei der neuen Erzeugnisgeneration bei ca. 50%.

Der wissenschaftlich-technische Stand des Gesamterzeugnisses ist aber nur so gut, wie der seiner einzelnen Aggregate und Baugruppen, d. h. vom wissenschaftlich-tech-

nischen Stand der Zulieferererzeugnisse hängt weitgehend der Erfolg der Entwicklung ab. Die Sicherung dieser Aktivität ist sehr häufig mit komplizierten Problemen verbunden, besonders unter den Bedingungen der Belastung bis zur Grenze des Möglichen in einzelnen Zweigen der Zulieferindustrie.

Wesentlich ist das komplexe Vorgehen bei Neuentwicklungen. Es geht nicht schlechthin um die Durchführung einer Entwicklungsaufgabe. Sollen höchste Produktivitätssteigerungen und Arbeitsgenauigkeiten beim Anwender erreicht werden, sind diese Ziele nur erfüllbar, wenn das Erzeugnis als Einheit von technologischem Verfahren, Werkzeug und Maschine betrachtet wird und alle 3 Komponenten eine entsprechende Entwicklung erfahren. Ähnliche Gesichtspunkte gelten auch für andere Zweige des Maschinenbaus, z. B. für den Verarbeitungsmaschinenbau.

Allein durch die Entwicklung des Schleifens zum Hochgeschwindigkeitsschleifen bis 80 m/s in Verbindung mit dem Übergang auf eine neue Erzeugnisgeneration wurden Produktivitätssteigerungen bis zu 60% ermöglicht.

Ein entscheidender Faktor ist die Einordnung der Forschungs- und Entwicklungsarbeit in den einheitlichen Reproduktionsprozeß des Betriebes bzw. des Kombinates. Es ist notwendig, daß F/E nicht nur Ressortarbeit des Direktorates für Forschung und Entwicklung ist, sondern daß unter der einheitlichen Leitung des Betriebsdirektors die F/E-Aufgaben zu einer der entscheidendsten Aufgaben innerhalb des Betriebsplanes werden und in jedem Fachdirektorat mit dem notwendigen Nachdruck termingerecht zu lösen sind. Eine wesentliche Rolle zur komplexen Planung und Kontrolle spielt dabei in unserem Betrieb der Hauptfristenplan des Betriebes, der mittelfristig angelegt ist und aus dem Perspektivplan abgeleitet wird. Unser z. Z. gültiger Hauptfristenplan umfaßt den Zeitraum bis 1978. Er wird jährlich nach der Aufgabenübernahme von der sowjetischen Wälzlagerindustrie, unserem größten Handelspartner, präzisiert und auf ein weiteres Jahr erweitert. In ihm sind neben den Produktionsserien die wesentlichen Aufgaben des Planes Wissenschaft und Technik mit allen durch die einzelnen Bereiche des Betriebes notwendigen durchzuführenden Aktivitäten enthalten. Das Ordnungskriterium ist dabei die zeitliche Reihenfolge der einzelnen Serien, Funktionsmuster, Nullserien u. a.

Der mittelfristige Zeitraum ist deshalb so entscheidend, weil die Durchlaufzeit einer Serie, aber auch der Fertigung von Mustern, im Werkzeugmaschinenbau den Zeitraum eines Jahres überschreitet.

Der Hauptfristenplan als Gesetz des betrieblichen Ablaufes wird wöchentlich einmal durch den Betriebsdirektor oder seinen Stellvertreter in Gegenwart der entscheidenden Fachdirektoren und Hauptabteilungsleiter kontrolliert. Die Einhaltung der einzelnen Termine ist ein wesentlicher Bestandteil des Wettbewerbs, besonders der vorbereitenden Abteilungen und Bereiche.

Notwendig ist natürlich, durch die Überlappung der Phasen die Entwicklungszeiten, besonders zwischen K 2 und K 5, so kurz wie möglich zu halten. Es darf auf keinen Fall dazu kommen, daß Disziplinwidrigkeiten hinsichtlich der Termineinhaltung beim Funktionsmusterbau durch Verkürzung der Erprobungszeit wieder egalisiert werden, um den gleichen Endtermin zu erreichen. Es hat sich immer wieder gezeigt, daß nicht ausreichende Erprobungsphasen und damit ungenügende Erprobungsergebnisse in späterer Zeit mit ungleich größeren Kostenaufwänden, Kaufeinbußen und Absatzproblemen bezahlt werden. Besonders wirkt sich dies in solchen entscheidenden Parametern wie der Zuverlässigkeit des Erzeugnisses aus. Besonderer Wert muß auf eine umfassende, intensive Industrieerprobung gelegt werden.

Zum Abschluß möchte ich noch auf eine wichtige Tätigkeit eingehen, die in nicht geringem Maß fester Bestandteil der F/E-Arbeit ist. Ich meine die Erzeugnisrationalisierung, gekoppelt mit gebrauchswerterhöhenden Maßnahmen. Dabei haben wir in der Berliner Werkzeugmaschinenfabrik folgende Erfahrungen gemacht:

Nach 2 bis 3 Serien eines neuen Erzeugnisses ist bei allen am Bau Beteiligten, also den Konstrukteuren, Technologen, Materialbeschaffern und Produktionsarbeitern so viel Erfahrung und Erkenntnisbreite vorhanden, daß unter Einbeziehung der Produktionspropaganda, dem Büro für Neuererwesen u. a. auf Grundlage einer entsprechenden Aufgabenstellung, Erzeugnisrationalisierungsarbeiten auf der Basis einer breiten sozialistischen Gemeinschaftsarbeit durchgeführt werden können.

Die Aufgabenstellung muß die Zielstellung zur Stundenaufwandssenkung und Materialeinsparung sowie gezielte Hinweise auf die zu untersuchenden Baugruppen enthalten, bei denen am ehesten Einsparungen möglich sind.

Des weiteren sind Gebrauchswerterhöhungen in der Regel aus den Erfahrungen beim Einsatz bei den verschiedenen Anwendern der ersten Serien im In- und Ausland möglich.

Im Verlaufe des Bestehens einer Erzeugnisgeneration, die im Werkzeugmaschinenbau, besonders bei Schleifmaschinen, etwa 8 bis 10 Jahre umfaßt, werden 2 bis 4 derartige Erzeugnisrationalisierungsrunden zur Intensivierung der Produktion als notwendig angesehen. Aufwandssenkungen von 15 bis 30% verbunden mit Rationalisierungsmaßnahmen sind bei uns im letzten Fünfjahrplanzeitraum erzielt worden.

Ein wesentlicher Faktor der Leitungstätigkeit bei der Entwicklung eines neuen Erzeugnisses ist, daß sich der Leiter und die Parteiorganisation in keiner Phase mit Mittelmaß zufrieden geben. Nur dann erfüllen wir die Forderung, wissenschaftlich-technische Höchstleistungen auf volkswirtschaftlich besonders wichtigen Gebieten in steigender Zahl zu erzielen und dafür das Schöpfertum der Wissenschaftler, Ingenieure und Neuerer umfassend zu entwickeln.

R. Gerisch/W. Hofmann

Zur weiteren Festigung und Entwicklung der Kombinate

Auf der Grundlage der durch den IX. Parteitag der SED gegebenen und in der Rede des Generalsekretärs des ZK der SED vor den 1. Kreissekretären präzisierten Orientierung zur weiteren Festigung und Entwicklung der Kombinate werden in den vorliegenden Thesen die Richtungen, Aufgaben und Bedingungen für ihre Durchsetzung zur Diskussion gestellt. Um die Zielstellung einer wesentlichen Erhöhung der Effektivität des volkswirtschaftlichen Reproduktionsprozesses zu erreichen, geht es darum, durch die Herausbildung bzw. Festigung des einheitlichen Reproduktionsprozesses der Kombinate alle Effektivitätspotenzen dieser Wirtschaftsorganisation voll auszuschöpfen, die hierfür erforderliche Stellung der Kombinate im System der Leitung, Planung und ökonomischen Stimulierung der Volkswirtschaft zu vervollkommnen, sowie die Bildung neuer, den Ministerien direkt unterstellter Kombinate planmäßig vorzubereiten und damit eine gewisse Vielstufigkeit in der Leitung einiger Ministerien zu überwinden. Hier handelt es sich zweifellos nicht um eine Tagesaufgabe operativer Plandurchführung, sondern um eine grundsätzliche Orientierung der planmäßigen und schrittweisen Vervollkommnung der Organisation der Wirtschaftsleitung.

Durchgängig sind es besonders zwei Faktoren, die eine wesentliche Rolle spielen: Einerseits betrifft es die weitere Festigung und Entwicklung des Reproduktionsprozesses und der Leitung im Inneren der Kombinate, um über die weitere Vertiefung der Spezialisierung, Konzentration und die Vervollkommnung der Kooperation die Reproduktionskraft dieser Kombinate weiter zu entwickeln. Andererseits wird die weitere Entwicklung der Kombinate durch ihre Einordnung in den volkswirtschaftlichen Reproduktionsprozeß und das Leitungssystem der Volkswirtschaft wesentlich beeinflußt.

Im folgenden sollen einige Probleme unter dem Gesichtspunkt der Vervollkommnung der Wirtschafts- und Leitungsorganisation in den Kombinaten behandelt werden.

1. *Durchgeführte Untersuchungen zeigen, daß die weitere Festigung und Entwicklung dieser Wirtschaftseinheiten planmäßig, schrittweise und vor allem differenziert erfolgen muß.*

Woraus ergibt sich diese Differenziertheit? Die Kombinate haben eine unterschiedliche wirtschaftspolitische Zielstellung und demzufolge volkswirtschaftliche Stellung und Einordnung. Wie in den Thesen ausgewählt dargestellt, spielen die spezifischen Reproduktionsbedingungen und die sich daraus ergebenden Anforderungen eine nicht unwesentliche Rolle für die konkreten Maßnahmen der weiteren Entwicklung. Schließlich besteht unseres Erachtens eine bedeutsame Ursache im unterschiedlichen Entwicklungsstand hinsichtlich der Herausbildung des einheitlichen Reproduktionsprozesses der Kombinate. Hier müssen wir offensichtlich unterscheiden zwischen

– Kombinaten, die als Zusammenführung von Betrieben noch am Anfang der Entwicklung eines einheitlich geleiteten Reproduktionsprozesses stehen, in denen es noch um die Stabilisierung der Leitung und der schrittweisen Sicherung der Kombinatseffekte geht;

– Kombinaten, die seit der Bildung wesentliche Aufgaben und Funktionen des Produktions- und Leitungsprozesses zentralisiert haben und nun vor der Aufgabe stehen, durch Arbeitsteilung, Spezialisierung und Konzentration im materiellen Reproduktionsprozeß die Effektivitätspotenzen dieser Wirtschaftsorganisation auszuschöpfen, sowie

– Kombinaten, in denen bereits wesentliche Seiten des einheitlichen Reproduktionsprozesses entwickelt wurden, die jedoch vor der Aufgabe stehen, im Zuge der weiteren Durchsetzung des wissenschaftlich-technischen Fortschritts und der Rekonstruktion bzw. technischen Erneuerung qualitativ neue Schritte der Vertiefung der Arbeitsteilung, Spezialisierung und Konzentration sowie der organisatorischen Vervollkommnung der einheitlichen Leitung dieser Wirtschaftseinheiten zu gehen.

Welche Schlußfolgerungen ergeben sich daraus für das leitungsmäßige Herangehen?

– Es geht offensichtlich um eine konkrete Analyse der Wirksamkeit der bisherigen wirtschafts- und leitungsorganisatorischen Maßnahmen zur Festigung und Entwicklung der Kombinate in den Industriebereichen und -zweigen.

In diesem Zusammenhang gilt es, die grundlegenden Erfahrungen der erfolgreichen Entwicklung der Kombinate auszuwerten und zu verallgemeinern. Wesentliche Gedanken sind dazu in These 6 und in dem Diskussionsbeitrag von Dr. Unterdörfer am Beispiel des VEB Schwermaschinenbau-Kombinat „Ernst Thälmann" Magdeburg dargelegt. Ergänzend kann noch hinzugefügt werden:

a) Eine stabile Entwicklung der Kombinate wurde immer dann erreicht, wenn ihre Bildung durch eine langfristige gesellschaftliche und ökonomische Zusammenarbeit zwischen den zusammenfassenden Betrieben vorbereitet wurde. Das betrifft die Lösung gemeinsamer Aufgaben der Betriebe bei der Durchsetzung einer einheitlichen Linie der sozialistischen Intensivierung bzw. Rationalisierung unter der Leitung einer VVB, z. B. bei der Spezialisierung und Konzentration der Produktion nach Finalerzeugnissen, Baugruppen oder Einzelteilen sowie technologischen Verfahren (z. B. im Rahmen der Erzeugnisgruppenarbeit); die Entwicklung stabiler und dauerhafter Kooperationsbeziehungen, z. B. für Einzelteile und Baugruppen bei der Großserien- oder Massenfertigung von Finalerzeugnissen. Das betrifft ferner die Wahrnehmung zentralisierter Funktionen, beispielsweise für Forschung und Entwicklung, oder wirtschaftsleitender Funktionen wie Bilanzierung, Preisbildung, Planung im Auftrage übergeordneter Organe bzw. bei Erzeugnisgruppen-Leitbetrieben im Auftrag der VVB. Zu solchen Funktionen gehören auch die gemeinsame Marktarbeit, z. B. in Form von Warenzeichenverbänden, oder die Zusammenarbeit zur Verbesserung der Arbeits- und Lebensbedingungen der Werktätigen, besonders in Ballungszentren von Betrieben einer Erzeugnisgruppe. Dadurch wurden bzw. werden günstige objektive und subjektive Voraussetzungen für den Zusammenschluß von Betrieben zu einer neuen, größeren Wirtschaftseinheit geschaffen.

b) Eine entscheidende Voraussetzung für die erfolgreiche Entwicklung von Kombinaten ist die rationelle Gestaltung des ganzen Systems der Leitung, Planung und ökonomischen Stimulierung entsprechend den konkreten Reproduktions- und Entwicklungsbedingungen. Dabei ist immer wieder die richtige Bestimmung und Ausgestaltung der Eigenverantwortung der Kombinatsbetriebe und der Betriebsteile insbesondere in den Stammbetrieben der Kombinate eine wichtige Frage. Wenn die Kombinatsbetriebe und die Betriebsteile entsprechend ihrer Stellung im Reproduktionsprozeß, dem Niveau der Zentralisierung von Aufgaben und Funktionen der Leitung sowie ihrer territorialen Lage entsprechende Entscheidungsbefugnisse über Fonds und Mittel erhalten haben, wurden auch hohe Steigerungsraten in der Produktion, eine bessere Befriedigung des volkswirtschaftlichen Bedarfs, eine schnelle Überleitung neuer Erzeugnisse in die Produktion und die planmäßige Durchführung von Investitionen erreicht. Die weitere Zentralisierung von Aufgaben und Funktionen der Leitung wurde mit der weiteren Ausgestaltung der innerbetrieblichen Planung, wirtschaftlichen Rechnungsführung, Wettbewerbsführung und Stimulierung verbunden. So konnten die Effekte der Zentralisierung von Aufgaben und Funktionen der Leitung realisiert und gleichzeitig die Initiative der Kollektive sowie jedes einzelnen Werktätigen entwickelt werden.

c) Eine erfolgreiche Entwicklung haben auch die Kombinate zu verzeichnen, in denen es gelang, die Organisation der zentralen Leitung des Kombinats entsprechend den spezifischen Reproduktionsbedingungen nach objektiven Kriterien zu gestalten und zweckmäßige Formen der kollektiven Zusammenarbeit mit den Kombinatsbetrieben zu entwickeln. Ausgehend von der Doppelfunktion des Leitungsapparates zur Leitung des Stammbetriebes und des ganzen Kombinats wurden die Formen der Einzelleitung und kollektiven Beratung in der Kombinatsleitung weiter entwickelt. Die straffe Organisation entscheidender Leitungsprozesse (z. B. Rapportsysteme für die Plandurchführung der Produktion oder von Wissenschaft und Technik), die Erhöhung der Verantwortung der Leiter in den Betrieben bzw. Betriebsteilen und Fachdirektoraten, die Entwicklung einer neuen Arbeitsteilung zwischen den Leitern sowie der Einsatz von ständigen Stellvertretern insbesondere für Generaldirektoren bzw. Kombinatsdirektoren sind bewährte Wege. Unter bestimmten Bedingungen war dabei die Herausbildung eigenständiger Kombinatsleitungen erforderlich.

d) Für gute Ergebnisse in den Kombinaten ist auch eine komplexe Organisationsarbeit von Leitern und Spezialisten kennzeichnend. Ausgehend von einer vertrauensvollen Zusammenarbeit, zweckmäßigen Formen der Organisation der Arbeit, schließt das die qualitative Verbesserung der Arbeit der jeweiligen Fachorgane und ihre personelle Verstärkung für die Wirtschaftsleitung, die betriebs- und arbeitsorganisatorischen Aufgaben ein. Mit der Vorbereitung von Intensivierungsmaßnahmen werden auch die erforderlichen Maßnahmen der Vervollkommnung der Organisation der Leitung vorbereitet. Obwohl die Mehrzahl der Betriebe in den Kombinaten eine höhere Leistung erzielten, gibt es in den verschiedenen Industriezweigen Betriebe und Kombinate, „die mit der Qualität ihrer Erzeugnisse, den Wachstumsraten der Produktion und der Ausnutzung der ihnen anvertrauten Fonds den volkswirtschaftlichen Notwendigkeiten nicht entsprechen. Sie erreichen viel geringere Ergebnisse als andere, die unter ähnlichen Voraussetzungen arbeiten, und das . . . manchmal schon jahrelang. Dadurch verursachen sie nicht nur selbst Verluste, sondern stören auch den Fortschritt ihrer Partner."[1] Bei durchgeführten Untersuchungen in derartigen Betrieben und Kombinaten konnte festgestellt werden, daß unterschiedliche Ursachen und Faktoren auf ihre Ergebnisse Einfluß nehmen. Verbunden mit der ungenügenden Qualifizierung aller Bestandteile des Systems der Leitung und Planung entsprechend den Erfordernissen der gesellschaftlichen Entwicklung wurde auch die zweckmäßige Organisation der Leitung vernachlässigt.

– *Wesentliche Veränderungen der Wirtschafts- und Leitungsorganisation in den Kombinaten, insbesondere eine Neubildung von Kombinaten, sind mit der Heraus-*

[1] E. Honecker, Bericht des Zentralkomitees der Sozialistischen Einheitspartei Deutschlands an den IX. Parteitag der SED, Berlin 1976, S. 69/70.

arbeitung langfristig stabiler Planentscheidungen über das Erzeugnisprogramm, die Produktionsstruktur und den wissenschaftlich-technischen Fortschritt zu verbinden.

Es geht also um einen, mit den inhaltlichen Veränderungen verbundenen planmäßigen und schrittweisen Prozeß der Weiterführung der Arbeitsteilung, Spezialisierung und Konzentration der Produktion im Maßstab der gesamten Volkswirtschaft. Dabei sehen wir besonders zwei Aspekte:

Erstens: Bei der Vorbereitung von langfristigen Entscheidungen ist es notwendig, besonders von den sich durch den wissenschaftlich-technischen Fortschritt ergebenden langfristig wirkenden Tendenzen der Vergesellschaftung der Produktion auszugehen. Das sind solche Tendenzen, wie die zunehmende internationale Arbeitsteilung im Rahmen der sozialistischen ökonomischen Integration, die wachsende Differenziertheit bei gleichzeitig zunehmender Komplexität der Erzeugnisse, der Integration bzw. Zusammenführung verschiedener Erzeugnisse und Verfahren zu komplexen Problemlösungen, beispielsweise in Form von Anlagen und Maschinensystemen, von Wissenschafts-Produktionskomplexen und Territorial-Produktionskomplexen.[2]

Diese Tendenzen erfordern, bei verschiedenen Kombinaten die volkswirtschaftliche Einordnung zu vervollkommnen. Beispielsweise muß überlegt werden, wie Kombinate mit der Übertragung der Generalauftragnehmer-Funktion auf die Lieferung kompletter Industrieanlagen bzw. anderer komplexer Problemlösungen vorbereitet werden. Dementsprechend sind sie mit den hierfür erforderlichen Befugnissen und Fonds auszustatten.

Zweitens: Die weitere Festigung und Entwicklung der Kombinate ist immer im Zusammenhang mit allen anderen grundlegenden Prozessen der Vervollkommnung der Wirtschafts- und Leitungsorganisation vorzunehmen. Das erfordert beispielsweise zugleich die Rolle und Stellung der VVB als Zweigleitungsorgan unter Beachtung der konkreten Reproduktionsbedingungen und der Entwicklung des Konzentrationsprozesses zu untersuchen. Unter bestimmten Bedingungen (z. B. bei einer Vielzahl von Betrieben mit großer territorialer Zersplitterung) ist sie bekanntlich eine notwendige Organisationsform der Leitung für die Erfüllung der volkswirtschaftlichen Ziele und Aufgabenstellungen.

Unter anderen Bedingungen (z. B. bei zunehmender Konzentration der Wirtschaftseinheiten, der erfolgreich wahrgenommenen Rolle der VVB als „Instrument der Vorkonzentration") wird jedoch zum zweistufigen Leitungssystem vorgegangen werden können.

Zugleich vollzieht sich die Spezialisierung und Konzentration der Produktion zunehmend auch unter territorialem Aspekt und ist mit der Herausbildung von Produktionskomplexen (z. B. als Kooperations- bzw. Produktionszentren) verbunden. Damit ist die weitere Festigung und Entwicklung der Kombinate sowohl unter dem Blickwinkel des richtigen Verhältnisses zwischen Groß-, Mittel- und Kleinbetrieben als auch der Nutzung und Entwicklung territorialer Ressourcen zu betrachten und vorzunehmen.

2. *Die Erfahrungen zeigen, daß die Entwicklung der Kombinate in Richtung eines einheitlichen Reproduktionsprozesses mit hoher volkswirtschaftlicher Effektivität ein längerfristiger gesellschaftlicher und ökonomischer Prozeß ist.*

In den Thesen wird deutlich gesagt, daß die wirtschaftsorganisatorische Zusammenführung von Betrieben – so sehr sie diesen Prozeß fördern kann – nicht mit dem Wachstum der Konzentration der Produktion selbst verwechselt werden darf. Das

[2] Vgl. hierzu Autorenkollektiv unter Leitung von H. Nick, Wissenschaft und Produktion im Sozialismus, Berlin 1976, S. 177 ff.

heißt, es besteht ein enger Zusammenhang zwischen der weiteren Vertiefung der Arbeitsteilung, Spezialisierung und Konzentration der Produktion und der weiteren Festigung bzw. Herausbildung des einheitlichen, geschlossenen Reproduktionsprozesses der Kombinate.

– Diese Orientierung erfordert die Konsequenz, die Kombinate als *Grundeinheiten im volkswirtschaftlichen Reproduktionsprozeß und ihrer Leitung* theoretisch und praktisch anzuerkennen. Damit werden wichtige Fragen der Einordnung der Kombinate in das volkswirtschaftliche Leitungssystem, der Gestaltung und Entwicklung der Leitungs- und Arbeitsbeziehungen zwischen der zentralen staatlichen Leitung und der eigenverantwortlichen Arbeit des Kombinats sowie der inneren Ausgestaltung der Planung und wirtschaftlichen Rechnungsführung in den Kombinaten berührt. Die Kombinate sind so der „letzte Adressat" zentraler staatlicher Aufgabenstellungen und Regelungen im System der Leitung, Planung und ökonomischen Stimulierung. Die Effektivität und Qualität des Kombinats insgesamt wird entscheidende Grundlage für entsprechende Bewertungen und Einschätzungen.

Dabei muß davon ausgegangen werden, daß die Eigenverantwortung der Kombinatsbetriebe entsprechend ihren Aufgaben im Reproduktionsprozeß und der Stellung im Territorium gesichert bleibt. Für die Sicherung des erforderlichen ökonomischen Leistungsanstiegs in der Volkswirtschaft muß jedoch überlegt werden, ob beispielsweise Regelungen der Planung, Bilanzierung, Stimulierung und Abrechnung das Kombinat als Ganzes ansprechen, oder ob sie direkt für die Kombinatsbetriebe verbindlich sind. Die Erhöhung der Verantwortung der General- beziehungsweise Kombinatsdirektoren für die Ergebnisse der Kombinate schließt die Konsequenz ein, daß sie auf der Grundlage der staatlichen Planaufgaben für die Kombinate entscheiden, wie entsprechend der inneren Organisation der Planung und wirtschaftlichen Rechnungsführung diese Aufgaben aufgeschlüsselt und ihre Erfüllung auch unter Anwendung spezifischer Leistungs- und Effektivitätskennziffern stimuliert und abgerechnet werden. Das schließt die Vervollkommnung der Fondsbefugnisse zur Stimulierung wissenschaftlich-technischer Leistungen und der Möglichkeiten des zentralisierten Einsatzes von Fonds im Kombinat für die sozialistische Intensivierung ein. Damit werden auch Fragen berührt, die die Stellung und Bewertung der Kombinatsbetriebe beziehungsweise ihrer Betriebsteile in den Territorien betreffen. Bei Sicherung des Planes, der Verfügbarkeit über Fonds und ihre Abrechnung auf der Grundlage der wirtschaftlichen Rechnungsführung für die Kombinatsbetriebe sind dadurch die Voraussetzungen für die Sicherung einer hohen Qualität der Endprodukte in den Kombinaten weiter auszugestalten.

– Die Herausbildung bzw. Festigung des einheitlichen Reproduktionsprozesses wird in den Thesen zu Recht als Ausdruck tatsächlicher Vergesellschaftung der Produktion und wesentliche Richtung der Erhöhung der Effektivität dieser großen Wirtschaftseinheiten gekennzeichnet. Die Gestaltung dieser größeren Geschlossenheit bezieht sich sowohl auf die Phasen des Reproduktionsprozesses, die Sicherung der Komplexität des wertmäßigen Ablaufes des Reproduktionsprozesses auf der Grundlage des Planes als auch auf die Sicherung der Einheitlichkeit unter dem Gesichtspunkt des Produktionssystems, d. h. der Beziehungen zu den Zulieferern. Sie schließt aber auch die sich aus der Vertiefung der Spezialisierung und Konzentration in den Kombinaten ergebenden Konsequenzen der Vervollkommnung der Organisation der Leitung zur Sicherung der Leitbarkeit der Kombinate ein.

Ein wichtiges und zugleich kompliziertes Problem besteht in der möglichen Zuordnung erzeugnisbestimmender bzw. „strategischer" Zulieferungen zu bestimmten Kombinaten. Derartige Entscheidungen müssen sehr gründlich vorbereitet werden. Sie dürfen keinesfalls aus der alleinigen Sicht betrachtet werden, daß Kooperationsprobleme für einige Wirtschaftseinheiten besser gelöst werden oder eigentlich zu stärkende bzw. langfristig zu konzentrierende Zulieferzweige „beschnitten" werden. Vielmehr ist diese Orientierung prinzipiell im Zusammenhang mit der Entwicklung der Kombinate zu großen sozialistischen Wirtschaftseinheiten mit hoher Reproduktionskraft zu sehen. Um so mehr halten wir es für erforderlich, die Kriterien näher zu bestimmen, die bei möglichen Zuordnungen angesetzt werden müssen. Es sind mindestens folgende:

a) Wirtschaftspolitische Zielstellung und volkswirtschaftliche Einordnung des Kombinats (z. B. die Rolle, die das Kombinat beim Export von Anlagen oder Maschinensystemen spielen soll),

b) Sicherung der Bedarfsbefriedigung des Kombinats bei Sicherung der volkswirtschaftlichen Kooperationslieferungen entsprechend der festgelegten Leistungsentwicklung,

c) Einordnung des Zulieferbetriebes in die langfristige wissenschaftlich-technische und technologisch-produktionsorganisatorische Entwicklung seines Zweiges,

d) Grad der technologischen Verknüpfung mit der Finalproduktion und in diesem Zusammenhang die Größe des Anteils der Zulieferungen zum Finalisten,

e) leitungsmäßige Beherrschbarkeit im Rahmen des Kombinats insgesamt.

3. Die Erfahrungen der Kombinate zeigen, daß die Analyse der Wirksamkeit von Maßnahmen zur Festigung der Kombinate, die Ableitung erforderlicher Veränderungen in der Wirtschafts- und Leitungsorganisation und ihre kontinuierliche Realisierung nur erfolgreich sein kann, wenn sie eng mit dem Planungsprozeß in der Volkswirtschaft verbunden werden.

Auf diese Weise muß eine ständige Anpassung der Wirtschafts- und Leitungsorganisation an die qualitativen Bedingungen des Reproduktionsprozesses der Volkswirtschaft vollzogen werden. Dabei geht es immer wieder um die zentrale staatliche Leitung der Entwicklung der Arbeitsteilung und Kooperation als Bestandteil der langfristigen Planung, die eigenverantwortliche Arbeit der Betriebe, Kombinate und VVB für die Ausarbeitung und Durchsetzung von Maßnahmen zur Spezialisierung und Konzentration der Produktion sowie der Vervollkommnung des Leitungssystems und die planmäßige Vorbereitung und Durchsetzung von Entscheidungen für die Veränderung der Wirtschafts- und Leitungsorganisation in den jeweiligen Verantwortungsbereichen selbst. Im Leitungssystem sind die dafür erforderlichen Voraussetzungen weiter auszugestalten.

Gegenwärtig geht es besonders darum, die geschaffenen Methoden und Instrumente für die Planung von wichtigen Elementen der Wirtschaftsorganisation konsequent anzuwenden. Mit der Planungsordnung, der Rahmenrichtlinie für die Betriebsplanung, der Verordnung über die Einstellung und Verlagerung der Produktion von Erzeugnissen und Leistungen usw. wurden entscheidende Grundlagen für die Planung der Produktionsstruktur, die Spezialisierung und Konzentration der Produktion, die Maßnahmen der sozialistischen ökonomischen Integration und die Sicherung der Kooperationsbeziehungen geschaffen. Gleichzeitig geht es darum, die vorhandenen Methoden und Instrumente der Vervollkommnung der Leitungsorganisation weiter zu entwickeln. Obwohl im Planteil Wissenschaft und Technik Aufgaben für die Rationalisierung der Leitungs- und Verwaltungsprozesse, insbesondere durch die Anwendung der elektronischen Datenverarbeitung festgelegt werden, sind Maßnahmen für die rationelle Gestaltung der Betriebs- und Leitungsorganisation einschließlich der Leitungsstruktur nicht vorgesehen. Darin wird u. a. eine Ursache dafür gesehen, daß notwendige Maßnahmen nicht genügend planmäßig vorbereitet und realisiert werden. In erfolgreichen Kombinaten werden auch derartige Maßnahmen, ausgehend von der Intensivierungskonzeption über die Ausarbeitung von Planteilen kontinuierlich gesichert.

Die Einheit von zentraler staatlicher Leitung und eigenverantwortlicher Arbeit in den Betrieben, Kombinaten und VVB erfordert, auch in diesen Bereichen entsprechend der Verantwortung der Leiter die erforderlichen Spezialisten für die Entscheidungsvorbereitung einzusetzen.

Mit ihrer Arbeit in den Organisations- und Rechenzentren oder anderen Bereichen wurde erfolgreich zur Steigerung der Effektivität des Reproduktionsprozesses der Kombinate beigetragen. In einer Reihe von Industriezweigen wurde diese Arbeit durch die Ministerien wesentlich unterstützt. Insgesamt muß jedoch ein höheres Niveau angestrebt werden. Das betrifft beispielsweise die Verallgemeinerung der Erfahrungen bei der Leitung der Erzeugnisgruppenarbeit durch die Kombinate, der Leitung von zentralen Vorfertigungsbereichen in den Betrieben und Kombinaten oder die Herausbildung von zentralen Fertigungen. Aber auch die eigenständige konzeptionelle Arbeit und die langfristige Planung muß verbessert werden. In einigen Industriezweigen sind beispielsweise im Zusammenhang mit der zunehmenden Tendenz des Übergangs zur Produktion und dem Verkauf kompletter Anlagen Entscheidungen über die zweckmäßigere Einordnung der Kombinate in die Volkswirtschaft und damit die Vervollkommnung der Organisationsstruktur der Leitung insgesamt erforderlich. Solche Entscheidungen können jedoch nur durch ein Ministerium vorbereitet und gefällt werden.

4. *Die umfassende Verantwortung der Kombinatsdirektoren für die komplexe Leitung des Reproduktionsprozesses im eigenen Verantwortungsbereich ist entscheidende Bedingung für die notwendige Leistungs- und Effektivitätsentwicklung in unserer Wirtschaft.*

Im Mittelpunkt steht dabei ihre persönliche Verantwortung für die

– Bestimmung der Ziele in Wissenschaft und Technik und ihre schnelle Realisierung in der Produktion,

– Sicherung der Planmäßigkeit und Kontinuität der Produktionsdurchführung auf der Basis anspruchsvoller und realer Planaufgaben,

– Entfaltung der schöpferischen Initiative der Werktätigen zur Bewältigung der Neuerungsprozesse und der Planerfüllung sowie

– ständige Vervollkommnung der materiellen, organisatorischen und sozialen Bedingungen im Reproduktionsprozeß und Leitungssystem zur dauerhaften Sicherung bedarfsgerechter Produktion in hoher Qualität und Effektivität.

Ohne Zweifel nehmen die Kombinatsdirektoren über die ständige Vervollkommnung ihrer Tätigkeit darauf Einfluß, daß diese Leitungsaufgaben mit hoher Effektivität und Qualität gelöst werden. Dabei besteht eine wesentliche Seite ihrer Arbeit darin, daß sie ihre volle Verantwortung für den Reproduktionsprozeß nur und vor allem mit und über den arbeitsteilig organisierten Leitungsapparat wahrnehmen können. In diesem Zusammenhang besteht eine wesentliche Aufgabe für sie darin, die Funktionsfähigkeit des Leitungssystems ständig zu gewährleisten, ein arbeitsfähiges Leitungskollektiv zu entwickeln und die ständige Vervollkommnung des Leitungssystems im Zusammenhang mit der inhaltlichen Weiterentwicklung der Ziele des Verantwortungsbereiches und ihrer Realisierung zu sichern.

Die Einflußnahme des Leiters auf die Vervollkommnung der organisatorischen Bedingungen seiner Arbeit ist nicht zu trennen von seinem persönlichen Engagement zur rationellen Gestaltung und Vervollkommnung des Leitungssystems und seiner Organisation insgesamt. In diesem Zusammenhang gilt jedoch der Vervollkommnung der organisatorischen Bedingungen und der Erziehung der Kader, mit denen der Kombinatsdirektor unmittelbar zusammenarbeitet (Fachdirektoren, Leiter produzierender Bereiche, Stellvertreter, persönliche Mitarbeiter) besondere Aufmerksamkeit.

Die Untersuchungen zeigen, daß die Direktoren von Kombinaten besonders solche Gesichtspunkte in den Mittelpunkt ihrer Aufmerksamkeit rücken, wie

– die unbedingte Sicherung der *Leitbarkeit* des Verantwortungsbereiches und der Einheitlichkeit in seiner Organisation,

– die Herstellung der *Übereinstimmung* zwischen langfristig-inhaltlicher Zielbestimmung, den Reproduktionsbedingungen, der wirtschaftspolitischen Situation sowie der rationellen Gestaltung und Vervollkommnung des Leitungssystems,

– die Gewährleistung einer möglichst langfristigen *Stabilität* in der Leitungsorganisation sowie

– die konkrete Bestimmung der Arbeitsteilung im Leitungssystem, besonders die Festlegung der Verantwortung für die Leitungsorgane und die Spezialisten zur *Sicherung einer leitergerechten Tätigkeit.*

Die Verantwortungsfestlegung für die unmittelbar nachgeordneten Leiter und die Koordinierung ihrer Tätigkeit direkt durch den Kombinatsdirektor erweist sich dabei als ein wichtiges Problem, dessen leitungsorganisatorische und erzieherische Lösung wesentlich zur Qualifizierung der Tätigkeit dieser Leiter beiträgt. Die Verwirklichung dieses Grundsatzes ist darauf gerichtet, die Leiter zu einer komplexen gesellschaftlichen und volkswirtschaftlichen Sicht der Probleme und Aufgaben zu erziehen, einen hohen Grad des Zusammenwirkens zwischen Leitungsorganen zu fördern und damit den Koordinierungsaufwand durch den Kombinatsdirektor zu reduzieren. Im Grunde genommen geht es darum, daß die Wahrnehmung der vollen Verantwortung der Kombinatsdirektoren entsprechend dem Prinzip der Einzelleitung bei prinzipiell wachsenden Aufgaben und Belastungen eine bedeutend stärkere leitergerechte Arbeit des Leitungsapparates unter dem Blickwinkel der Komplexität des Reproduktionsprozesses des Verantwortungsbereiches insgesamt erzwingt.

Sicher, es handelt sich hierbei primär um ein Problem der Verhaltens- und Arbeitsweise der Leiter und Mitarbeiter. Jedoch zeigt die Praxis, daß über Reaktionsfähigkeit und Qualität koordinierter Problemlösung in hohem Maße bereits die „Konstruktion" der Arbeitsteilung und Kooperation im Leitungssystem entscheidet.

Als ein Weg, eine komplexe Arbeitsweise im Leitungssystem zu sichern, erweist sich die Festlegung und konsequente Durchsetzung der *Koordinierungspflicht* zwischen Organen gleicher Leitungsstufe bei der Vorbereitung und Durchsetzung von Leitungsentscheidungen. In einigen Kombinaten wird deshalb mit Erfolg die Festlegung der *Prozeßverantwortung* der Fachdirektoren praktiziert. Sie wird dadurch charakterisiert, daß diese Leiter zuerst für eine aktive Mitwirkung an der komplexen Leitung des Reproduktionsprozesses im Kombinat insgesamt im Rahmen der Direktoren verantwortlich zeichnen. Diese Verantwortung wird noch dadurch unterstrichen, daß die Fachdirektoren als stellvertretende Kombinatsdirektoren wesentliche Funktionen wahrnehmen, die über das Fachgebiet (z. B. Forschung und Entwicklung, Produktion, Absatz) hinausgehen, z. B. Zusammenarbeit mit gleichgestellten Wirtschaftseinheiten und territorialen Organen; Einsatz als ständiger Beauftragter für bestimmte Wirtschaftseinheiten des Verantwortungsbereiches im Sinne der Anleitung, Kontrolle, Abnahme von Planverteidigungen und Rechenschaftslegungen. Weiterhin schließt das die Verantwortung für die Anleitung und Befähigung der Betriebe bzw. Betriebsteile sowie der entsprechenden Fachorgane des Kombinatsdirektors ein, verbunden mit dem

Recht, Koordinierungs- und Durchsetzungsentscheidungen treffen zu können. Schließlich basiert die Prozeßverantwortung der Fachdirektoren darauf, daß sie für die langfristig konzeptionelle Arbeit und komplexe Entscheidungsvorbereitung gegenüber dem Kombinatsdirektor verantwortlich sind. Dies schließt entsprechende Pflichten und Rechte der horizontalen Koordinierung zwischen den erforderlichen Organen im Leitungssystem ein und betrifft gleichermaßen die Verantwortung für die koordinierte Ausarbeitung von Planteilen des einheitlichen Kombinatsplans, die oft über das eigene Fachgebiet hinausgehen, sowie die qualifizierte Ausarbeitung von Vorlagen für die Direktion.

Natürlich handelt es sich hier nur um eine Richtung, wie im Leitungssystem der Kombinate Verantwortung und Leitergerechtheit der Arbeit zur besseren Beherrschung des Reproduktionsprozesses durchgesetzt werden können. Jedoch macht sie deutlich, daß die weitere Festigung und Entwicklung der Kombinate auch die Vervollkommnung der Arbeitsteilung und Kooperation in der „Leitungsspitze" dieser Wirtschaftseinheiten erfordert.

J. Machowetz

Zur Entwicklung und Festigung von Kombinaten aus der Sicht großer Chemiekombinate

Zur Sicherung des notwendigen ökonomischen Leistungsanstieges entsprechend den Zielstellungen des IX. Parteitages ist auch in den Chemiekombinaten der wissenschaftlich-technische Fortschritt in Verbindung mit den anderen Intensivierungsfaktoren zu forcieren.

Darauf begründet sind insbesondere in den großen, direkt geleiteten Kombinaten der Grundchemie zur Realisierung der wirtschaftspolitischen Strategie der SED völlig neue Dimensionen des Reproduktionsprozesses bis 1980 und darüber hinaus zu beherrschen. Betriebsgrößen von über 30000 Beschäftigten, Steigerungsraten der Produktion von über 10% pro Jahr, gekoppelt mit einem Investitionsvolumen, das annähernd zur Verdopplung der Grundfonds im laufenden Fünfjahrplanzeitraum führt, und damit verbundene qualitativ neue Anforderungen an die Vorlaufbereiche, an die Marktarbeit und an Beschaffung und Absatz, an die Transport-, Umschlag- und Lagerprozesse sowie an die Hilfsleistungssektoren der Energetik und Instandhaltung, an die Sozialbereiche u. a. führen in Verbindung mit zunehmender Arbeitsteilung, Spezialisierung und Kommunikation zu außerordentlicher Komplexität der Leitung solcher verbundwirtschaftlicher Industriekomplexe.

Bisherige wirtschafts- und leitungsorganisatorische Lösungen haben Grenzen erreicht, die zur gründlichen Analyse der neuen Anforderungen bezüglich ihrer Konsequenzen für die Vervollkommnung der Wirtschafts- und Leitungsorganisation großer Grundstoffkombinate zwingen, damit Leitung und Organisation voll als Effektivitätsfaktoren wirksam werden können. Ich begrüße deshalb die verstärkte Einordnung der Fragen der Vervollkommnung der Leitung, Planung und ökonomischen Stimulierung sowie der Entwicklung und Festigung der Kombinate in die Aufgabenstellung der wirtschaftswissenschaftlichen Forschung und erwarte weitere praktikable theoretische Erkenntnisse und Lösungswege für die Praxis. Auf einige aktuelle Fragen möchte ich eingehen.

Die zunehmende Zweigverantwortung großer Chemiekombinate in Verbindung mit der weiteren Ausgestaltung ihrer wirtschaftsleitenden Funktionen, z. B. bei der sozialistischen ökonomischen Integration, bei der Erhöhung ihrer Verantwortung im Territorium, als Exportförderbetrieb, bei der strategischen Einordnung des Produktionskomplexes des Kombinates in die volkswirtschaftliche Entwicklung u. a. zeigt Tendenzen zur weiteren Ausgestaltung solcher Kombinate zu Zweigleitungsorganen. Für die Wahrnehmung damit verbundener Verantwortung wurden ihnen aber meines Erachtens bisher nicht ausreichend äquivalente Rechte eingeräumt.

Die Zweigverantwortung muß besonders unter dem Aspekt der Verantwortung dieser Kombinate für die Beschleunigung des wissenschaftlich-technischen Fortschritts und des Vorstoßes zur internationalen Spitze bei den für die Volkswirtschaft und den Export entscheidenden Produkten und Technologien weiterentwickelt werden. Große Chemiekombinate müssen dazu immer mehr zu wissenschaftlich-technischen Zentren im Zweig und darüber hinaus in der Volkswirtschaft ausgebaut werden, denen die Forschung und Entwicklung für die Erzeugnisse, einschließlich Herstellungsverfahren und Technologien, und für die Entwicklung der Produktion und der Anwendung der Erzeugnisse obliegt. Sie sollten dazu quasi als volkswirtschaftliche Zentren für die Entwicklung und Anwendung ausgewählter Produktionskomplexe wie z. B. Plaste und Elaste fungieren und die Forschungs- und Entwicklungsbereiche des Kombinats mit denen der Akademien, Hochschulen, des Plastmaschinenbaues, anderer Plastproduzenten und Hauptanwender einheitlich ausrichten und koordinieren.

Für die Festigung und stabile Entwicklung der Kombinate ist meines Erachtens ein ständiger langfristiger Planungsvorlauf von über 5 bis 10 Jahren notwendig, um

- die notwendige Stabilität und Kontinuität in der wissenschaftlich-technischen Arbeit zu erreichen (Änderungen in der langfristigen Orientierung hatten in den zurückliegenden Jahren Verluste durch verlorenen Forschungsaufwand und durch fehlenden Vorlauf auf anderen Gebieten zur Folge),
- ausreichende Orientierungen des Anlagenbetreibers für maschinen- und anlagentechnische Entwicklungen im Maschinen- und Anlagenbau zu sichern und die weitere Profilierung für diese Zweige mit zu begründen,
- Rationalisierungsschwerpunkte zu fundieren,
- zu stabilen Absatzkonzeptionen und gezielten Marktaktivitäten zu gelangen,
- der Verarbeitungsindustrie rechtzeitig Impulse und Orientierungen, z. B. auf neue Werkstoffe und produktivitätssteigernde Verarbeitungsmöglichkeiten, zu geben und materialökonomische Substitutionseffekte und Umstellungen zu fördern.

Aus diesen Zusammenhängen wurden in einigen Chemiekombinaten bereits Schlußfolgerungen für den Aufbau leistungsfähiger Direktionen für Kombinatsentwicklung gezogen, die mit hochqualifizierten Kadern besetzt sind und wichtige strategische Funktionen einschließlich der Kombinatsverantwortung für die langfristige Planung, für die internationale sozialistische Zusammenarbeit, für die Einsatzvorbereitung der EDV und für die Entwicklung der Wirtschafts- und Leitungsorganisation wahrnehmen und ihre Aufgaben in sozialistischer Gemeinschaftsarbeit mit anderen Bereichen des Kombinats lösen. Damit gelingt es besser, die Grundfragen der erweiterten Reproduktion vorausschauend komplexer zu lösen, wie es der IX. Parteitag als Aufgabe gestellt hat. Die dadurch erreichte Qualifizierung der Leitung und Planung hat sich inzwischen voll bewährt. Die kontinuierliche Arbeit hat zu einem soliden Vorlauf für die Kombinatsentwicklung geführt und wirkt stabilisierend für die gesamte Arbeit des Kombinats im Rahmen der Volkswirtschaft. Heute zeigen sich meines Erachtens bereits gewisse Grenzen für diese Arbeiten in den Kombinaten durch unzureichenden Vorlauf auf übergeordneten Ebenen.

Für die weitere Festigung der Chemiekombinate ist die Entwicklung der inneren Verbundwirtschaft im Kombinat ein entscheidender Faktor. Die Verflechtung entsprechend der Stoffflüsse über eine Reihe von Produktionsstufen war eine objektive Grundlage für das Zusammenwachsen solcher Kombinate zu einem einheitlichen Wirtschaftsorganismus und für die Fortführung der Arbeitsteilung, Spezialisierung und Kooperation zwischen Stammbetrieb und den Kombinatsbetrieben. Solche vertikalen Kombinationen von der Rohstoffherstellung über die Produktion von Monomeren bis zur Herstellung von Polymeren in zusammenhängenden Produktionssträngen in Verbindung mit der Energieerzeugung im Stammbetrieb und der Hilfsstofferzeugung und Weiterverarbeitung der Polymeren in den Kombinatsbetrieben sind Ausdruck einer derartigen hochgradigen Verbundwirtschaft in einem Kombinat. Kombinatsbetriebe bilden dabei Zulieferer für alle Partner im Kombinat bzw. Verarbeiter von Kombinatsprodukten. Der Stammbetrieb bildet den Kern und damit das stabilisierende Element des Kombinats, auch unter dem Aspekt seines Potentials. Unter diesen Bedingungen hat sich die Leitung eines Kombinats durch den Stammbetrieb grundsätzlich bewährt.

Die Belastung der Leitung des Kombinats und die Anforderungen an den Generaldirektor, wie sie besonders die 5. Tagung des ZK der SED stellte, verlangt jedoch eine Überprüfung bisheriger Lösungen bei der Wahrnehmung der Aufgaben und Verantwortung der Kombinatsleitung, besonders des Generaldirektors unter der Fragestellung der Schwerpunktorientierung. Der Generaldirektor muß befähigt werden, sich persönlich stärker auf die Grundfragen der perspektivischen Entwicklung des Kombinats und der operativen Leitung der Planerfüllung, besonders aber auf wissenschaftlich-technische Höchstleistungen bei ausgewählten Schwerpunkten und auf die großen Investitionen zu konzentrieren. Daraus ergeben sich neue Fragen der Arbeitsteilung in der Leitung, die z. B. mit der Einführung schichtleitender Systeme, dem Einsatz ständiger Stellvertreter des Generaldirektors für die Kombinatsentwicklung und für die Plandurchführung, mit der Entwicklung mehrerer Produktionsdirektionen mit erweiterter Verantwortung im Kombinat, mit der Erhöhung der Kombinatsverantwortung der Fachdirektionen u. a. entstehen und für die es bereits praktische Lösungen gibt. Damit einhergehen müssen die Delegierung abgegrenzter Aufgaben und Kompetenzen des Generaldirektors und die Veränderung des Arbeitsstils und der Arbeitsorganisation in der Kombinatsleitung.

Die Fortführung der Konzentration der Produktion und der Spezialisierungsprozesse ist vorrangig zu einem Problem der Investkraft und der Rationalisierungspotenzen geworden. Der volkswirtschaftliche Bedarf und seine Deckung sind in Verbindung mit der Investkraft das entscheidende Kriterium für die Fortführung der Konzentrations- und Spezialisierungsprozesse in den Kombinaten. Ähnliche Zusammenhänge zeigen sich bei den Hilfsleistungen, wo Spezialisierungen mit Produktivitätssteigerungen, z. B. in der Instandhaltung um 20 bis 40% bis 1980, möglich sind und erforderlich wären, um in einem Kombinat dringend benötigte 400 Arbeitskräfte dadurch freizusetzen, Investgrenzen aber eine Realisierung erst nach 1980 erwarten lassen. Auch daraus ist ersichtlich, daß das Tempo der weiteren Vervollkommnung der Wirtschaftsorganisation in den Kombinaten wesentlich von den ökonomischen Ressourcen bestimmt wird.

Im Einführungsreferat dieser Tagung wurde die konsequente Einstellung der Leitung auf die Intensivierung betont. In den strukturbestimmenden Kombinaten, deren Produktion maßgebend volkswirtschaftliche Proportionen bestimmt, müssen wir uns auf einen längeren Prozeß der Durchsetzung der intensiven Reproduktion einstellen, da sich in solchen Kombinaten z. T. volkswirtschaftlich notwendige Extensiverweiterungen auch bis 1980 und darüber hinaus vollziehen.

Solche Kombinate konzentrieren sich deshalb auf die Stärkung der Rationalisierungskapazitäten und der eigenen Baukapazitäten bis 1980 in erheblicher Größenordnung. Für Chemiekombinate genügt es nicht, nur auf den Bau von Rationalisierungsmitteln zu orientieren. Die Rationalisierung ist komplex auszubauen, beginnend bei der systematischen prozeßanalytischen Durchdringung chemisch-technologischer Prozesse und der Optimierung der laufenden Produktion, d. h. bei einer gründlichen wissenschaftlich-technischen Vorbereitung der Rationalisierungsmaßnahmen. Die Rationalisierungskapazitäten sind als Potential zur schnellen Überführung wissenschaftlich-technischer Ergebnisse der Forschung und des Neuererwesens in die laufende Produktion verstärkt zu profilieren. Die Stärkung der Rationalisierungskapazität schließt das notwendige Projektierungspotential in Chemiekombinaten mit ein.

Der Rationalisierungsmittelbau allein genügt auch deshalb nicht, weil es auf die schnelle planwirksame Realisierung der Rationalisierungsmaßnahmen ankommt. Chemiekombinate benötigen dazu im Rahmen des aufzubauenden Rationalisierungspotentials auch leistungsfähige Montagekapazitäten für Maschinen u. a. Ausrüstungen einschließlich der Elektro- und MSR-Technik. Trotzdem wird auch künftig ein großer Anteil von Serienausrüstungen hinzukooperiert werden müssen. Maschinen- und Anlagenbau, Elektroindustrie und die Betriebe der Meß-, Steuer- und Regeltechnik dürfen auf keinen Fall aus dem Bemühen der Chemiekombinate nach Stärkung ihrer Rationalisierungskapazitäten geringere Anforderungen aus der Chemieindustrie erwarten. Mit der Rationalisierung muß die Erneuerung der Grundfonds verstärkt werden, um auch auf diesem Wege die unbefriedigende Altersstruktur der Grundfonds zu verbessern.

U.-J. Heuer

Voraussetzungen der verstärkten Nutzung des Vertrages in der Leitung und Planung der Volkswirtschaft

In den Thesen wird auf die Notwendigkeit hingewiesen, das Niveau der Zusammenarbeit zwischen den Kombinaten der Zulieferindustrie und den Industriezweigen der Finalproduktion zu erhöhen. Zugleich wird der Zusammenhang zwischen der Entwicklung stabiler Kooperationsbeziehungen auf der Ebene der Wirtschaftseinheiten und der langfristigen Planung und Bilanzierung aus volkswirtschaftlicher Sicht hervorgehoben. Ich möchte diese Fragestellung voll unterstützen und sie aus der Sicht des Wirtschaftsvertrages untermauern.

Die zunehmende Bedeutung stabiler Kooperation ist unbestritten. Unabhängig von erforderlichen Veränderungen im Bereich der Wirtschaftsorganisation verlangt die zunehmende Arbeitsteilung, das zunehmende wissenschaftlich-technische Niveau einen immer höheren Grad an Zuverlässigkeit und Stabilität der Kooperationsbeziehungen. „Tatsächlich läßt sich der Übergang zu einem vorwiegend intensiven Typ der erweiterten Reproduktion nicht mit Disproportionen, nicht mit einem Defizit in den Bilanzen der hauptsächlichen Produktionsmittel und Konsumgüter vereinbaren", ist ein ausgewogenes Verhältnis zwischen allen Wirtschaftsgliedern erforderlich.[1] Die vertikale Leitung nach dem Zweigprinzip genügt nicht, um die horizontalen Kooperationsverflechtungen zu beherrschen. Auch die Tätigkeit der Bilanzorgane vermag die Gesamtheit dieser Beziehungen nicht zu regulieren. Je detaillierter die zu fällenden Entscheidungen sind, desto weniger ist es möglich, sie zentralisiert zu treffen, desto unabdingbarer ist die Entscheidung auf der Ebene der Wirtschaftseinheiten als gemeinsame Entscheidung der Partner. Das gilt besonders für solche Beziehungen, bei denen entscheidende inhaltliche Probleme nur im konkreten Vertragsabschluß entschieden werden können, bei der Einzelfertigung, im Bereich der Verträge über wissenschaftlich-technische Leistungen, im Bereich der Investitionen, bei der Lieferung kompletter Industrieanlagen. Die wachsende Bedeutung qualitativer Kennziffern der Planung bedeutet aber darüber hinaus generell eine wachsende Bedeutung der konkreten vertraglichen Festlegungen über Menge, Termin und Qualität. Ausgehen vom Bedarf, Festigung der Stellung des Verbrauchers, das bedeutet zugleich größere Anforderungen an die Arbeit der Wirtschaftseinheiten mit den Verträgen. Der Vertrag ist die letzte gemeinsame erzeugniskonkrete Entscheidung der Partner, deren Verbindlichkeit durch den Staat sanktioniert und die über die materielle Verantwortlichkeit mit der wirtschaftlichen Rechnungsführung verbunden ist.

Zunehmende Bedeutung stabiler Kooperation muß also zu höheren Anforderungen an die Arbeit mit den Verträgen führen. Zunächst einmal werden diese Anforderungen mit Recht an die Adresse der Betriebe und Kombinate gerichtet. Tatsächlich besteht

[1] A. Antschischkin, Die erweiterte Reproduktion unter den Bedingungen des entwickelten Sozialismus, in: Sowjetwissenschaft – Gesellschaftswissenschaftliche Beiträge, 3/1977, S. 237.

heute ein Widerspruch zwischen der aus der wachsenden Bedeutung der Kooperation abgeleiteten größeren Rolle des Vertrages und dem tatsächlichen Rang, den er in den zwischenbetrieblichen Beziehungen einnimmt. Ich will das an dem Beispiel des Vertragsabschlußtermins deutlich machen.

Stabile Kooperation erfordert rechtzeitigen Vertragsabschluß. Deshalb wurde für einen bestimmten Teil der Kooperationsbeziehungen der Abschluß langfristiger Verträge (für den Fünfjahrplanzeitraum) festgelegt, während für die Jahresverträge der Abschlußzeitraum grundsätzlich in der Planungsordnung für die Zeit zwischen der Übergabe der Planaufgabe und der Planverteidigung bestimmt wurde. Tatsächlich wird nur ein geringer Teil der Verträge als langfristige Verträge abgeschlossen. Gerade bei Stammbeziehungen wird von langfristigen Verträgen kaum Gebrauch gemacht. Auch bei den Jahresverträgen wird nur ein relativ geringer Teil zu den vorgesehenen Terminen abgeschlossen. In vielen Fällen werden an Stelle der Verträge Abstimmungsprotokolle vereinbart, obwohl alle Voraussetzungen für den Vertragsabschluß gegeben sind.

Eine Veränderung dieses Zustandes erfordert Auseinandersetzungen der Partner. Das Interesse an einem rechtzeitigen Vertragsabschluß ist – je nach der Angebotssituation – bei Besteller und Lieferer durchaus unterschiedlich. Wir verzeichnen in vielen Fällen, daß innerhalb der Industrie die Lieferer erst den Eingang der letzten Bestellung abwarten, bevor sie die Verträge abschließen. Die beharrliche Auseinandersetzung um rechtzeitigen Abschluß der Verträge, um ihre den Anforderungen der Bedarfsbefriedigung und Intensivierung entsprechende Ausgestaltung ist nicht nur das Recht, sondern auch die Pflicht der Betriebe. Gerade weil die konkrete Entscheidung auf der Ebene der Betriebe fällt, ist es ihre Aufgabe, auch in den Vertragsverhandlungen höchste Anforderungen an das Niveau der zu liefernden Erzeugnisse, an ihre Qualität zu stellen und zugleich den eigenen Bedarf verantwortungsbewußt zu ermitteln. Die staatlichen Organe müssen die Bemühungen der Besteller um bedarfsgerechte Vertragsabschlüsse stärker als bisher unterstützen. Entsprechendes gilt für die Auseinandersetzungen mit Vertragsverletzungen, für die Bereitschaft, vorgesehene Sanktionen durchzusetzen.

Mit der Verwirklichung dieser Anforderungen sind aber die Voraussetzungen für eine verstärkte Nutzung der Verträge zur weiteren Stabilisierung der Kooperationsbeziehungen nur zum Teil gegeben. Bei einer Befragung von Wirtschaftsfunktionären zeigte sich, daß nach ihrer Auffassung eine größere Stabilität der Kooperationsbeziehungen in erster Linie von Maßnahmen zur Verbesserung der Planung und Bilanzierung (etwa drei Viertel) und von Maßnahmen zur materiell-technischen Vorbereitung der Produktion abhängt und erst in zweiter Linie von der verstärkten Anwendung der festgelegten Sanktionen. Die Festlegung zusätzlicher Sanktionen wurde nur von einer verschwindenden Minderheit befürwortet.

Auch die Rolle des Vertrages als Instrument der Gestaltung der zwischenbetrieblichen Kooperation ist entscheidend davon abhängig, wie er in das Gesamtsystem der Planung und Bilanzierung eingebettet ist. Der Schlüssel für die volle Ausnutzung des Vertrages als Mittel der stabilen Gestaltung der zwischenbetrieblichen Kooperation liegt nicht in der rechtlichen Ausgestaltung der vertraglichen Beziehungen selbst, sondern in einer Regelung der Planung und Bilanzierung, die dem Vertrag einen festen Platz einräumt, ihn als Plandokument behandelt.

Für die Sowjetunion wurde kürzlich gefordert: „Die . . . Verträge sollen den Plan nicht schlechthin ergänzen und konkretisieren, sondern müssen vielmehr zu einem verbindlichen Plandokument werden . . . Der hochaggregierte Plan wird somit durch den auf die Breite des Sortiments ausgerichteten Vertrag ergänzt, der in dieser Form unmittelbar Teil des Plans wird."[2]

Eine derartige Behandlung des Wirtschaftsvertrages als Plandokument, als Planentscheidung setzt die Überwindung einer bestimmten Trennung von Planung und Recht sowohl bei Ökonomen als auch bei Juristen voraus. Der Vertrag hört nicht auf, eine juristische Erscheinung zu sein, wenn wir ihn als echtes Plandokument anerkennen, ebenso wie die Bilanzentscheidung nicht ihren Charakter als Planungsakt verliert, wenn wir die rechtlichen Verfahren in Zusammenhang mit ihrem Erlaß ausbauen. Eine solche engere Verzahnung von Planung und Recht dient sowohl der Verbesserung des Niveaus der Planung als auch der Erhöhung der Wirksamkeit des Rechts. Beide Prozesse stehen in engstem Zusammenhang. Wir Wirtschaftsrechtler gehen gerade davon aus, daß ein wirksamerer Einsatz des sozialistischen Wirtschaftsrechts vor allem bei der Gestaltung der Planung und Bilanzierung das Niveau der Planung und damit letztlich die Effektivität der Volkswirtschaft zu erhöhen in der Lage ist.

Ich möchte das im Zusammenhang mit der besseren Ausnutzung der Möglichkeiten des Vertrages noch an praktischen Konsequenzen zeigen. Ein Hauptgrund für den ungenügenden Abschluß von langfristigen Wirtschaftsverträgen ist die Tatsache, daß die Stabilität dieser Verträge nicht gewährleistet ist. Die Kombinate und Betriebe schließen langfristige Verträge dann ab, wenn sie mit hoher Sicherheit damit rechnen können, daß diese Verträge stabil sind, daß sie vor allem in der Jahresplanung und -bilanzierung respektiert werden. Die langfristigen Verträge können also nur dann eine gewichtigere Rolle in der Organisation der zwischenbetrieblichen Kooperation spielen, wenn erstens tragfähige Grundlagen in Gestalt von Fünfjahrplanauflagen bestehen und zweitens die Aufhebung dieser Verträge durch spätere Plan- und Bilanzentscheidungen an bestimmte Ausnahmekriterien gebunden ist. Es ist offenbar, daß ein Zusammenhang der Regelung dieser Frage mit der in den Thesen behandelten allgemeineren Frage der Entwicklung des Fünfjahrplans zum Hauptinstrument der Leitung der Wirtschaftstätigkeit besteht.

Für die Jahresverträge gilt dasselbe. Auch hier hängt der erstrebte rechtzeitige Abschluß in erheblichem Umfang einerseits vom Vorliegen der Vertragsabschlußvoraussetzungen und andererseits von der Stabilität einmal abgeschlossener Verträge ab. Erforderlich ist deshalb einerseits eine Regelung, die es den Betrieben ermöglicht, den Erlaß bestimmter Entscheidungen zu bewirken und andererseits eine Einschränkung des gegenwärtig nach der Bilanzierungsverordnung vorliegenden praktisch unumschränkten Rechts der Bilanzorgane, in ihren Entscheidungen von bestehenden Verträgen abzuweichen.

Damit sind auch die Voraussetzungen gegeben, den Abschluß der Verträge fest in den Planungsablauf einzuordnen. Allerdings müßte hier eine differenzierte Regelung vorgenommen werden. Die enge Bindung der Verträge an den Reproduktionsprozeß erfordert differenzierte Regelungen für den Vertragsabschluß. Vor allem sehe ich hier Unterschiede zwischen der Auftragsproduktion und der übrigen Produktion. Allerdings müßte zugleich der Zusammenhang mit dem Planungsrhythmus gewährleistet sein, woraus sich gleichzeitig wiederum Fragen der Anpassung des Planungsrhythmus an Besonderheiten des Reproduktionsprozesses ergeben.

Was für den Abschluß der Verträge gilt, trifft auch auf ihre Erfüllung zu. Die Behandlung der Verträge als Plandokument muß auch mit bestimmten Konsequenzen

[2] N. Drogitschinski, Funktion und Stellung des Wirtschaftsvertrages in der Planung, in: Sowjetwissenschaft – Gesellschaftswissenschaftliche Beiträge, 1/1977, S. 14.

hinsichtlich der Sanktionen verbunden sein. Die Wirkung der wirtschaftsvertraglichen Sanktionen – die unentbehrlich sind – reicht gegenwärtig nicht aus, die konsequente Erfüllung der Wirtschaftsverträge zu gewährleisten. In der Leistungsbewertung der Betriebe und Kombinate spielen andere Faktoren eine weit stärkere Rolle. Vertragsrückstände können in bezug auf die Kennziffer Warenproduktion durch Vorauslieferungen ausgeglichen werden. Diesem Zustand kann nur dadurch entgegengewirkt werden, daß die Verletzung der Wirtschaftsverträge in der politischen Bewertung und in der ökonomischen Stimulierung in spezifischer Form als Nichterfüllung des Planes behandelt wird. In das Zentrum der Diskussion rücken dabei gegenwärtig – gestützt auf neue sowjetische Regelungen und entsprechende Festlegungen in manchen Kombinaten – Fragen der Wirkung der Nichterfüllung von Verträgen auf die materielle Stimulierung der Leiter. Die bisherigen Erfahrungen sollten sorgfältig geprüft und dann schrittweise verallgemeinert werden.

Die Erhöhung der Stabilität der Kooperation im Dienste der weiteren Vertiefung der Intensivierung der Volkswirtschaft erfordert also eine Weiterentwicklung der rechtlichen Regelung auch und gerade im Bereich von Planung und Bilanzierung. Eine bessere Ausnutzung des Vertrages ist ohne Maßnahmen in diesem Bereich schwer möglich. Ich kann mich deshalb einer solchen Meinung nicht anschließen, daß es im Prinzip genüge, das jetzige System der Planung und Bilanzierung beizubehalten, was ja entsprechende Konsequenzen für die rechtliche Regelung umfaßt. Für das Recht gilt das, was in dem einführenden Vortrag über Leitung und Planung generell gesagt wurde, daß es nicht nur passiv die jeweilige Lage widerzuspiegeln hat, sondern aktiv die gesellschaftliche Entwicklung – immer entsprechend den jeweiligen Möglichkeiten – vorantreiben muß. Daraus ergibt sich auch die Notwendigkeit, nach sorgfältiger Prüfung Rechtsvorschriften zu ändern, um die Möglichkeiten des Rechts voll zur Geltung zu bringen.

Das ist noch aus einem weiteren Grund von großer Bedeutung. Mitunter werden Positionen bezogen, die letztlich auf eine Rechtfertigung von Umgehungen oder Verletzungen des Rechts hinauslaufen. Eine solche Haltung wird auch unterstützt durch Rechtsvorschriften, die den Kombinaten ungenügend helfen, ihre komplizierten Aufgaben zu lösen. Unsere Orientierung kann deshalb nur sein: Gewährleistung eines hohen, den komplizierten Anforderungen der Intensivierung entsprechenden Niveaus der Gesetzgebung und strikte, konsequente Einhaltung des Rechts.

Das neu auszuarbeitende Kooperationsgesetz stellt uns hier vor große Aufgaben. Nur wenn es gelingt, über die bisher vom Vertragsgesetz geregelte Materie hinaus bestimmte Regelungen der Planung und Bilanzierung einzubeziehen, werden wir eine Erhöhung der Stabilität der Kooperationsbeziehungen mit Hilfe dieses Gesetzes erreichen. Gerade Erhöhung der Ordnung und Stabilität in der Volkswirtschaft aber ist es, wie auch unsere Befragung gezeigt hat, die die Leiter in erster Linie vom Wirtschaftsrecht erwarten.

E. Richter

Zur weiteren Vervollkommnung der Leitung, Planung und ökonomischen Stimulierung modischer Produktion

Mein Beitrag geht von der These aus, die im Punkt 4 des Materials enthalten ist, mit der Planung und in der Plandurchführung die konkreten Beziehungen zwischen Bedarfsgerechtheit und ökonomischem Aufwand stärker zu berücksichtigen, den qualitativen Kennziffern einen höheren Rang einzuräumen.

Bei der wechselseitigen Abhängigkeit zwischen der Beschleunigung von Struktur-, Sortiments- und Qualitätsverschiebungen und der Vergrößerung der Produktionsmaßstäbe kann mit Strukturänderungen das Produktionswachstum beschleunigt oder verlangsamt werden. Eine rasche Steigerung der Qualität der Bekleidungserzeugnisse kann gegebenenfalls auch zu einer Verlangsamung des Wachstums der Produktion führen. Diese objektiv entstehenden Widersprüche des wirtschaftlichen Wachstums setzen vor allem eine Erhöhung der Mobilität aller Arten von Produktionsressourcen voraus.

Nach den Beschlüssen der 5. Tagung des Zentralkomitees der SED ist die Leitung und Planung der Konsumgüterproduktion konsequent auf die Erfordernisse der Versorgung der Menschen und der volkswirtschaftlichen Effektivität einzustellen. Genosse Erich Honecker faßte diese Forderung in den kurzen Satz: „Das Prinzip der Einheit von Menge und Qualität muß dabei die ganze Richtung bestimmen."[1]

Wir verstehen entsprechend den Beschlüssen unserer Partei- und Staatsführung in diesem Prinzip, den Bedarf zum Ausgangspunkt aller Überlegungen zu nehmen. ernsthafte Schlußfolgerungen aus den wachsenden Qualitätsansprüchen der Käufer zu ziehen und alle unsere Ressourcen mit hohem volkswirtschaftlichem Effekt einzusetzen.

Ein Hauptproblem in der Planung ist die Berücksichtigung der Mode, der damit verbundenen Tendenzen zu Strukturverschiebungen, raschen Veränderungen in der Qualität und einer unrhythmisch verlaufenden Sortimentsentwicklung. Nicht selten finden sprunghafte Veränderungen statt. Wir erleben zur Zeit einen solchen Prozeß mit der Jeansmode.

Ausgehend von diesen Anforderungen beschlossen im Ergebnis einer breiten Diskussion zu politisch-ideologischen und ökonomischen Aufgaben bei der weiteren Erhöhung der Effektivität der Leitung, Planung und ökonomischen Stimulierung das Politbüro des ZK der SED und das Präsidium des Ministerrates am 11. April 1974 und am 10. Februar 1976 bedeutende Dokumente zur weiteren Entwicklung der modischen Produktion für die Versorgung der Bevölkerung. Mit der Umsetzung dieser Beschlüsse bildeten sich in der Industrie vier Schwerpunkte heraus:

1. Die Markt- und Bedarfsforschung als Führungsaufgabe so zu verwirklichen, daß ihre Ergebnisse eine Entscheidungsgrundlage für die Richtung der wissenschaftlich-technischen Entwicklung und wesentlicher Ausgangspunkt für die Jahrespläne sowie zur Sicherung einer hohen volkswirtschaftlichen Effektivität werden;

[1] E. Honecker, 5. Tagung des ZK, Aus dem Bericht des Politbüros an das Zentralkomitee der SED, Berlin 1977, S. 21.

2. die Gestaltungs- und Entwicklungskapazitäten in führenden Konfektionsbetrieben auszubauen und gemeinsam mit Textilbetrieben Gestaltungs- und Entwicklungsbüros zur Erzeugnis- und Kollektionsentwicklung zu bilden.

Durch Kooperationsverträge mit Betrieben im Territorium ist die Industrieanleitung bei der qualifizierten Umsetzung der Modelinie zu verstärken und Klein- und Mittelbetrieben in der Musterung, der Produktionsvorbereitung unmittelbar zu helfen;

3. eine möglichst hohe Übereinstimmung des Reproduktionszyklus mit dem Planungsrhythmus zu erzielen.

Auf diesen Teil werde ich in meinen weiteren Ausführungen speziell eingehen und zu einigen Problemen unseren Standpunkt vortragen;

4. die modische Produktion mit Hilfe von Preiszuschlägen kräftig anzuregen, Produktionsumstellungen zur Sicherung einer bedarfsgerechten Produktion besser zu stimulieren sowie für neue und weiterentwickelte Erzeugnisse das Prinzip des Preis-Leistungs-Verhältnisses zu nutzen.

Auf allen vier Gebieten haben wir Teilerfolge erzielt. Im ganzen sind unsere Ergebnisse trotz hoher Anstrengungen der Werktätigen und in der Leitung unseres Industriezweiges meines Erachtens noch nicht ausreichend.

Zu einigen Fragen der Herstellung der Übereinstimmung zwischen Reproduktionszyklus mit dem Planungsrhythmus.

Mit dem vereinbarten Ablauf der Planung für die Konsumgüterproduktion liegt mit der Modekonzeption der Vorstufen 20 Monate und mit der Modekonzeption für die Finalstufe 14 Monate vor dem Planjahr eine Abstimmung über die Schwerpunkte der Bedarfs- und Modeentwicklung, des Materialeinsatzes und der Produktionsstruktur vor und wird die Leistungsentwicklung zur Erteilung der Staatlichen Aufgabe nachgewiesen.

Eine der Grundlagen für die Bedarfsentwicklung und die Sortimentsstruktur sowie zur Bestimmung des Material- und Zeitaufwandes für die Produktion sind in der Modekonzeption die dargestellten Hauptaspekte der Mode unter Berücksichtigung der internationalen Tendenzen.

Von seiten der internationalen, modebestimmenden Gremien werden diese Orientierungen für die Grundstufe, die Farb- und Faserstoffindustrie jedoch erst zu einem Zeitpunkt gegeben, da in der Finalstufe der DDR die Hauptgestaltungsrichtungen bereits bestimmt sind.

Berücksichtigen wir weiterhin den Saisoncharakter der Mode – dieser ist sehr ausgeprägt und hat zeitweilig erhebliche Strukturverschiebungen zur Folge –, dann beträgt der konzeptionelle Vorlauf für die Saison Herbst-Winter in der Finalstufe sogar 20 Monate.

Diese Situation und die Notwendigkeit, aus planerischen Gründen (Nachweis der Entwicklung der Warenproduktion und der Leistung) eine so frühzeitige Einschätzung der Bedarfsentwicklung in der Feinstruktur – 11-Steller der Erzeugnis- und Leistungsnomenklatur – zu geben, hat eine hohe Unbestimmtheit zur Folge.

Erfahrungen bis in die jüngste Gegenwart zeigen eindringlich, daß der Binnenhandel, wenn auch aus unterschiedlichen Gründen, meines Erachtens nicht zuletzt durch Mängel in den Bedarfseinschätzungen, zu einem frühen Zeitpunkt mit ihm abgestimmte Versorgungsgrößen teilweise ändert bzw. Anteile zurückgibt.

Berücksichtigen wir weiter, daß unter diesen Bedingungen durch die VVB die Produktionsstruktur mit 21 wirtschaftsleitenden Organen für rund 360 Betriebe abzustimmen ist, um einerseits die Leistungsentwicklung und die ökonomischen Konsequenzen der modischen Produktion festzulegen und andererseits die Ergebnisse Grundlage für die Erteilung der Staatlichen Aufgabe bilden, dann wird deutlich, daß die notwendige Beweglichkeit, die Mobilität alle Arten von Produktionsressourcen effektiv zu nutzen, eingeschränkt ist.

Wir sind bestrebt, die Modekonzeption zu qualifizieren, sie zu einem wichtigen Instrument der Leitung für die planmäßige Vorbereitung der bedarfs- und zeitgerechten, rationalen Produktion modischer Erzeugnisse in hoher Qualität weiterzuentwickeln. Gegen eine „Qualifizierung" der Konzeption, die zum Teil in Verkennung der realen Reproduktionsbedingungen Züge zur Perfektion aufweist, wenden wir uns, zumal unsere Kapazitäten zur Erarbeitung von Konzeptionen nicht unbeschränkt sind und für unmittelbare Aufgaben zur Sicherung einer bedarfsgerechten Produktion in erster Linie gebraucht werden. Der konzeptionelle Vorlauf sollte sich deshalb auf Aussagen begrenzen, die aus gesamtgesellschaftlicher Sicht mit unserer Produktion zu sichern sind. Das betrifft beispielsweise die Höhe des Warenfonds für die Bevölkerungsversorgung usw.

Bei der Festlegung Staatlicher Aufgaben sollte meines Erachtens in erster Linie vom Standpunkt der gesellschaftlichen Bedürfnisse, den volkswirtschaftlichen Möglichkeiten und vom gesellschaftlichen Nutzen ausgegangen werden und nicht einseitig vom Standpunkt des quantitativen Produktionswachstums und einer ständigen Senkung des Aufwandes. Das setzt eine höhere Eigenverantwortung der wirtschaftsleitenden Organe von Industrie und Handel und der Betriebe voraus, um bei Sicherung der volkswirtschaftlichen Ziele eine größere Deckungsgleichheit mit den konkret ablaufenden Prozessen zu gewährleisten.

Um den volkswirtschaftlichen und betrieblichen Nutzen besser in Übereinstimmung zu bringen, sollten zur Eigenverantwortung der VVB gehören,

– optimale Relationen zwischen Spezialisierung und Beweglichkeit der Produktion zu finden und zu nutzen, d. h. wenn es das Niveau der Befriedigung der gesellschaftlichen Bedürfnisse erfordert, Produktionsstrukturen und Erzeugnissortimente in rascher Folge umzustellen und das nicht nur im eigenen Verantwortungsbereich;

(Jede Abstimmung über die Produktionsstruktur mit den Wirtschaftsräten zum Zwecke der weiteren Intensivierung der Produktion muß die Bedingungen der Mode und damit Beweglichkeit sichern.)

– Qualitätsverbesserungen durchzuführen, wenn für den Verbraucher insgesamt ein Nutzen verbunden ist, auch wenn dadurch die Produktionskosten je Erzeugniseinheit zum Teil ansteigen oder sich das Produktionswachstum in einer Artikelgruppe etwas verlangsamen sollte;

(Es ist eine Eigenart modischer Produktion, daß Qualitätsverbesserungen nicht primär mit höheren Eigenschaften verbunden sind. Es gibt nicht wenige Fälle, wo die Mode zur Senkung von Parametern führt, zum Beispiel aus Gründen des optischen Bildes zur geringeren Beständigkeit. Die Verarbeitung dieser textilen Flächen, die Formgebung und Ausstattung der Erzeugnisse, erfordert die Anwendung spezieller Technologien, um den modischen Effekt qualitativ zu sichern.)

– ökonomische Stimulierungen bei Produktionsumstellungen und für neu- und weiterentwickelte Erzeugnisse eigenverantwortlich vorzunehmen, die Verfahren und die Antragswege zu vereinfachen, sich dem Moderhythmus anzupassen und im Preis-Leistungs-Verhältnis subjektive Faktoren, die mit der Mode verbunden sind, anzuerkennen; (Die Gebrauchswertmessung sowie die Wichtung der Gebrauchseigenschaften bei modischen Erzeugnissen unterliegen z. T. anderen Gesetzmäßigkeiten. Die Mode verändert zum Beispiel Anforderungen an die Paßform, sie verändert das Gewicht von Eigenschaften. Ist in einer Periode die Repräsentationsgüte dominierend, so kann sie, wie jetzt in der Jeansmode, gerade ins Gegenteil umschlagen.

Darüber hinaus laufen diese Prozesse schnell ab, Richtungen kommen und gehen. Mit der heutigen Praxis, den angewandten Methoden wird keine kräftige Stimulierung modischer Produktion erreicht.)

Unseres Erachtens besteht eine Kernfrage darin, die sozialistische Planung über alle Reproduktionsphasen hinweg zur wesentlichen Erhöhung der Mobilität aller Arten von Produktionsressourcen zu nutzen.

Im Widerspruch zu den Reproduktionsbedingungen in der Finalstufe steht die Praxis, wonach der Konfektionsbetrieb seine Verträge mit den Vorstufen 4 Monate früher binden muß, als sein Abkauf stattfindet. Andererseits hat der Handel das Recht, die mit ihm in der Sortimentskonzeption abgestimmten Bedarfsgrößen sowohl quantitativ als auch qualitativ zu ändern, wenn es die Marktlage erfordert. Vertragsänderungen kommen oft nicht zustande, weil der Textilbetrieb nachweist, daß die Produktion bereits begonnen hat. Als eine Folge nehmen die Überplanbestände an Material und Fertigwaren in der Industrie zu und Verluste in der Zirkulation durch Erzielung geringerer Valutaerlöse sind die Folge. Gesamtgesellschaftlich gesehen sind in diesen Waren hohe Importaufwendungen sowie gesellschaftliche Arbeit und Fondseinsatz gebunden, die keinen Käufer finden.

In der modischen Produktion muß zur Herstellung des Endproduktes eine maximale Beweglichkeit gesichert werden, was Reservefonds im Rohstoff und in den Vorstufen erfordert, sonst wachsen schwer absetzbare Bestände an Fertigwaren in Industrie und Handel.

Wir sind der Auffassung, daß es möglich ist, wie in anderen sozialistischen Ländern bereits Praxis, daß mit der Bilanzierung zwar eine Vorbindung durch die Partner erfolgt, daß jedoch gestaffelt nach dem in der Textilindustrie erforderlichen Produktionsdurchlauf, artikelbedingt ein Vertragsabschluß erst dann erfolgt, wenn die Konfektion verkauft hat. Das erfordert unter anderem eine Staffelung im Abkauf der Konfektion, aber auf alle Fälle höhere Beweglichkeit in der Vorstufe, sich auf den verändernden Bedarf einzustellen.

Wir sind uns bewußt, und meine Ausführungen spiegeln das wider, daß die gestellten Aufgaben, die in unsere Verantwortung gelegt sind, neue Überlegungen zur weiteren Vervollkommnung der Leitung und Planung erfordern.

K. Bernheier

Zwischenzweigliche Beziehungen besser beherrschen

In den vorliegenden Thesen, in denen die Hauptaspekte zur weiteren Vervollkommnung der Leitung, Planung und ökonomischen Stimulierung enthalten sind, werden auch die zwischenzweiglichen Beziehungen und Kooperationsbeziehungen zwischen den Betrieben hervorgehoben. Es wird auf eine wachsende Proportionalität des Reproduktionsprozesses, einen höheren Grad der Bilanziertheit und auf stabile Kooperationsbeziehungen vor allem zwischen den Betrieben der Zuliefer- und Finalproduktion hingewiesen. Damit wird deutlich, daß die Beziehungen zwischen den verschiedenen Wirtschaftszweigen eine vielschichtige Problematik von volkswirtschaftlicher Bedeutung umfassen, die in den Prozeß der Vervollkommnung der Leitung, Planung und Stimulierung fest eingeordnet sein müssen.

Wissenschaft und Technik wirken beschleunigend auf die Arbeitsteilung und Spezialisierung der Produktion und führen zu neuen Verflechtungen. Es entstehen neue spezialisierte Betriebe und sogar Wirtschaftszweige. Dieser Prozeß ist unmittelbar damit verbunden, daß die Finalerzeugnisse beispielsweise durch die Elektronik selbst komplizierter werden und immer stärker in Systeme eingeordnet sind, die entsprechend zusammengestellt und angeboten werden müssen. Das betrifft Maschinensysteme, aber auch Komplexe von Konsumgütern. Diese Entwicklung ist mit neuen Verflechtungen zwischen den Zweigen verbunden.

Wir haben es objektiv mit zunehmenden Verflechtungen zu tun. Die Herstellung eines Finalerzeugnisses umfaßt einen vielschichtigen Produktionsprozeß mit weitreichenden Verzweigungen. Prognostische Berechnungen, beispielsweise im Maschinenbau, über 1980 hinaus bestätigen dies, und wir müssen uns in der Leitung voll darauf einstellen. Im Werkzeugmaschinenbau steigt bei hochautomatisierten Maschinen der Anteil der Zulieferungen bis 1980 auf 50 bis 70 %. Diese Verflechtungen bestimmen den gesamten Reproduktionsprozeß, vor allem die sozialistische Produktion. Sie reichen jedoch bis zum Außen- und Binnenhandel. Es ist unbedingt erforderlich, die verschiedenen Formen des Handels in die Verflechtungen mit einzuordnen. So müssen Maschinenbau und Außenhandel regelrecht verzahnt werden, um den Anforderungen der Kunden immer besser zu entsprechen.

Folgende Entwicklungstendenzen werden deutlich:

- Die Verflechtungen wachsen, die Verzahnung der Zweige nimmt zu, und
- volkswirtschaftlich effektive Lösungen verlangen den möglichst nahtlosen Übergang zwischen den Zweigen und die Ausbildung der Wirtschaft zu einem einheitlich funktionierenden Organismus.

Die wachsende Rolle der Leitung und Planung bei der Meisterung dieser Zusammenhänge wird deutlich. Je besser die komplizierten Verflechtungen durch die Leitung beherrscht werden, um so effektiver sind volkswirtschaftliche Ziele und Aufgabenstellungen zu lösen.

Auf dem IX. Parteitag der SED wurde auf die wirksamere Beherrschung der zwischenzweiglichen Verflechtungen orientiert. Insbesondere die im Bericht des ZK herausgearbeiteten sechs volkswirtschaftlichen Komplexe zur Stärkung der materiell-technischen Basis verdeutlichen, wie sich bestimmte Zweige der Volkswirtschaft besonders eng verflechten und insgesamt die zwischenzweiglichen Beziehungen weiter zunehmen. Es kommt darauf an, die Energie- und Rohstoffbasis zu sichern, die Konsumgüterproduktion zu verstärken, die Halbzeug- und Zulieferindustrie sowie den Maschinenbau zu entwickeln und weitere Zweige auszubauen, die alle wiederum miteinander eng verflochten sind.

In der Sowjetunion wird der besseren Beherrschung der vielschichtigen Beziehungen große Aufmerksamkeit geschenkt. Sehr deutlich hebt beispielsweise Popov hervor: „Deshalb wird genaue Orientierung des Leitungsmechanismus auf die zwischenzweiglichen Probleme zu einer erstrangigen Aufgabe, in deren Lösung heute unsere hauptsächlichen Reserven liegen.“[1]

Insbesondere seit dem VIII. Parteitag der SED konnten in der Beherrschung der zwischenzweiglichen Verflechtungen Fortschritte erzielt werden. Durch eine schnellere Entwicklung der Zulieferproduktion wurden Disproportionen überwunden bzw. abgeschwächt. Die Zusammenarbeit zwischen den Kombinaten konnte auf dieser Grundlage weiter vertieft werden, worauf in der These 11 speziell hingewiesen wird. Analysen und Untersuchungen zeigen allerdings, daß noch große Anstrengungen erforderlich sind, um die zwischenzweiglichen Prozesse besser zu erfassen und von dieser Seite aus den Intensivierungsprozeß stärker zu fördern und die volkswirtschaftliche Effektivität zu erhöhen.

Mängel treten teilweise deshalb auf, weil

– noch bestimmte Defizite an wichtigen Zulieferungen vorhanden sind,

– das wissenschaftlich-technische Niveau bzw. die Aktualität verschiedener Zuliefererzeugnisse nicht genügend den hohen Anforderungen entspricht und

– die Abstimmung und Verflechtung der Pläne über mehrere Wirtschaftszweige hinweg nicht immer befriedigend funktioniert.

Die Beherrschung der zwischenzweiglichen Verflechtungen im Interesse einer immer besseren Befriedigung des Bedarfs der Bevölkerung und der Volkswirtschaft auf der Basis größtmöglicher Effektivität wird zu einer wichtigen Aufgabe der Leitung, Planung und ökonomischen Stimulierung. Die Lösungswege müssen sehr komplex gesehen werden. Folgende Schwerpunkte ergeben sich:

a) Es kommt generell darauf an, die zwischenzweiglichen Verflechtungen in den Gesamtprozeß der Vervollkommnung der Leitung auf der Grundlage des demokratischen Zentralismus entsprechend einzuordnen. Dabei ist anzustreben, daß besonders eng verbundene Zweige und Bereiche ihre Aktivitäten wirksamer koordinieren und stets einheitlich durchsetzen. Dieses Vorgehen muß zugleich darauf gerichtet sein, die Zweigleitung selbst weiter zu qualifizieren und sie enger mit der Leitung zwischenzweiglicher Verflechtungen zu verbinden. Diese beiden Seiten sind schließlich enger mit der territorialen Leitung zu verflechten. In dieser Komplexität werden entscheidende Möglichkeiten gesehen, jene Mängel zu überwinden, die in der Leitung besonders eng verbundener Zweige bzw. im Beherrschen der verschiedenen Stufen der Produktion noch auftreten.

b) Der weiteren Vervollkommnung der Planung kommt wachsende Bedeutung zu. Von ihr hängt es vor allem ab, wie die zwischenzweiglichen Beziehungen beherrscht werden. Das Prinzip der Komplexität muß verstärkt durchgesetzt werden, um das komplizierter werdende Netz der Verflechtungen zu erfassen.

[1] G. Popov, Kakova nadežnost' stykov?, in: Pravda, Moskva (1976) 209 v. 27.7., S. 2.

Die Aufmerksamkeit soll besonders auf folgende Planungsaufgaben gelenkt werden:

– Die proportionale Entwicklung der verschiedenen Zweige steht vor allem im Mittelpunkt, um einen hohen Grad der Bilanziertheit zu erreichen. Dabei ergibt sich u. a. die Frage, ob ein schnelleres quantitatives und qualitatives Wachsen der Zulieferproduktion zeitweilig oder ständig gesichert werden muß. Offensichtlich muß es ständig durchgesetzt werden, wenn auch in unterschiedlichen Größenordnungen, denn auf dieser Basis werden u. a. wichtige Voraussetzungen für eine verstärkte Angebotspflicht geschaffen. Ausgeglichenere Proportionen sind überhaupt für eine verstärkte Fortführung der Intensivierung von großer Bedeutung.

– Es entstehen höhere Anforderungen an das Bilanzsystem, an die Nomenklaturen und ihre praktische Handhabung. Die Palette reicht bis zur Verflechtungsbilanzierung.

– Die in den Thesen erwähnte Programmplanung muß stärker praktiziert werden. Dabei ergeben sich folgende zwei Aspekte: die Ausarbeitung von zentralen Zielprogrammen und die Durchsetzung der Ziel-Programm-Methode im gesamten Planungsprozeß. In beiden Fällen besteht das Grundanliegen darin, komplizierte überzweigliche Aufgaben komplex zu erfassen, alle beteiligten Zweige unabhängig von ihrer leitungsmäßigen Zuordnung zusammenzuführen und die entscheidenden Aufgaben in den Zweigplänen zu verankern. Vor allem der Ziel-Programm-Methode sollte größere Aufmerksamkeit geschenkt werden, weil sie es gestattet, auf die bessere Beherrschung zwischenzweiglicher Beziehungen im Interesse volkswirtschaftlicher Lösungen zu orientieren und vorhandene Ansätze in der Planungspraxis weiter auszubauen.

– Diese Methode sollten die Leiter der verschiedenen Ebenen auch von der erzieherisch-orientierenden Seite stärker beachten. Die Beherrschung zwischenzweiglicher Verflechtungen verlangt stets, von einer allseitig begründeten volkswirtschaftlichen Zielstellung auszugehen und sie rechtzeitig, d. h. mit möglichst großem Vorlauf und erweitertem Planungshorizont zu erarbeiten. Die Verflechtungen sind komplex mit allen Partnern in der Kooperationskette konkret abzustimmen und zu erfassen und alle Aufgaben sind in das System der Pläne und Planteile sowie in die Bilanzen einzuordnen.

Es gilt, stärker anzustreben, daß bereits in der konzeptionellen Phase der Planung das Ziel gestellt wird, die für die verschiedenen Zweige vorgesehenen materiellen und finanziellen Fonds noch besser über die Produktionsstufen und Zweige hinweg koordiniert einzusetzen und zu nutzen.

c) Ein solches Vorgehen verlangt entsprechende Verhaltensweisen vor allem der Ministerien. Auf diese Frage wird auch in den Thesen näher eingegangen. Die Ministerien nehmen bei der Planung ihrer Zweige, aber auch bei der Planung der Verbindungen zu den angrenzenden Zweigen und Produktionsstufen eine Schlüsselstellung ein, die sie auch voll auszufüllen haben. Auf der 5. Tagung des ZK heißt es dazu: „Es ist eine gewichtige Verantwortung der Minister, die objektiv existierenden ökonomischen Verflechtungen wirksamer zu beherrschen."[2]

Bei der Zusammenarbeit zwischen den Ministerien bewähren sich vor allem gemeinsame, langfristige Programme, Vereinbarungen und spezielle Konzeptionen, die sowohl für die konzeptionelle Phase der Planung als auch für die Planungsführung von Bedeutung sind. Der Schwerpunkt sollte jedoch bei der konzeptionellen Arbeit liegen, da sie entscheidend mithilft, die Pläne besser zu begründen und entsprechend zu untersetzen.

[2] Vgl. E. Honecker, 5. Tagung des ZK, Aus dem Bericht des Politbüros an das Zentralkomitee der SED, Berlin 1977, S. 21.

Generell macht es sich erforderlich, die langfristige Planung stärker zu entwickeln und dabei stets die Verflechtungen der Zweige mit einzuordnen. Künftige Entwicklungslinien müssen stets die Finalproduktion und zugleich auch die vielfältige Zulieferungen erfassen, um eine fundierte Vorausschau zu erreichen. Ein solches Vorgehen ist für die Qualifizierung der Fünfjahrpläne unerläßlich und schafft ein solides Fundament für die Arbeit der Kombinate und Betriebe.

d) Von der koordinierenden Tätigkeit der Ministerien hängt es in hohem Maße ab, wie sich die Zusammenarbeit und Kooperation zwischen den Betrieben und Kombinaten entwickelt. Ein höheres Niveau in der zentralen Planung verlangt und ermöglicht zugleich, daß die Kombinate und Betriebe ihre Aktivitäten verstärken, um stabile Kooperationsbeziehungen herzustellen. Aber auch hier ist es erforderlich, bereits in der konzeptionellen Phase der Planung den Beziehungen zu den Vorlieferanten bzw. zu den Abnehmern und Kunden größere Aufmerksamkeit zu schenken.

Dafür sollten die Intensivierungskonzeptionen stärker genutzt werden. Sie bieten entscheidende Möglichkeiten, die gegenseitigen Anforderungen zwischen Zulieferern und Finalproduzenten mit einzuordnen und die erforderlichen Maßnahmen festzulegen. Aber auch solche Leitungs- und Planungsmaterialien wie die Erzeugnisentwicklungskonzeptionen sollten stärker herangezogen werden, um die gegenseitigen Aufgaben vorausschauend zu bestimmen und die Anforderungen vor allem an die wissenschaftlich-technische Arbeit exakt abzudecken.

W. Heyde

Weitere Ansatzpunkte zur Vervollkommnung der Leitung und Planung des wissenschaftlich-technischen Fortschritts

Die vorgelegten Thesen stimmen mit unseren Erfahrungen und Vorstellungen überein. In einer Richtung halte ich es für notwendig, die Thesen zu ergänzen bzw. zu präzisieren; zu einigen speziellen Aspekten möchte ich unsere Auffassungen darlegen.

1. Die Thesen sind meines Erachtens in folgender Richtung zu ergänzen, wenn man sie als eine Verständigung über notwendig zu lösende Probleme versteht.

Die weitere Vervollkommnung der Leitung, Planung und ökonomischen Stimulierung muß zielorientiert sein. Richtig wird in These 1 und an anderen Stellen der Thesen die ständige Erhöhung der Effektivität der gesellschaftlichen Arbeit bei der Bedürfnis- und Bedarfsbefriedigung als ein wesentliches Ziel angesehen. Es ist jedoch eine Tatsache, daß es nicht genügt, auf die Effektivitätssteigerung als eine globale Aufgabe hinzuweisen. Es gibt zur Effektivität – vom betriebswirtschaftlichen Standpunkt, und nicht nur dort – noch viele offene inhaltliche und methodische Probleme, wozu Lösungen notwendig sind. Klären wir sie nicht, bleibt auch das Ziel verschwommen. Leitung, Planung und ökonomische Stimulierung werden dann nicht wirkungsvoll sein. Eben deshalb muß in den Thesen auch die Aufgabe gestellt werden, die Effektivität besser zu bestimmen.

Wenn wir den Effektivitätszuwachs in den Mittelpunkt des betrieblichen Wirtschaftens stellen, dann erfordert das, noch mehr Aufmerksamkeit als bisher dem Niveau der Effektivitätsermittlungen zu widmen. Nur über ein hohes Niveau der Effektivitätsermittlung wird gesichert, daß wir den wissenschaflich-technischen Fortschritt, die Intensivierung überhaupt richtig orientieren, d. h. die aktive Rolle der Effektivitätsermittlung bei der Festlegung technischer und organisatorischer Lösungsvarianten ist durchzusetzen und entsprechend den aus den gesellschaftlichen Erfordernissen abgeleiteten Effektivitätszielen sind die günstigsten Varianten und Maßnahmen des wissenschaftlich-technischen Fortschritts auszuwählen.

Unsere Untersuchungen lassen erkennen, daß' die Qualifizierung der Effektivitätsermittlungen vor allem in folgender Hinsicht erfolgen muß:

– Ausgeprägt werden muß der volkswirtschaftliche Charakter der Effektivitätsermittlungen, d. h., es muß gesichert werden, daß stets diejenigen Varianten des wissenschaftlich-technischen Fortschritts verwirklicht werden, die den höchsten volkswirtschaftlichen Effekt aufweisen. Das verlangt noch mehr Sorgfalt bei der Ermittlung aller mit einer wissenschaftlich-technischen Aufgabe verbundenen Aufwendungen und Ergebnisse. Mit dem bewußten Verfolgen der Wirkungsketten einer Aufgabe wird gewährleistet, daß die Effektivitätspotenzen erschlossen und keine isolierten Entscheidungen getroffen werden.

– Noch besser als bisher muß bei den Effektivitätsermittlungen die Einheit von sozialen und ökonomischen Entscheidungskriterien berücksichtigt werden. Zwar ist dieses Denken durch die Orientierungen unserer Partei schon vielfach im Bewußtsein unserer Leiter ausgeprägt, aber im einzelnen, bei jeder konkreten zu entscheidenden Maßnahme, treten noch Unsicherheiten auf, weil Unklarheiten über den Inhalt der sozialen Effektivität, die qualitativen und quantitativen Ausdrücke ihrer Widerspiegelung und teilweise Unsicherheiten über die anzustrebenden Ziele bestehen. Die Verbindung ökonomischer und sozialer Ziele und Ergebnisse, ihre Dialektik, stellen noch Forschungsgegenstand dar; die Lösung dieser Fragen ist dringend.

– Immer wieder muß darauf aufmerksam gemacht werden, daß die Verbindung von maßnahmebezogener und bereichsbezogener bzw. gesamtbetrieblicher Effektivitätsermittlung hergestellt werden muß. Nach meiner Meinung ist diese Verbindung vor allem über die Effektivitätsplanung herstellbar, indem die bereichsbezogenen Effektivitätsziele aus den gesamtbetrieblichen Erfordernissen abgeleitet werden und die Möglichkeiten der Effektivitätssteigerung durch die Gesamtheit der Maßnahmen mit den Erfordernissen bilanziert werden. Daraus leiten sich dann aufgabenbezogene Effektivitätsziele ab. Das ist verbunden mit der wissenschaftlichen Durchdringung der Prozesse der Vorgabenableitung, der Verflechtungen in Kennziffernsystemen.

– Eine schon oft diskutierte Frage ist die der Effektivitätsnormative. Ich bin der Überzeugung, daß durch volkswirtschaftliche Normative der Effektivität die Qualität der Entscheidungsfindung wesentlich erhöht werden könnte. Selbst wenn sich heute nicht jeder Wert theoretisch eindeutig fundieren ließe, so würde doch schon die Angabe von Orientierungsgrößen, die sich aus volkswirtschaftlichen Erfordernissen und Analysen ableiten lassen, der Praxis viel helfen.

Sicher ließe sich die Palette der Aufgaben zur Qualifizierung der Effektivitätsermittlung erweitern. Ich denke jedoch, daß es sich bei den von mir angesprochenen Fragen mit um die wichtigsten handelt.

2. Ich unterstütze sehr die These, bei Wissenschaft und Technik von einem Stil der „Themenplanung" zu einem Stil der „Programmplanung" überzugehen (These 3). Aus unseren Untersuchungen und Erfahrungen geht diese Richtung eindeutig hervor. Aber gleichzeitig muß man auch feststellen, daß das nicht auf die Planung von Wissenschaft und Technik beschränkt sein darf. Die sozialistische Intensivierung insgesamt muß Programmcharakter erhalten. Das drückt sich dann auch in einer höheren Komplexität der betrieblichen Intensivierungskonzeptionen aus. Das würde bedeuten:

Erstens: Die vorgegebenen Ziele und die angestrebten Wirkungen sind durch die Einheit politischer, ökonomischer, sozialer und technischer Aspekte charakterisiert.

Zweitens: Es wird der gesamte betriebliche Reproduktionsprozeß erfaßt: die Aufgaben zur Rationalisierung der produktionsvorbereitenden Prozesse, der Fertigungsprozesse, der Realisierungsprozesse und der Vervollkommnung der Leitungs- und Planungsprozesse durchdringen und beeinflussen sich gegenseitig.

Drittens: Miteinander verflochtene wissenschaftlich-technische Maßnahmen sind so ausgewählt und miteinander kombiniert, daß eine bestmögliche Erfüllung der Ziele der Intensivierung erreicht wird.

Man muß – vom Standpunkt der Effektivität – dann auch optimale Programme erarbeiten. Von einem optimalen Programm kann gesprochen werden, wenn

– mit der Struktur des Programms alle inhaltlichen Verflechtungen und Beziehungen erfaßt werden und

– höchste Effektivität bei Beachtung vorhandener Nebenbedingungen und Begrenzungen erreicht wird.

Einem optimalen Programm kommt man dann sehr nahe, wenn durchgängige Lösungen der Rationalisierung und Rekonstruktion, der Erzeugnis- und Verfahrensentwicklung und ihrer technologischen und organisatorischen Realisierung erarbeitet werden.

Bei einer durchgängigen Lösung bedingen alle Maßnahmen einander und sind jeweils Voraussetzung für die nachfolgenden. Werden einzelne Prozesse vernachlässigt, so treten Effektivitätsverluste auf oder die Realisierung des Programms ist in Frage gestellt. Bei der Zusammenstellung eines Programms ist deshalb besonders auf die Erfassung der logischen und technologischen Beziehungen zwischen den Maßnahmen zu achten; die Wirkungsketten einer Maßnahme im betrieblichen Reproduktionsprozeß sind zu verfolgen. Effektivitätsermittlungen müssen stets das gesamte Programm zum Gegenstand haben; über einzelne Maßnahmen des Programms kann nicht isoliert entschieden werden. Ist das Programm effektiv, dann auch jede einzelne Maßnahme des Programms. Solche Programme lassen sich nur im Maßstab des Betriebes aufstellen. Es wird gewährleistet, daß die Effektivitätswirkungen der Maßnahmen sich nicht gegenseitig aufheben, sondern verstärken und daß die Bereiche des Betriebes sich proportional entwickeln. Häufig wird das Programmherangehen angezweifelt, weil die Ressourcen nicht ausreichen. Meist wird aber gerade das Programmherangehen im Sinne der Optimierung eine bessere Nutzung der verfügbaren Fonds ermöglichen.

3. Leistungs- und Effektivitätsreserven können erschlossen werden, wenn alle Seiten der Leitungstätigkeit konsequent beherrscht werden. Dazu gehört auch die leistungsfördernde, auf Vorgaben, technisch-ökonomische Aufgabenstellungen, Pflichtenhefte orientierte Kontrolle der Arbeitsprozesse, die mit der Durchsetzung des wissenschaftlich-technischen Fortschritts (z. B. in Forschung und Entwicklung) verbunden sind.

Wir haben in Untersuchungen festgestellt, daß zur Gestaltung des Kontrollprozesses, z. B. bei der Erzeugnisentwicklung im Maschinenbau, beachtliche Reserven bestehen, deren Nutzung sich auszahlt im günstigen Zeitablauf des Entwicklungsprozesses, der besseren Beherrschung der Überleitung, der Sicherung der Effektivität bei Hersteller und Anwender.

Das betrifft Kontrollinhalte, -zeitpunkte, -formen, Verhalten bei Vorliegen von Kontrollergebnissen. Das Eindringen in die Zusammenhänge zwischen Planung und Kontrolle des Entwicklungsprozesses hat dann auch dazu geführt, unsere Vorstellungen von der Arbeit mit technisch-ökonomischen Aufgabenstellungen zu qualifizieren. Daraus entstanden neben Empfehlungen für die Kontrolle auch solche zur Präzisierung und Detaillierung von technisch-ökonomischen Aufgabenstellungen. Sie wurden in einem Landmaschinenbau-Kombinat angewendet und brachten bessere ökonomische Ergebnisse.

4. In These 6 wird die Aufschlüsselung des Planes Wissenschaft und Technik gefordert. Dieser generellen Orientierung stimme ich zu, wenn die damit verbundenen komplizierten Probleme gesehen und gelöst werden. Zu vielen solcher Probleme technisch-wissenschaftlicher Entwicklung und der damit verbundenen Überleitung der Ergebnisse in die Nutzung ist in der Diskussion dieser Tagung schon gesprochen worden. Die Gefahr formaler Aufschlüsselung ist gerade beim Plan Wissenschaft und Technik besonders groß. Es ist z. B. ein Unterschied, ob der Fünfjahrplan (als in Zukunft wichtigstes Leitungsinstrument für Wissenschaft und Technik) oder der Jahresplan aufgeschlüsselt werden soll. Im ersten Fall entstehen erhebliche Probleme der inhaltlichen Detaillierung der Aufgaben für Kollektive, bestimmt durch die wissenschaftlich-technischen evtl. auch noch ökonomischen, sozialen Erkenntnisse bzw. Vorstellungen von den oft noch nicht überschaubaren Lösungswegen. Beim Jahresplan hingegen sind die Lösungswege überschaubar und deshalb auch Aufgaben auf Kollektive oder Bearbeiter konkret aufschlüsselbar.

Weiterhin sind Unterschiede bei den Aufgabenarten zu beachten und schließlich die ganze Kompliziertheit des arbeitsteiligen Prozesses in Forschung und Entwicklung (meist auch unter den Bedingungen der FE-Kooperation) zu erfassen.

Schließlich hat die Planaufschlüsselung nur dann wirklich Sinn bzw. bewegt etwas, wenn eine zuverlässige leistungsstimulierende Kontrolle des Entwicklungsprozesses erfolgt. Hier entstehen die Zusammenhänge zwischen Detaillierung, Präzisierung und Kontrolle von Aufgabenstellungen, auf die ich im vorangegangenen Punkt hinwies. Deshalb waren unsere Untersuchungen zur „Planaufschlüsselung" verbunden mit der technisch-ökonomischen Aufgabenstellung und ihrer Kontrolle.

H.-J. Aust

Beitrag der wissenschaftlichen Arbeitsorganisation zur rationellen Nutzung des gesellschaftlichen Arbeitsvermögens im Kombinat der sozialistischen Industrie

Im heutigen Referat hat Professor Friedrich im zweiten Schwerpunkt „Wie gelingt es, Leitung, Planung und ökonomische Stimulierung immer konsequenter auf die Intensivierung einzustellen?" auf die erhöhte Rolle der WAO im Zusammenhang mit der Einführung der Grundlöhne hingewiesen. Auch unsere Untersuchungen bestätigen die positiven Erfahrungen, die mit der WAO für die weitere Intensivierung erzielt wurden. Am Beispiel der Wirkung auf die rationelle Nutzung des gesellschaftlichen Arbeitsvermögens im Kombinat der sozialistischen Industrie möchte ich das erläutern.

Im Gesetz über den Fünfjahrplan für die Entwicklung der Volkswirtschaft der DDR 1976 bis 1980 heißt es:

„Die Wirksamkeit des gesellschaftlichen Arbeitsvermögens ist insbesondere durch die umfassende Anwendung der wissenschaftlichen Arbeitsorganisation als Bestandteil der sozialistischen Rationalisierung in den Betrieben und Kombinaten für bestehende Arbeitsprozesse sowie für die Gestaltung künftiger Prozesse weiter zu verstärken."[1]

Von welchen Gesichtspunkten muß dabei ausgegangen werden?

a) Bei der Entwicklung und Nutzung des gesellschaftlichen Arbeitsvermögens in der DDR konnten *entscheidende Erfolge* erzielt werden; dazu gehören:

– „die Herausbildung eines arbeitsteilig wirksamen, hochqualifizierten, den volkswirtschaftlichen Interessen entsprechend strukturell gegliederten gesellschaftlichen Arbeitsvermögens;

– die Sicherung der Vollbeschäftigung bei gleichzeitigem Arbeitskräftebedarf . . .;

– die Entwicklung eines Systems der qualifizierten Ausbildung des Berufsnachwuchses und die Gewährleistung einer Berufsbildung für alle Jugendlichen;

– das starke Wachstum der Qualifikation bei spürbarem Rückgang der an- und ungelernten Arbeitskräfte;

– die planmäßige, ständige Erhöhung des Wirkungsgrades der Arbeit"[2].

b) Die sozialistischen Produktionsverhältnisse ermöglichen und erfordern die planmäßige Gestaltung des Reproduktionsprozesses, die rationelle Nutzung des gesellschaftlichen Arbeitsvermögens und der materiellen Ressourcen der Gesellschaft.

Im Sozialismus beginnt ein *neues Bevölkerungsgesetz* zu wirken; es besagt, daß die Vollbeschäftigung gesichert und die vorhandenen Arbeitsressourcen rationell genutzt werden.[3]

Die *neuen, höheren Anforderungen*, die der IX. Parteitag der SED zur weiteren

[1] Gesetz über den Fünfjahrplan für die Entwicklung der Volkswirtschaft der DDR 1976–1980 vom 15. Dezember 1976, in: GBl. I, S. 522.

[2] H. Bley, Die rationelle Nutzung des Arbeitsvermögens als betrieblicher Intensivierungsfaktor, in: Wirtschaftswissenschaft, 11/1976, S. 1702.

[3] Vgl. E. Stiller, Höhere Wirksamkeit des gesellschaftlichen Arbeitsvermögens, in: Einheit, 12/1976, S. 1322..

Realisierung der Hauptaufgabe in Einheit von Wirtschafts- und Sozialpolitik gestellt hat, gebieten es, weitere Reserven zu erschließen. Dazu gehören die weitere Entwicklung und Nutzung des Arbeitsvermögens, und zwar sowohl des individuellen als auch des gesellschaftlichen Arbeitsvermögens.

c) Für den Betrieb und für das Kombinat lautet die Frage: *Wie entwickeln und nutzen wir das vorhandene Arbeitsvermögen, um höchstmögliche Ergebnisse*

– auf *ökonomischem Gebiet* (Arbeitsproduktivität, Qualität der Erzeugnisse, Kosten u. a.)

– *und in der sozialistischen Persönlichkeitsentwicklung* zu erreichen?

„Als Bestandteil der sozialistischen Rationalisierung hilft die WAO, die Intensivierung der Produktion zu vertiefen, die Arbeitsproduktivität zu erhöhen und die Arbeitsbedingungen der Werktätigen zu verbessern. Ihre Anwendung ist mit der weiteren Ausprägung des sozialistischen Charakters der Arbeit unmittelbar verbunden und damit eine sozial-ökonomische Aufgabe von hohem gesellschaftlichen Rang".[4] Die WAO hat in den vergangenen Jahren dazu beigetragen, die Wirksamkeit des betrieblichen und individuellen Arbeitsvermögens zu erhöhen. Auf dem IX. Parteitag der SED sind die erreichten Ergebnisse gewürdigt worden; dazu gehören, daß allein in den Jahren 1973 bis 1975 über 300000 Arbeitsplätze[5] neu- oder umgestaltet (das sind etwa 8% aller Arbeitsplätze) und damit körperlich schwere und gesundheitsgefährdende Arbeiten in einem bedeutsamen Umfang reduziert wurden,[6] daß der Produktionsablauf kontinuierlicher gestaltet und die Arbeitszeit effektiver genutzt werden konnten. Gleichzeitig mußte auch festgestellt werden, daß der Beitrag der WAO z. B. zur Reduzierung der Arbeitsplätze, zur Bereicherung der Arbeitsinhalte und zur Senkung der Ausfallzeiten nicht ausreicht. Es ist vor allem erforderlich, WAO und wissenschaftlich-technischen Fortschritt enger miteinander zu verbinden; einmal bestimmt der wissenschaftlich-technische Fortschritt das Niveau der Arbeitsproduktivität und den rationellen Einsatz des gesellschaftlichen Arbeitsvermögens – zum anderen muß die WAO beitragen, daß wissenschaftlich-technischer und sozialer Fortschritt immer eine Einheit bilden.

Für den Fünfjahrplanzeitraum 1976 bis 1980 sind bedeutende Aufgaben gestellt. So sollen durch wissenschaftlich-technische Maßnahmen jährlich 240 bis 260 Millionen Arbeitsstunden in Industrie und Bauwesen eingespart werden; das entspricht 125000 bis 135000 Arbeitskräften pro Jahr. Durch die WAO sollen jährlich mindestens 180000 Arbeitsplätze neu- oder umgestaltet werden.[7] Der Beitrag der WAO zur rationellen Nutzung des Arbeitsvermögens konnte im ersten Jahr des Fünfjahrplanes 1976 bis 1980 erhöht werden; z. B. gelang es, „durch Anwendung der wissenschaftlichen Arbeitsorganisation die Arbeitsbedingungen an mehr als 198000 Arbeitsplätzen zu verbessern."[8]

[4] Anordnung zur Richtlinie über die Anwendung der wissenschaftlichen Arbeitsorganisation vom 17. April 1975, in: GBl. I, S. 337.

[5] Vgl. E. Honecker, Bericht des Zentralkomitees der Sozialistischen Einheitspartei Deutschlands an den IX. Parteitag der SED, Berlin 1976, S. 39.

[6] Vgl. H. Sindermann, Bericht zur „Direktive zum Fünfjahrplan 1976–1980", Berlin 1976, S. 12.

[7] Vgl. Gesetz über den Fünfjahrplan für die Entwicklung der Volkswirtschaft der DDR 1976–1980 vom 15. Dezember 1976, in: GBl. I. S. 522.

[8] Mitteilung der Staatlichen Zentralverwaltung für Statistik über die Durchführung des Volkswirtschaftsplanes 1976, in: Neues Deutschland vom 22./23. Januar 1977, S. 3.

Folgende sieben Richtungen bestimmen die Wirkung der WAO auf die Entwicklung und Nutzung des betrieblichen Arbeitsvermögens:[9]

1. Die WAO hilft, die planmäßige Entwicklung der in der Arbeit erforderlichen Kenntnisse, Fähigkeiten und Fertigkeiten (erforderliches Arbeitsvermögen) in Übereinstimmung mit dem wissenschaftlich-technischen Fortschritt zu sichern. Mit Hilfe der Instrumentarien Arbeitsstudium, Arbeitsgestaltung, Arbeitsklassifizierung und Arbeitsnormung werden die derzeitigen und künftigen Arbeitsinhalte und Arbeitsbedingungen nach sozialistischen Maßstäben analysiert, gestaltet und in entsprechenden Vorschriften und Kennzahlen fixiert.

2. Die WAO trägt zur Entwicklung und Heranbildung des Arbeitsvermögens bei. Dazu dienen exaktere Unterlagen (z. B. durch die Arbeitsklassifizierung) für die Planung der Arbeitskräfteentwicklung nach Qualifikation und Beruf. Diese Wirkung ist u. a. auch für die Berufslenkung, Berufswahl und Berufsausbildung, für die Aus- und Weiterbildung der Werktätigen wichtig.

3. Von großer Bedeutung ist der Einfluß der WAO auf die Erhöhung der Wirksamkeit des im Betrieb eingesetzten Arbeitsvermögens (Heranführung des genutzten an das vorhandene Arbeitsvermögen). Dazu gehören z. B. der rationelle Einsatz der Arbeitskräfte bezüglich ihrer Qualifikation, die Ausweitung der Schichtarbeit zur besseren Nutzung der Grundfonds, die bessere Nutzung von Arbeitsteilung, -kooperation und -kombination, die qualitativ einwandfreie Arbeit an jedem Arbeitsplatz, die Reduzierung körperlich schwerer, gesundheitsschädigender und monotoner Arbeit, und die Erhöhung der Wirksamkeit der persönlichen materiellen und ideellen Stimulierung (u. a. durch Einführung der Grundlöhne).

Wichtig ist hier nicht nur die erzielte Reduzierung der Zahl der Arbeitsplätze und damit der (relativen) Arbeitskräfteeinsparung, sondern vor allem der produktivitäts- und persönlichkeitsfördernde Wiedereinsatz der freigesetzten Arbeitskräfte auf den neuen Arbeitsplätzen; hier liegen z. Z. bedeutende Reserven, die durch verbesserte WAO-Arbeit erschlossen werden müssen.

Besonders hervorgehoben sei an dieser Stelle, daß in den Betrieben und Kombinaten der DDR die Auslastung hochproduktiver Anlagen und Maschinen immer mehr zu einem Gradmesser für die Nutzung des gesellschaftlichen Arbeitsvermögens wird.[10] Würde beispielsweise 1980 die Grundfondsausnutzung in der Industrie um 15 Minuten erhöht, so könnte eine um 6,9 Milliarden Mark größere Jahresproduktion erzielt werden!

4. Die WAO wirkt auf die volle Nutzung des vom Arbeitsvermögen repräsentierten Zeitfonds. Hier geht es vor allem darum, die Ausfallzeiten zu reduzieren, z. B. die Stillstands- und Wartezeiten, die Verletzungen des vorgegebenen Arbeitszeitregimes. Große Bedeutung hat hier z. B. die Anwendung fortschrittlicher Arbeitsmethoden und die Verwirklichung des Grundsatzes „Neue Technik – neue Normen".

5. Die WAO hilft, die Zeitausfälle zu verringern, die durch absoluten „Ausfall" der Arbeitskräfte im Betrieb (Abwesenheit) auftreten, z. B. durch Krankheiten und Unfälle, durch Fluktuation. Der Einfluß der WAO wirkt hier insbesondere durch gründliche Analysen, durch die Schaffung und Aufrechterhaltung solcher Arbeitsinhalte und -bedingungen, die zugleich produktivitäts- und persönlichkeitsfördernd sind.

[9] Vgl. auch H. Bley, Die rationelle Nutzung des Arbeitsvermögens als betrieblicher Intensivierungsfaktor, in: Wirtschaftswissenschaft, 11/1976, S. 1702, 1711 bis 1713.

[10] Vgl. H. Koziolek, Probleme der Intensivierung der sozialistischen Produktion unter den Bedingungen ökonomischer Integration der Mitgliedsländer des RGW, in: Wirtschaftswissenschaft, 3/1977, S. 335 ff.

6. Die WAO trägt dazu bei, bei künftigen Arbeitsprozessen die Qualität und Quantität des Aufwandes an lebendiger Arbeit zu bestimmen und vor allem nach aufwandssenkenden und persönlichkeitsfördernden Gesichtspunkten zu beeinflussen, z. B. Substitution lebendiger durch vergegenständlichte Arbeit, Minimierung der Arbeitsplatzzahl, Bereicherung des Arbeitsinhaltes und weitere Qualifizierung entsprechend den gesellschaftlichen Bedürfnissen.

7. Die WAO kann schließlich helfen, Reserven zu erschließen, die im potentiellen, aber noch nicht genutzten gesellschaftlichen Arbeitsvermögen liegen. Das gilt z. B. für die Gewinnung von nicht berufstätigen Frauen, für die Gewinnung von Teilzeitbeschäftigten für die Vollbeschäftigung, für die Weiter- bzw. Wiederbeschäftigung von arbeitsfähigen Rentnern mit Hilfe der Verbeserung der Arbeitsbedingungen und der Schaffung von Frauen- und altersadäquaten Arbeitsplätzen.

Gemeinsam ist allen dargestellten sieben Wirkungsrichtungen, daß die WAO-Maßnahmen immer gemeinsam mit den Werktätigen durchgeführt werden, daß sowjetische Erfahrungen genutzt werden können, z. B. aus den Chemiekombinaten Stschokino und Polozk sowie vom „Baschkirischen Experiment".

Für den sozialistischen Leiter ergeben sich insbesondere folgende Aufgaben, um den Beitrag der WAO zur Entwicklung und Nutzung des gesellschaftlichen Arbeitsvermögens im Kombinat weiter zu erhöhen:[11]

1. An der Spitze muß die ständige politisch-ideologische Arbeit stehen. Entwicklung und Nutzung des individuellen wie betrieblichen Arbeitsvermögens berühren in jedem Falle das Denken und Handeln der Menschen, ihre Interessen und Wünsche. Der Leiter kann sich, wie die Erfahrungen bestätigen, auf die aktive Mitarbeit vieler Werktätigen stützen, die z. B. an einem reibungslosen Produktionsablauf, an der effektiven Nutzung der Arbeitszeit, an interessanter Arbeit interessiert sind. Der Leiter hat die Voraussetzungen für die Mitwirkung der Werktätigen bei der rationellen Nutzung des Arbeitsvermögens zu schaffen, z. B. im sozialistischen Wettbewerb, in der Neuererbewegung und in solchen Formen, wie WAO-Aktivs.

2. Der Leiter muß in seiner Arbeit immer davon ausgehen, daß alle WAO-Maßnahmen zur Entwicklung und Nutzung des Arbeitsvermögens Bestandteil der gesamten einheitlichen Wirtschafts- und Sozialpolitik sind, daß es sich um komplexe Maßnahmen handelt, die sowohl zur sozialistischen Intensivierung beitragen als auch die sozialistische Persönlichkeitsentwicklung betreffen. Diese Maßnahmen stehen in enger Beziehung z. B. zur Nutzung der Grundfonds, zur Investitionstätigkeit, zur Verbesserung der Arbeits- und Lebensbedingungen, zur weiteren Ausprägung des sozialistischen Charakters der Arbeit. Die praktischen Erfahrungen bestätigen, daß mit einzelnen, isolierten Maßnahmen nur geringe Erfolge erzielt werden können.

3. Fortschritte bei der weiteren Entwicklung und rationellen Nutzung des Arbeitsvermögens haben vor allem die Betriebe und Kombinate erreichen können, die eine exakte Analysentätigkeit durchführen, die die vorhandenen Reserven und Möglichkeiten zum Erschließen von Reserven exakt erfassen und objektiv ausweisen. Das betrifft z. B. Analysen über Arbeitsinhalte und -bedingungen, über die Nutzung der Qualifikation und der gesetzlichen Arbeitszeit, über die Schichtarbeit, über die Ausfallzeiten und über die Fluktuation. Für die Leitung und damit für die Entfaltung der schöpferischen Initiativen der Werktätigen sind qualifizierte und zielgerichtete Informationen dringend erforderlich.

[11] Vgl. auch H. Bley, Die rationelle Nutzung des Arbeitsvermögens als betrieblicher Intensivierungsfaktor, in: Wirtschaftswissenschaft, 11/1976, S. 1706 ff. und E. Stiller, Höhere Wirksamkeit des gesellschaftlichen Arbeitsvermögens, in: Einheit, 12/1976, S. 1324 ff.

4. Die Erfahrungen bestätigen die zentrale Stellung der Meister bei allen WAO-Maßnahmen, insbesondere auch zur Entwicklung und Nutzung des Arbeitsvermögens im Betrieb. Gute Erfolge konnten in den Betrieben und Kombinaten erzielt werden, in denen die Autorität der Meister als Organisator der Arbeit und Produktion und als Erzieher von Menschen entsprechend den Beschlüssen des IX. Parteitages der SED gestärkt wurde.

W. Ostwald

Kombinate und Territorialstruktur

In den Thesen nehmen die Prozesse der Standortverteilung der Produktivkräfte und die Territorialstruktur des gesellschaftlichen Reproduktionsprozesses im Zusammenhang mit der weiteren Vervollkommnung der Leitung und Planung der gesellschaftlichen Produktion sowie als wichtiger Faktor für die Entwicklung und Festigung der Kombinate in der sozialistischen Industrie zu Recht einen wichtigen Platz ein. Der Beschluß des IX. Parteitages der SED, das stabile Wachstumstempo der Produktion durch eine rationelle Standortverteilung der Produktivkräfte planmäßig zu unterstützen[1] und die darauf aufbauenden gesetzlichen Regelungen haben eine Grundlage geschaffen, damit die Leitung und Planung der sozialistischen Produktion mit der Leitung und Planung der territorialen Prozesse in noch besserer Übereinstimmung erfolgen kann. Wie wird dies in der Praxis realisiert, welche Ansatzpunkte gibt es für eine effektivere Gestaltung des Verhältnisses Produktion – Territorialstruktur?

Vor allem auf der Ebene der zentralen staatlichen Leitung und Planung gibt es in dieser Frage seit dem IX. Parteitag wesentliche Fortschritte durch eine weiter verbesserte Berücksichtigung und Gestaltung der territorialen Reproduktionsbedingungen im zentralen Planansatz, in den Komplexberatungen des Ministerrates, in den Bezirken usw. – das ist aber heute nicht Gegenstand der Beratung. Jedoch auch auf der Ebene der Kombinate sind im Hinblick auf die Berücksichtigung und bewußte Mitgestaltung der territorialen Reproduktionsbedingungen Fortschritte zu verzeichnen.

Es hat sich gezeigt, daß die Abstimmung von Zielen und Maßnahmen zur Entwicklung der Kombinate und zur Entwicklung der Territorien den Entscheidungen der Kombinate eine höhere Stabilität verleiht. Das gilt sowohl für die sorgfältige, volkswirtschaftlich verantwortungsbewußte Abstimmung der Produktion nach Volumen und Sortiment, für die Vorbereitung stabiler Entscheidungen zu Grundfonds und Investitionen, der Entscheidungen zum Einsatz des gesellschaftlichen Arbeitsvermögens usw. als auch für die Abstimmung von Maßnahmen zur weiteren Verbesserung der Arbeits- und Lebensbedingungen der Werktätigen in den Betrieben und der Bürger in den Wohngebieten des Territoriums. Immer deutlicher wird die objektiv begründete Notwendigkeit, daß der wissenschaftlich-technische Fortschritt und die anderen Intensivierungsfaktoren zu einem wesentlichen Teil über die rationelle territoriale Organisation der Produktion und der Reproduktionsbedingungen wirksam gemacht werden müssen.

Eine rationell gestaltete territoriale Konzentration, Spezialisierung und Kooperation der Produktion ist entscheidende Voraussetzung, um den wissenschaftlich-technischen Fortschritt, die Grundfondsökonomie, die Arbeitsökonomie, die Materialökonomie und die anderen Intensivierungsfaktoren voll wirksam zu machen. Ebenso tragen auch die

[1] Vgl. Direktive des IX. Parteitages der SED zum Fünfjahrplan für die Entwicklung der Volkswirtschaft der DDR in den Jahren 1976 bis 1980, Berlin 1976, S. 114.

Maßnahmen zur besseren Nutzung der vorhandenen Grundfonds im Territorium durch territorial koordinierten und gesicherten Übergang zur Mehrschichtarbeit, gemeinsame überbetriebliche Nutzung im Territorium vorhandener Grundfonds, durch Koordinierung der Tätigkeit der Neuerer, der Hauptmechaniker, die Maßnahmen zur territorialen koordinierten Herstellung von Rationalisierungsmitteln und die anderen Maßnahmen der territorialen Rationalisierung wesentlich zur Beschleunigung und Effektivitätserhöhung der Intensivierung bei. Das gilt voll für die Ebene der Kombinate der sozialistischen Industrie. Durch Beachtung, Nutzung und bewußte planmäßige Mitgestaltung der objektiven Zusammenhänge zwischen Intensivierung der Produktion und Territorialstruktur kann die Stabilität der Entscheidungen der Kombinate wesentlich erhöht werden. Ein entscheidender Weg, um diese Zusammenhänge noch wirksamer zu machen, besteht in der Qualifizierung der Leitungs- und Planungstätigkeit der Kombinate zur territorialen Rationalisierung. Dazu könnte beispielsweise beitragen, wenn die Kombinate ihren Betrieben die abgestimmten Maßnahmen der territorialen Rationalisierung konsequent als staatliche Auflagen übergeben und damit zum Bestandteil des Planes machen würden. Es genügt nicht, die Verantwortung der Kombinate zur territorialen Rationalisierung auf die Abstimmung der entscheidenden Aufgaben der territorialen Rationalisierung im Zentralen Plan zu beschränken, weil dadurch naturgemäß nur ein geringer Teil der Maßnahmen der territorialen Rationalisierung erfaßt werden kann. Ein wichtiger Ansatzpunkt für eine bessere Berücksichtigung der territorialen Reproduktionszusammenhänge in der Leitungstätigkeit der Kombinate wäre auch, in den Kombinaten Voraussetzungen für eine Kapazitätsplanung zu schaffen, beginnend mit einer Übersicht über die Kapazitätauslastung der Grundfonds ihrer Betriebe. Auch das würde ihnen gestatten, auf die Effektivität der territorialen Rationalisierung Einfluß zu nehmen, deren erster Schwerpunkt eine bessere Ausnutzung der vorhandenen Grundfonds ist, insbesondere durch Übergang zur Mehrschichtarbeit.

Aber auch bei der Wahl von Standorten, beim rationellen Einsatz des gesellschaftlichen Arbeitsvermögens, durch vertiefte Zusammenarbeit und Koordinierung zwischen Kombinaten und örtlichen Organen kann eine höhere Effektivität und Stabilität der Entscheidungen der Kombinate erreicht werden. Das trifft zusammen mit den verstärkten Bemühungen der örtlichen Organe der Staatsmacht in den Bezirken und Kreisen, im Rahmen der territorialen Planung ihre gesamtvolkswirtschaftliche Mitverantwortung wirkungsvoller zu realisieren. Im Bezirk Gera wurde ein Beispiel geschaffen, wie die örtlichen Volksvertretungen und ihre Organe nicht allein für die Bereitstellung von Arbeitskräften sorgen, sondern stärker auch auf die effektive Nutzung des gesellschaftlichen Arbeitsvermögens Einfluß nehmen. Umgekehrt werden viele Kombinate der sozialistischen Industrie bereits nicht nur für die ökonomischen und technologischen Prozesse der materiellen Produktion wirksam, sondern entscheiden und handeln zunehmend mitverantwortlich für die Lebensbedingungen der Bürger im Territorium ihrer Betriebe.

In einer solchen besseren Einbeziehung der territorialen Reproduktionsbedingungen und ihrer planmäßigen Gestaltung in die Leitung und Planung durch die örtlichen Organe und die Kombinate liegen Reserven für einen hohen Effekt der planmäßigen Nutzung und Gestaltung der territorialen Reproduktionsbedingungen sowohl für den Leistungsanstieg der Volkswirtschaft als auch für die ständige weitere Verbesserung der Arbeits- und Lebensbedingungen der Bevölkerung.

Es erscheint angebracht, nach einer grundsätzlichen Möglichkeit zur weiteren Qualifizierung der Leitung und Planung der Kombinate im Hinblick auf die territorialen Reproduktionsbedingungen zu suchen, auch nach einem entsprechenden Instrumentarium. Bei der Breite und Komplexität der territorialen Aspekte der gesellschaftlichen Reproduktion ist es sicher nicht ausreichend, dem nur mit Einzelhinweisen und -maßnahmen zur Verbesserung der Leitungstätigkeit der Kombinate und örtlichen Organe zu entsprechen.

Eine Möglichkeit zur besseren leitungsmäßigen Beherrschung der Zusammenhänge zwischen Produktion und Territorialstruktur durch die Kombinate wäre die Ausarbeitung eigener Standortkonzeptionen der Kombinate als Bestandteil ihrer langfristigen Intensivierungskonzeptionen.

Ein entscheidender qualitativer Unterschied zwischen Betriebs- und Kombinatsleitung besteht ja darin, daß das Kombinat in der Regel mit den unterschiedlichen territorialen Reproduktionsbedingungen mehrerer Bezirke und Kreise arbeiten muß. Die Bevölkerungs- und Siedlungsnetzdichte, die Situation hinsichtlich der Arbeitskräfte und des Berufsnachwuchses, der Grad der Verkehrserschließung, das Alter der baulichen Grundfonds, der Zustand und die Leistungsfähigkeit der Infrastruktur, die natürlichen Bedingungen des Wasserhaushaltes, des Baugrundes usw., die Umweltbelastung u. dgl. – alle diese Merkmale sind in jedem Bezirk, Kreis, in jedem Wirtschaftsgebiet der DDR anders entwickelt und sie wirken in unterschiedlicher Kombination zusammen.

Für die Kombinatsleitung bedeutet das zunächst, die unterschiedlichen territorialen Reproduktionsbedingungen bei allen Entscheidungen sorgfältig zu berücksichtigen und mit den örtlichen Organen der Staatsmacht entsprechend zusammenzuarbeiten. Rationalisierungsmaßnahmen der Industrie setzen in einem Ballungsgebiet mit hoher Netzdichte der Trassen und Anlagen der Infrastruktur, beispielsweise der vorhandenen Netze für Personenverkehr und Gütertransport, andere Fragen auf die Tagesordnung als in Gebieten mit einer geringen Verkehrserschließung.

Jedoch darf sich das Kombinat nicht allein auf eine passive Berücksichtigung der unterschiedlichen Standort- und Gebietsbedingungen beschränken. Mit der Entscheidungsbefugnis über die Entwicklung und Standortverteilung von Produktivkräften über den Rahmen eines Betriebes hinaus ist eine unmittelbare volkswirtschaftliche Wirksamkeit der Leitungstätigkeit des Kombinates gegeben, die bewußt realisiert werden muß und entsprechender Entscheidungsunterlagen und -instrumente bedarf.

Eine Veränderung der Arbeitsteilung und -verbindung im Maßstab von Erzeugnisgruppen und Zweigen, beispielsweise die Veränderung der Konzentration und Spezialisierung der Produktion, hat in der Regel Konsequenzen für die territoriale Arbeitsteilung und -verbindung, die nicht erst im Nachhinein mit den örtlichen Organen abgestimmt und „territorial gesichert" werden darf. Hierzu ist vielmehr eine aktive, langfristig-konzeptionell fundierte Verbindung von zweiglicher und territorialer Organisation der Reproduktion durch das Kombinat selbst erforderlich. Das beginnt bereits bei der ausreichenden Berücksichtigung der Bedingungen der bestehenden Territorialstruktur der Industriezweige, also des historisch herausgebildeten Zustandes der Standortverteilung der Produktivkräfte eines Zweiges. In Übereinstimmung mit dem der Intensivierung entsprechenden ersten Grundsatz für die Standortverteilung der Produktivkräfte in der DDR, stets von der Nutzung der Vorteile und der Vervollkommnung der gegebenen Territorialstruktur der gesellschaftlichen Reproduktion auszugehen, stehen auch und gerade in der Industrie an erster Stelle unter den Standortfaktoren und Planungskriterien die bestehenden Verhältnisse der Standortverteilung der Produktivkräfte. Eine sorgfältige Analyse der gegebenen Standortverteilung und der Lokalisierungstendenzen jedes Zweiges und jeder Erzeugnisgruppe bildet deshalb einen Ausgangspunkt für die Planung der Standortverteilung der Industrie, der von den Kombinaten sorgfältig ausgearbeitet werden muß. Dieser Ausgangspunkt bestimmt bereits das gesamte Herangehen der sozialistischen Volkswirtschaftsplanung an die Territorialstruktur; er muß deshalb auch zum bestimmenden Faktor für die Entscheidungen des Kombinats zur Standortverteilung der Produktivkräfte seines Verantwortungsbereichs gemacht werden.

Dabei kommt es auch darauf an, die Möglichkeiten von Produktionsverflechtungen innerhalb der Territorien besser zu erfassen und zu nutzen. In vielen Fällen kann damit auf eine Neulokalisierung von Produktionsstätten verzichtet werden. Das ist auch deshalb erforderlich, weil die weitere Vergesellschaftung der Produktion in nahezu allen Zweigen der Industrie in Richtung einer wachsenden Konzentration geht, die stets auch mit einer territorialen Konzentration (Agglomeration) der Produktion verbunden ist. Das führt zu einer nachweisbaren Vergrößerung der Produktionsstätten, womit auch die Anforderungen der Produktion an die betreffenden Standorte, insbesondere an die Siedlungen wachsen. Großstädte und mittlere Städte sind aber nur in begrenztem Maße für die Produktion aufnahmefähig. In der UdSSR gibt es bereits Programme, daß bestimmte, umweltstörende Produktionsprogramme aus den großen Städten herausgehalten werden, um die Lebensbedingungen für die Bevölkerung dadurch zu verbessern.

Auch die Notwendigkeit, im Sinne der Beschlüsse des IX. Parteitages zur einheimischen Rohstoffwirtschaft die örtlichen Rohstoffressourcen besser zu nutzen, erfordert, daß die Kombinate die territorialen Bedingungen für den Reproduktionsprozeß ihrer Betriebe vorausschauend und konzeptionell erfassen, nutzen und auch mitgestalten. Damit können auch Rationalisierungseffekte des Zusammenwirkens der arbeitsteiligen Funktionsverflechtungen der Industrie besser erschlossen werden.

Aus derartigen Gründen heraus sollte erwogen werden, ob es nicht an der Zeit ist, mit einem geeigneten methodischen Instrumentarium wie der Standortkonzeption eines Kombinats den hier dargestellten Anforderungen besser gerecht zu werden.

Die Standortkonzeptionen müßten eine Analyse der Standortverteilung der Produktivkräfte des Kombinats und deren Probleme enthalten, weitere Grundsätze und Leitlinien für deren dynamische Entwicklung, Begründungen für die Bevorzugung bestimmter Standorte bzw. Bezirke oder Kreise, Anforderungen der hauptsächlichen Produktionsrichtungen an das Territorium. Vor allem in der exakten Ausarbeitung derartiger Anforderungen liegt eine wichtige Möglichkeit zur Qualifizierung der gesamten Leitungstätigkeit des Kombinats und damit zur Erhöhung der volkswirtschaftlichen Effektivität. Ausgehend von den objektiven Lokalisationstendenzen, vom gegebenen, historisch gewachsenen System der Standortverteilung des Kombinatsbereichs sowie von den differenzierten Bedingungen in den Territorien sollten in den Standortkonzeptionen die hauptsächlichen Orientierungen für die Einordnung in die Territorialstruktur der DDR aufgezeichnet werden.

Ein wichtiger Bestandteil derartiger Standortkonzeptionen wären auch Ausarbeitungen zum effektiven Einsatz des gesellschaftlichen Arbeitsvermögens unter den gegenwärtigen und zukünftigen Bedingungen der zweiglichen und territorialen Organisation der Produktion unter besonderer Berücksichtigung der Ballungsgebiete. Damit lassen sich Voraussetzungen schaffen für wirksame Maßnahmen der territorialen Rationalisierung, die zu einer Arbeitskräftefreisetzung und zu einer besseren Grundfondsauslastung führen.

G. Proft

Die Bedeutung der sozialistischen ökonomischen Integration bei der Herausbildung, Entwicklung und Festigung von Kombinaten in der sozialistischen Industrie der DDR

Die vorliegenden Thesen bieten eine sehr gute Grundlage und viele Anregungen, um unter Nutzung der Erfahrungen des eigenen wissenschaftlichen Gebietes Überlegungen zu entwickeln, die dazu beitragen, die aufgeworfenen Fragen beantworten zu helfen.

In den Thesen wird an verschiedenen Stellen auf die Erfordernisse der sozialistischen ökonomischen Integration Bezug genommen. Das ist vollkommen richtig, mir scheint aber, daß es vom erreichten Entwicklungsstand der Volkswirtschaften der DDR und der anderen RGW-Länder her gesehen objektiv notwendig ist, den Prozessen der sozialistischen ökonomischen Integration und ihren Erfordernissen auch bei der Herausbildung, Entwicklung und Festigung von Kombinaten in der sozialistischen Industrie der DDR noch umfassender gerecht zu werden. Das betrifft folgende Thesen.

Die in These 2 angesprochenen Probleme, wie z. B. der weiteren Qualifizierung der zentralen staatlichen Planung in Verbindung mit der schöpferischen Aktivität und eigenverantwortlichen Tätigkeit der Kombinate, Betriebe und örtlichen Staatsorgane, erfordert gleichzeitig als eine der Grundfragen der wirtschaftlichen Entwicklung bei der vorausschauenden Gestaltung der Produktions- und Außenwirtschaftsstruktur die Ausarbeitung einer langfristigen Strategie (Konzeption) für die Einbeziehung des Kombinats oder Betriebes in die internationale sozialistische Arbeitsteilung, insbesondere mit der UdSSR, unserem Hauptpartner im RGW. Die Erarbeitung der Konzeption muß in gemeinsamer Arbeit zwischen zentralen Organen, Kombinaten bzw. Betrieben erfolgen. Diese strategische Konzeption für die Einbeziehung in die internationale sozialistische Arbeitsteilung wäre dann eine der Ausgangsgrundlagen für die Ausarbeitung der Pläne und anderer Dokumente zur Entwicklung der Kombinate und Betriebe für langfristige Zeiträume. Diese Arbeiten würden sich damit in die weitere Qualifizierung der langfristigen Planung der Volkswirtschaft einordnen. Durch ein solches Herangehen werden auch günstige Voraussetzungen für die Erhöhung der Stabilität und Komplexität der Fünfjahrplanung geschaffen und damit ein Beitrag zur Stärkung des Fünfjahrplanes als Hauptinstrument der Leitung der Wirtschaft geleistet. Nach meiner Auffassung müssen die Erfordernisse aus den Prozessen der sozialistischen ökonomischen Integration immer in allen Bereichen und Zweigen sowie auf jeder Ebene einer der Ausgangspunkte der Planung sein.

In These 3 wird die Wirkung des wissenschaftlich-technischen Fortschritts als eine der Quellen des ökonomischen Wachstums behandelt. In diesem Zusammenhang muß aber unbedingt darauf verwiesen werden, daß das die Einbeziehung und Ausschöpfung der Möglichkeiten der sozialistischen ökonomischen Integration auf dem Gebiet Wissenschaft und Technik erfordert. Der in dem Material enthaltene Hinweis auf Außenwirtschaftserfordernisse reicht nach meiner Meinung nicht aus, sondern es muß von Anfang an eine entsprechende Orientierung der Kombinate und Betriebe auf die Einbeziehung aller Möglichkeiten der sozialistischen ökonomischen Integration erfolgen. Auf dem IX. Parteitag stellte Horst Sindermann dazu fest: „Hohe Effektivität und Qualität werden – das lehren die Erfahrungen unseres erfolgreichen Weges seit dem VIII. Parteitag – in hohem Maße davon bestimmt, wie in jedem Betrieb und Kombinat, in den Genossenschaften und wissenschaftlichen Einrichtungen, in jedem Zweig und Bereich und in der gesamten Volkswirtschaft umfassend und initiativreich Niveau und Tempo des wissenschaftlich-technischen Fortschritts weiter bedeutend erhöht werden. Das schließt vor allem die umfassende Nutzung der Ergebnisse unserer bedeutend gewachsenen internationalen wissenschaftlich-technischen Zusammenarbeit mit der UdSSR und den anderen sozialistischen Staaten sowie die weitere Vertiefung dieser Zusammenarbeit ein."[1]

In der weiteren Forschungsarbeit müßte dem Problem der Verantwortung der Kombinate und Betriebe auf dem Gebiet der Herausarbeitung der strategischen Richtungen des wissenschaftlich-technischen Fortschritts unter Beachtung der Erfordernisse der sozialistischen ökonomischen Integration weiter große Aufmerksamkeit gewidmet werden.

Die Forderung zur Stimulierung auch der langfristig wirkenden Intensivierungsfaktoren (These 5) möchte ich unterstützen, denn gerade die sozialistische ökonomische Integration wirkt in dieser Richtung. Die Überlegungen der Autoren, Probleme der sozialistischen ökonomischen Integration in den Wettbewerb einzubeziehen, halte ich für richtig, würde aber zusätzlich zu überlegen geben, ob nicht die Erfüllung des Planteils Maßnahmen der sozialistischen ökonomischen Integration ebenfalls in den Wettbewerb einbezogen werden sollte.

In der gegenwärtigen Etappe der Entwicklung der sozialistischen ökonomischen Integration muß die wissenschaftliche Durchdringung der Leitungsprobleme und ihrer Wirkung auf die Vergesellschaftung der Produktion in den RGW-Ländern nach meiner Meinung stärker beachtet werden. Die Vergesellschaftung der Produktion (These 7) kann ohne die Berücksichtigung der Entwicklung und Vertiefung der sozialistischen ökonomischen Integration nicht umfassend erklärt werden. In der genannten These ist diese Entwicklung zu sehr auf das Inland – die DDR – bezogen; der Bezug zu den anderen RGW-Ländern erfolgt nur als Analogie-Darstellung. Die zunehmende Spezialisierung und Kooperation in Wissenschaft, Technik und Produktion schafft aber für die Vergesellschaftung neue Sphären. Diese ganzen komplizierten Prozesse müssen weiter erforscht werden, dann ergibt sich eine bessere Möglichkeit der Darstellung für die Verantwortung der Kombinate und Betriebe im Prozeß der Vergesellschaftung der Produktion unter Beachtung der Wirkung der sozialistischen ökonomischen Integration.

Eine weitere Frage, die von besonderem Interesse in den Thesen ist, ist die Einordnung der Kombinate und Betriebe in den volkswirtschaftlichen Reproduktionsprozeß (These 11). Es wäre in diesem Zusammenhang nützlich, hier nicht nur vom volkswirtschaftlichen Reproduktionsprozeß, sondern in jedem Falle von der Entwicklung des volkswirtschaftlichen Reproduktionsprozesses unter den Bedingungen der sozialistischen ökonomischen Integration auszugehen. Die praktische Konsequenz daraus ist, daß die Kombinate und Betriebe so in den Reproduktionsprozeß der Volkswirtschaft eingeordnet werden, daß sie die Entwicklungstendenzen des wissenschaftlich-technischen Fortschritts, die Sicherung einer stabilen Entwicklung der Kooperationsbeziehungen zwischen den Betrieben bzw. Kombinaten, insbesondere der Zulieferindustrie und der

[1] H. Sindermann, Bericht zur „Direktive zum Fünfjahrplan 1976–1980", Berlin 1976, S. 37/38.

Finalproduktion und die Herausbildung einer hochgradigen Übereinstimmung zwischen der Entwicklung der Industriezweige und der Territorien unter Beachtung ihrer konkreten Aufgaben und ihres Platzes im Rahmen der internationalen sozialistischen Arbeitsteilung durchführen können. Die weitere Qualifizierung des volkswirtschaftlichen Systems der Leitung, Planung und ökonomischen Stimulierung muß in allen Bereichen und Ebenen mit von den Erfordernissen der sozialistischen ökonomischen Integration ausgehen. Das bedeutet aber, die sozialistische ökonomische Integration in vollem Umfang als Wachstumsfaktor wirksam zu machen.

O. Gallenmüller/M. Sickert

Qualifizierung der Ergebnisplanung mit Hilfe normativer Kostenrechnung

Die Autorität des Planes ist abhängig von
- seiner Stabilität
- der täglichen Plan- und Vertragserfüllung und
- der Reaktionsfähigkeit auf sich verändernde Bedingungen im Prozeß der Plandurchführung.

Die Thesen lassen weiterhin erkennen, daß es dabei nicht um die formale Erfüllung der Kennziffer Warenproduktion und ihre Erhöhung gehen kann, vielmehr ist die Erfüllung der staatlichen Plankennziffern unter ökonomischem Aspekt, dem Beitrag des Betriebes zur Steigerung des Nationaleinkommens zu sehen.

Unseres Erachtens muß die Vorausberechnung für lang-, mittel- und kurzfristige Planzeiträume zu Ergebnissen mit höherer Wahrscheinlichkeit auf allen Ebenen der Volkswirtschaft führen, wobei die Vorausberechnung die Entwicklung der finanziellen Kennziffern und ihre materielle Struktur beinhaltet.

Eine hohe Wahrscheinlichkeit der Vorhersage auf der Ebene eines Kombinats hängt u. a. wesentlich von der Qualität der Vorhersage der Kombinatsbetriebe ab. Daraus ergibt sich für die Kombinate und Betriebe die Aufgabe, ihre Betriebswirtschaft tiefer als bisher zu durchdenken und die Proportionalität der Produktionselemente zu sichern. Weil die Proportionen die Effektivität beeinflussen, sind sie über die Kosten- und Ergebnisrechnung sichtbar zu machen und zu steuern, mit dem Ziel, den Grad der Bilanziertheit zu heben.

Der folgende Beitrag beschäftigt sich mit der Vorausberechnung des Betriebsergebnisses als einem wesentlichen Bestandteil des Nationaleinkommens unter den komplizierten Bedingungen eines Betriebes mit breitem und häufig wechselndem Sortiment für die Zwecke der kurz- und mittelfristigen[1] Planung.

In den Betrieben mit einem breiten Produktionsprogramm hängt die Qualität der Ergebnisvorhersage wesentlich von der sicheren Zurechnung der indirekten Kosten auf die Erzeugnisse ab. Das bisherige Rechnungswesen in den volkseigenen Betrieben des betrachteten Bereiches läßt diese Vorhersage nicht mit der erforderlichen Genauigkeit zu. Sie fordert die Anwendung neuer, moderner Kostenrechnungsverfahren, die die Ergebnisermittlung einschließen. Forschungsarbeiten an der Bergakademie Freiberg beschäftigen sich deshalb mit einer diesem Gesichtspunkt Rechnung tragenden Weiterentwicklung der normativen Kostenrechnung. Für das Untersuchungsobjekt wurde die Lösung in der Bildung eines Zwischenkostenträgers Maschinenstunde gefunden.[2]

[1] Unter mittelfristiger Planung soll die Planung für den Zeitraum eines Jahres und unter kurzfristiger Planung die Quartals- bzw. Monatsplanung verstanden werden.

[2] Vgl. M. Gebhardt/H. Marks/M. Marks, Aufbau einer Variante der normativen Kostenrechnung zur Weiterentwicklung der innerbetrieblichen wirtschaftlichen Rechnungsführung und zur Qualifizierung der Kostenrechnung zu einem wirkungsvollen Leitungs-

Das Verfahren umfaßt Einzel- und Komplexkostennormative sowie Stellenverrechnungssätze. Die Stellenverrechnungssätze werden getrennt berechnet für Metallverlustkosten und technologische Verarbeitungskosten (Grundlohn und indirekte technologische Kosten). In den Stellenverrechnungssätzen sind die normativen und damit geplanten Verarbeitungskosten und die normativen Kosten der Vorstufen enthalten.

Das Kernstück des Normativsystems sind die Maschinenstundenkostennormative. Diese Normative ermöglichen die Verrechnung der Kapazitätskosten auf die Erzeugnisse bzw. Leistungen in dem Maße, wie diese die Kapazität in Anspruch nehmen. Die Belastung der Erzeugnisse bzw. Leistungen mit diesen Kapazitätskosten rückt damit in die Nähe der Genauigkeit, die bisher nur bei den direkt zurechenbaren Kosten erreicht werden konnte.

Dazu sind

1. die Erfassung der Kosten der Maschinen und Anlagen und
2. die Berechnung der Kapazitätsausnutzung

erforderlich.

Für die Zwecke der Jahresplanung ist bei der Normativbildung von der jahresdurchschnittlichen Kapazitätsausnutzung auszugehen. Die Ergebnisvorhersage für unterjährige Zeiträume muß dagegen auf der Kapazitätsausnutzung des betrachteten Zeitraumes fußen. Schwierigkeiten bei der Lösung des letztgenannten Problems mündeten darin, daß bisher nur jahresdurchschnittliche, also starre Normative angewandt wurden. Damit findet die von Monat zu Monat stark schwankende Kapazitätsausnutzung bei der Verrechnung der indirekten Kosten keine Beachtung und verursacht fehlerbehaftete Ergebnisvorhersagen. Diese lassen sich durch die Anwendung flexibler Normative überwinden.

Die vorhergesagten Kennziffern aus ihrer Anonymität hervorzuheben, wie dies richtigerweise in den Thesen gefordert wird, bedingt die Vorhersage nach Einflußfaktoren und ihre Bindung an die Orte der Entstehung und Beeinflußbarkeit, die Kostenstelle. Das wird mit Hilfe des neuen Verfahrens möglich. Die Maschinenstundenkostenrechnung ermöglicht die Vorhersage des Ergebnisses darüber hinaus für den Gesamtbetrieb, was über die Planeinzelkalkulation im Rahmen der Kostenträgerstückplanung geschieht.

An dieser Stelle muß jedoch hervorgehoben werden, daß das auf der Basis dieser Methode ermittelte Ergebnis der Kostenstelle nicht Ausdruck seiner Leistung ist, sondern von allen vorgelagerten Produktionsstufen erarbeitet wurde und nur in dieser Kostenstelle ausgewiesen wird, da hier der Kostenträger den Produktionsprozeß verläßt und abgesetzt wird.[3]

Das Gesamtergebnis ist im Untersuchungsobjekt über die Summation

– der bereits ermittelten kostenträgerbezogenen Ergebnisvolumina aller in der stoff-

instrument für den VEB Walzwerk Hettstedt einschließlich der Erarbeitung von Anschlußmöglichkeiten zur EDV (Dissertation, Bergakademie Freiberg, Fakultät für Gesellschaftswissenschaften, 1973).

[3] Vgl. R. Messbauer, Planaufschlüsselung und innerbetriebliche wirtschaftliche Rechnungsführung, in: Beiträge zur Betriebsplanung 1976–1980, Freiberger Forschungshefte D 99, S. 77: „Die Abteilungsergebnisse (und selbiges gilt für die Kostenstelle – d. V.) sind nicht Gegenstand der unmittelbaren materiellen Interessierung der einzelnen Arbeitskollektive, sondern sie schlagen sich im Betriebsergebnis (Kto. 6041) nieder und beeinflussen den Gewinn als Grundlage (Nettogewinn) für die materielle Interessierung des gesamten Betriebskollektivs (Prämien- und Leistungsfonds)."

bilanzierenden Stelle zu produzierenden und zum Absatz bestimmten Fertigkostenträger zum Ergebnis der Kostenstelle,

– der Kostenstellenergebnisse zum Ergebnis der Abteilung und

– der Abteilungsergebnisse zum Ergebnis des Betriebes

zu planen. Daraus ist abzuleiten, daß sichere Ergebnisvorhersagen nur auf der Basis einer hinreichend genauen Planaufschlüsselung möglich sind.

Wie Jahn/Schinkel[4] in ihrem Buch „Aufschlüsselung des Betriebsplanes" feststellen, wird die Bedeutung der Planaufschlüsselung zwar allgemein zuerkannt, der Vervollständigung ihrer theoretischen Grundlagen und praktischen Hilfsmittel in der Vergangenheit wurde jedoch nicht die erforderliche Aufmerksamkeit gewidmet. In den Betrieben wird sie oftmals nur mit Hilfe von Erfahrungswerten durchgeführt und erstreckt sich in der Regel nur auf den Produktionsplan. Sie muß sich unseres Erachtens auch auf den Planteil „Kosten und Finanzen" erstrecken. Dabei erscheint uns die Aufschlüsselung nur mittels rein statistischer Verfahren, wie sie von Jahn/Schinkel vorgeschlagen werden, für Betriebe mit breitem und stark variierendem Sortiment und auch in anderen Bereichen der Volkswirtschaft fraglich, weil die Einflußfaktoren auf die Höhe des Ergebnisses nur ungenügend berücksichtigt werden können.

Auf das Ergebnis in den verschiedenen Zeiträumen wirken

– die Sortimentsstruktur hinsichtlich Ergebnisgünstigkeit,

– im Laufe des Planjahres wirksam werdende Maßnahmen des Planes Wissenschaft und Technik sowie der Überhangnutzen, sofern er nicht ordnungsgemäß in die Basisdaten eingegangen ist, und

– der Auslastungsgrad der Maschinen und Anlagen.

Zur Berücksichtigung dieser Einflußfaktoren ist die Vorhersage des Ergebnisses für unterjährige Zeiträume in Betrieben des untersuchten Bereiches kostenträgerbezogen basierend auf flexiblen Normativen, entsprechend den Resultaten der Forschungsarbeiten vorzunehmen.

Diese Ergebnisse ermöglichen auch noch einen Vergleich der kurzfristigen Kennziffernplanung mit den aufgeschlüsselten Kennziffern des Jahresplanes mit dem Ziel, Maßnahmen zur Jahresplanerfüllung abzuleiten, über deren Wirkung das diskutierte Normativkostenrechnungsverfahren hinreichende Kenntnisse vermittelt. Die zu diesem Zwecke konzipierte Auswirkungsrechnung ist wie die Vorhersage konsequent an den Kostenträger und die zeitliche Auslastung der Maschinen und Anlagen zu binden. Sie wird getrennt vorgenommen für die Betrachtung des Einflusses des geplanten Ergebnisses je Kostenträger sowie die Unter- bzw. Überdeckung der

– indirekten technologischen Verarbeitungskosten auf der Basis flexibler Maschinenstundenkostennormative

– Leitungskosten und

– indirekten Absatzkosten.

Dadurch und durch die kostenstellenbezogene Betrachtungsweise sind die vorhergesagten Wirkungen konkret abrechen- und kontrollierbar.

Ausgehend von diesen Überlegungen ergibt sich unseres Erachtens eine neue Haltung zu den bisherigen Erkenntnissen von Realisations- und Leistungsprinzip, die in der volkseigenen Wirtschaft vor ca. 20 Jahren im Zusammenhang mit der Erklärung der buchhalterischen Bilanz heftig diskutiert wurden und schließlich in Vergessenheit gerieten. Wir meinen, daß diese Prinzipien nicht nur aus dem Blickfeld der Abrechnung betrachtet werden dürfen. Sie sind aus der Einheit von Planung, Abrechnung

[4] E. Jahn/K. Schinkel, Die Aufschlüsselung des Betriebsplanes, Berlin 1976, S. 7.

und Analyse zu erklären und dementsprechend zu definieren.

So soll unter dem Realisationsprinzip das Ergebnis auf der Basis der realisierten Warenproduktion ermittelt werden.

Das Leistungsprinzip enthält neben dem Ergebnis laut Realisationsprinzip die Ergebnisse der fertiggestellten und auf Lager liegenden sowie der unfertigen Erzeugnisse.

Die gesetzlichen Bewertungsbestimmungen lassen im Bereich der unfertigen und der fertigen Erzeugnisse nur den Teil des Ergebnisses darstellen, der aufwandsseitig beeinflußbar ist. Die Maschinenstundenkostenrechnung bietet über die planmäßige Abweichung der monatlichen von den jahresdurchschnittlichen Normativen Möglichkeiten, das Ergebnis in der Planungsphase differenziert nach Realisations- und Leistungsprinzip zu ermitteln. Diese Abweichungsrechnung wird für den Teil der planmäßig zu realisierenden als auch für unfertige und fertige Erzeugnisse durchgeführt. Die so ermittelten Ergebnisse sind echte Grundlagen für

- die planmäßige Gestaltung der Finanzbeziehungen und
- die Leistungsbeurteilung der Kollektive.

Weiterhin wird damit der Forderung nach Einbeziehung der Analyse in den Planungsprozeß Rechnung getragen, indem das Ergebnis bereits nach Faktoren geplant wird.

H. Böttger/K. Gebauer

Zum Zusammenhang zwischen dem Vergesellschaftungsprozeß und der Entwicklung von Initiativen

Bezugnehmend auf die These 6 des vorliegenden Materials möchten wir einige Bemerkungen zur weiteren Entfaltung der Masseninitiative, vor allem zur Erreichung einer höheren Planwirksamkeit in Kombinaten machen.

Die von unserer Partei für die Entwicklung der Kombinate gestellten Forderungen nach voller Ausschöpfung der Effektivitätspotenzen dieser Wirtschaftseinheiten, nach vorausschauender und komplexer Lösung der Grundfragen der erweiterten Reproduktion dieser Wirtschaftseinheiten sind ohne das Ineinandergreifen der wissenschaftlich-technischen, ökonomischen, organisatorischen und sozialen Aspekte nicht zu realisieren.

In den vorliegenden Thesen wird hervorgehoben, daß die Effektivität der Kombinate wesentlich von ihrer Reproduktionskraft und der Geschlossenheit des Reproduktionsprozesses abhängig ist. Reproduktionskraft und Leistungsvermögen, die Fähigkeit, die Arbeitsproduktivität und Effektivität der Produktion rasch zu steigern, hängen aber letztlich entscheidend davon ab, wie es gelingt, im Rahmen des Vergesellschaftungsprozesses und unter Nutzung seiner Möglichkeiten die dafür notwendigen Verhaltensweisen, Fähigkeiten und schöpferischen Potenzen der Werktätigen zu entwickeln.

Deshalb handelt es sich beispielsweise bei Konzentrationsprozessen der Produktion nicht einfach um die Ausschöpfung der wirtschaftlichen Möglichkeiten für die Leistungssteigerung infolge der höheren materiellen und finanziellen Fonds, sondern stets um eine Potenzierung der Möglichkeiten und der Leistungsfähigkeit infolge der stärkeren Nutzung der Potenzen größerer Wirtschaftseinheiten für die Freisetzung der sozialen Triebkräfte.

Deshalb ist diese wichtige Seite mit klaren Zielstellungen und durch entsprechende Entscheidungen planmäßig zu gestalten. Im wesentlichen handelt es sich dabei um zwei Gruppen von Maßnahmenkomplexen, um

- die Schaffung von Voraussetzungen für eine weitere Mobilisierung der Initiative der Werktätigen, und zwar eines wachsenden Kreises von Werktätigen, sowie die Erhöhung der Stabilität der Triebkräfte initiativreichen Verhaltens und um
- die planmäßige Sicherung der materiellen, finanziellen und leitungsmäßigen Bedingungen für die Realisierung der Initiativen der Werktätigen, das „Umschlagen" initiativreichen Verhaltens in höhere ökonomische Ergebnisse.

Dabei wird davon ausgegangen, daß für die Lösung beider Aufgabenkomplexe im Rahmen der Kombinate, also größerer Wirtschaftseinheiten unter direkter einheitlicher Leitung wesentlich günstigere Bedingungen bestehen als bei Existenz einer Vielzahl kleinerer, verschieden unterstellter Wirtschaftseinheiten. Fortgeschrittene Kombinate verdeutlichen, daß die Erhöhung der ökonomischen Wirksamkeit der Initiativen immer mehr vom Niveau ihrer Analyse und vorausschauender Planung, von der Festlegung anspruchsvoller Ziele sowie von der richtigen inhaltlichen und zeitlichen Einordnung in die betriebliche Planung, einschließlich ihrer materiellen und finanziellen Bilanzierung, abhängen. Auch müssen bei der Planung, Bildung und Verwendung der materiellen und finanziellen Fonds die Erfordernisse und Wirkungen der Initiativentfaltung stärker beachtet werden. Es gilt, durch eine engere Verbindung der Leitung der Initiativentfaltung mit der gesamten betrieblichen Planung eine hohe Planwirksamkeit der Initiative zu erreichen und die Aufgaben dadurch leichter und schneller zu lösen sowie die Realisierung von Verpflichtungen und ihre Nutzung und Nachnutzung durch die Ausschöpfung aller betrieblichen Möglichkeiten wesentlich zu beschleunigen. Noch relativ ungelöst sind u. a. im Zusammenhang mit der Weiterführung bewährter Initiativen die exakte Einschätzung ihres ökonomischen Nutzens und ihrer Zielgerichtetheit bei der Durchsetzung der Intensivierungsfaktoren im Rahmen der Volkswirtschaft und in Betrieben und Kombinaten.

Zur Zeit entstehen dadurch Effektivitätsverluste, weil das Niveau der Erfassung und Abrechnung vielfältiger ökonomischer Initiativen – selbst jener, auf die schon seit Jahren zentral orientiert wird – noch hinter den Anforderungen zurückgeblieben ist. Aus volkswirtschaftlicher Sicht können deshalb kaum zuverlässige Angaben über die Resultate solcher bewährten Formen, wie der Initiativschichten, der persönlichen und kollektiv-schöpferischen Pläne zur Steigerung der Arbeitsproduktivität gemacht werden. Dabei schreiben z. B. über 523000 Werktätige „Notizen zum Plan", an der Bewegung zur Erfüllung des Planes in 50 Wochen beteiligen sich 362000 und am saldierten Wettbewerb nehmen über 440000 Werktätige teil. Dieser unbefriedigende Zustand der Abrechnung ihrer Ergebnisse führt dazu, daß bedeutsame Reserven zur Steigerung der Produktion und Effektivität, deren genaue Kenntnis zur Qualifizierung der Planung beitragen würde, nicht voll erschlossen werden können.

Hinzu kommt, daß eine unzureichende analytische Arbeit, aber auch die einseitige Orientierung auf hohe Beteiligungsziffern, gegenwärtig eine stärkere Berücksichtigung der qualitativen Seiten der Entwicklung der Masseninitiative im Wettbewerb hemmen.

Die entstandene Breite und Vielfalt der Initiativen verlangt ein adäquates hohes Niveau der Leitung, Planung und Stimulierung. Andernfalls sind Formalismus, ungenügende ökonomische und soziale Effektivität sowie Initiativverluste unvermeidbar. Unsere Untersuchungen in Kombinaten machten sichtbar, daß eine hohe und wachsende Bereitschaft zur Teilnahme der Werktätigen an bewährten Initiativformen noch keine Garantie für die Erreichung der Leistungsziele darstellt. Wird leitungsmäßig nicht verstanden die vorhandene Leistungsbereitschaft der Werktätigen durch die Schaffung aller Voraussetzungen zu fördern, sind Initiativ- und Effektivitätsverluste infolge des Nichtbeherrschens der Vielfalt gesellschaftlicher Einflußfaktoren unvermeidlich.

Hierbei auftretende leitungsmäßige Probleme sind unter anderem Ausdruck von ungelösten Fragen und Widersprüchen bei der Verwirklichung Leninscher Leitungsprinzipien wie des demokratischen Zentralismus, der Einheit von Politik und Ökonomie sowie einer unzureichenden Ursachenforschung bei der ökonomischen Wirksamkeit sowie zum Ausschluß von Kompensationsfaktoren entsprechend den konkreten Bedingungen.

Notwendig ist hierzu unter anderem:

a) Bei Entscheidungen zur Initiativentfaltung ist stets von den realen Bedingungen und ihrer notwendigen und möglichen Entwicklung auszugehen und bei der Entscheidungsvorbereitung sind die Werktätigen stärker einzubeziehen. Dazu sind leitungsseitig ausreichende Voraussetzungen und Vorlauf unabdingbar. Schwerpunktmäßig sind dabei die Probleme der Materialbereitstellung, einschließlich Maschinenbaukapazität, Werkzeuge und Arbeitsunterlagen, der Instandhaltung und Reparatur, der Gestaltung des Arbeitsablaufes sowie der Auswirkung auf Abnehmer und Kunden zu beachten und mit der Kraft der Kollektive zu lösen.

b) Um bei relativ durchrationalisierten Prozessen mittels der Initiativentfaltung ökonomische Effekte in der erforderlichen Größenordnung zu erzielen, sind

– die Initiativen der Werktätigen, ihre Ideen, Hinweise, Vorschläge und Verpflichtungen stärker auf die Vorbereitung und Ausarbeitung des Planes, besonders des Planes Wissenschaft und Technik, zu orientieren;

– jene Initiativen besonders zu fördern, die auf die komplexe Verwirklichung der Intensivierungsfaktoren und auf eine hohe Steigerung der Arbeitsproduktivität ausgerichtet sind;

– das kollektive Neuererwesen und die sozialistische Gemeinschaftsarbeit zwischen Arbeitern mit der technischen und wissenschaftlichen Intelligenz, die Kapazitäten des Rationalisierungsmittelbaus sowie alle territorialen Möglichkeiten besser zu nutzen.

c) Auch sind alle Leiter, besonders die Meister und Abteilungsleiter auf dem Gebiet der Leitung, Planung und Stimulierung der Initiative stärker zu qualifizieren. Insbesondere sind dabei die wachsenden Anforderungen an das Beherrschen von volkswirtschaftlichen Zusammenhängen, an das komplexe Denken, zu beachten.

d) Zur weiteren Entwicklung der Initiativen ist die innerbetriebliche wirtschaftliche Rechnungsführung, unter anderem unter Nutzung der saldierten Wettbewerbsführung mit Hilfe des Haushaltbuches zu vervollkommnen. Es sind einfache Abrechnungs- und Kontrollmethoden zu entwickeln. Zugleich ist die Normenarbeit zu vervollkommnen.

Mit der weiteren Entwicklung der Initiativen und ihrer leitungsmäßigen Beherrschung ist unmittelbar die weitere Vervollkommnung des sozialistischen Wettbewerbs verbunden.[1] Dafür sind in den Kombinaten günstige Voraussetzungen gegeben.

Günstigere Bedingungen erwachsen zum Beispiel für eine raschere und reibungslosere Verallgemeinerung und Einführung der fortgeschrittensten Erfahrungen des sozialistischen Wettbewerbs, indem „Zweiggrenzen" und zum Teil auch „Territorialgrenzen" durch die einheitliche direkte Leitung rascher übersprungen werden können.

Wirklich progressive, im weitesten Maßstab anwendbare Erfahrungen, Erkenntnisse, Neuerermethoden und Formen der Initiativentwicklung können durchgesetzt und auch exakt kontrolliert werden.

Größere Wirtschaftseinheiten bieten zugleich die Möglichkeit, aufgrund einer stärkeren Spezialisierung im Leitungsapparat selbst, die Erfahrungen, Erkenntnisse und neuen Methoden der Initiativentwicklung gründlich zu analysieren, deren ökonomische und soziale Wirkungen sowie die Anwendungsbedingungen zu untersuchen, was die Gefahr des Formalismus bei deren Einführung und Anwendung reduziert.

Neue und bewährte Erfahrungen – auch der Leitungstätigkeit selbst – können infolge der einheitlichen direkten Leitung sowie der größeren Maßstäbe der Wirtschaftseinheiten rascher, in höherer Qualität und mit größerer Breitenwirkung eingeführt werden, was voll und ganz dem Gesetz der Ökonomie der Zeit entspricht und der wirksameren Durchsetzung eines der drei Leninschen Prinzipien der Organisation des sozialistischen Wettbewerbs, nämlich dem Austausch fortgeschrittenster Erfahrungen dient.

In ähnlicher Weise bieten größere Wirtschaftseinheiten unter einheitlicher direkter Leitung auch bessere Möglichkeiten für die Organisierung der gegenseitigen Hilfe und Unterstützung zwischen den Teilnehmern am Wettbewerb.

[1] Vgl. H. Tisch, Der FDGB – aktiver Mitgestalter der sozialistischen Gesellschaft in der DDR, Aus dem Bericht des Bundesvorstandes des FDGB an den 9. FDGB-Kongreß, in: Neues Deutschland vom 17. 5. 1977, S. 4.

Diese Vorzüge gilt es leitungsmäßig besser zu nutzen. Es kommt darauf an, die objektiv vorhandenen Möglichkeiten zielstrebig voll zu erschließen und zu hoher Effektivität zu führen.

Auch das Prinzip der Vergleichbarkeit der Ergebnisse im sozialistischen Wettbewerb, welches in erster Linie das entscheidende Anliegen des Wettbewerbs, nämlich die Erzeugung von Wetteifer um höchste Arbeitsleistungen maßgeblich auslöst, kann im Rahmen der Kombinate, überhaupt in größeren Wirtschaftseinheiten aufgrund der besseren Möglichkeiten für die technische Basis der Leitungstätigkeit in höherer Qualität verwirklicht werden. Interessante Erfahrungen liegen dazu beispielsweise in der Sowjetunion bei der Ermittlung und Auszeichnung der Wettbewerbssieger vor. Die Normenerfüllung wird u. a. stärker als Bewertungsmaßstab herangezogen, und durch eine differenzierte Aufgabenstellung entsprechend dem vorhandenen Leistungsvermögen sowie den Ausgangsbedingungen wird gesichert, daß nicht immer die gleichen Kollektive Wettbewerbssieger werden.[2] Die exakte Festlegung derartiger Bedingungen für die Wettbewerbsführung gestattet es auch, die elektronische Datenverarbeitung für die Auswertung der Wettbewerbsergebnisse und -leistungen zu nutzen. Dazu wurde ermittelt, daß bei einem hohen Niveau des sozialistischen Wettbewerbs unter den gegenwärtigen Bedingungen in einem mittleren Betrieb (mit etwa 2000 Beschäftigten) für die Aufbereitung und Analyse der Verpflichtungen und ihrer tatsächlichen Erfüllung jährlich etwa 30000 Arbeitsstunden aufgewendet werden müßten, sofern manuelle Methoden angewandt würden.[3] Um den Wettbewerb mit hoher Wirksamkeit und trotzdem mit einer geringen Zahl von Arbeitskräften leitungsmäßig richtig zu beherrschen, wird in der Rigaer Produktionsvereinigung „Kommutator" die elektronische Datenverarbeitung zur Auswertung des Wettbewerbs eingesetzt, wodurch insbesondere das Prinzip der Vergleichbarkeit durch die schnellere und unmittelbar überschaubare Herstellung des Zusammenhangs zwischen den Arbeitsanstrengungen und den Wettbewerbsergebnissen für die Wettbewerbsteilnehmer wesentlich qualifizierter angewandt werden kann.

Weitere Vorteile für eine wirksamere Führung des sozialistischen Wettbewerbs ergeben sich aus der Nutzung der Potenzen des Leitungssystems größerer Wirtschaftseinheiten, vor allem hinsichtlich der Analyse der Bedingungen, Ergebnisse und Formen des sozialistischen Wettbewerbs, der Untersuchung solcher Hauptetappen der Organisation des sozialistischen Wettbewerbs, wie der Gestaltung der Wettbewerbsbedingungen, der Organisierung der Annahme der Wettbewerbsverpflichtungen, der Organisierung der Hilfe zwischen den Wettbewerbsteilnehmern für die Erfüllung der Verpflichtungen und Vereinbarungen, der Bewertung der Ergebnisse im sozialistischen Wettbewerb sowie der Anerkennung und Stimulierung der Wettbewerbsteilnehmer. Auf dieser Basis kann eine langfristig angelegte konzeptionelle Arbeit wesentlich zur Erhöhung der Wirksamkeit aller Leitungsmaßnahmen bei der Führung und Organisation des sozialistischen Wettbewerbs beitragen, was bereits von verschiedenen Kombinaten durch spezielle Kommissionen, Abteilungen und Büros für Wettbewerb in der Kombinatsleitung versucht wird.

Größere Wirtschaftseinheiten unter einheitlicher direkter Leitung bieten, insbesondere wenn es sich um vertikal organisierte Kombinate handelt, auch günstigere Bedingungen für die Stimulierung des immer mehr, vor allem auch im Rahmen der

[2] Vgl. A. A. Owtschinnikowa, Die Gegenpläne der Betriebe, Berlin 1976, S. 27/28.

[3] Vgl. L. Menschikow, Automatisiertes Berechnungssystem vereinfacht Wettbewerbsauswertung, in: Presse der Sowjetunion, 8/1977, S. 25.

Erzeugnisgruppenarbeit, an Bedeutung gewinnenden Wettbewerbs zwischen Kooperationspartnern. Obwohl es unseres Wissens auch in der UdSSR gegenwärtig noch keine Regelungen für die Bildung und Verwendung der Fonds für die Stimulierung von Kooperationswettbewerben gibt, wurden verschiedene erfolgreiche Experimente durchgeführt. So stellen zum Beispiel Schrittmacherbetriebe aus eigenen Rücklagen und Teilen ihres Gewinns Mittel für die Stimulierung ihrer Kooperationspartner zur Verfügung, wenn sie die Lieferungen termingerecht, im vollen Sortiment und in guter Qualität leisten.[4]

Im gegenwärtigen Stadium des sozialistischen Wettbewerbs wird immer deutlicher, wie notwendig es ist, ein effektives System von Maßnahmen zur Einhaltung der Termine, der Sortimente, der Vollständigkeit der Lieferungen, einer hohen Qualität der gelieferten Rohstoffe, Materialien, Halbfabrikate und Teilprodukte von Finalerzeugnissen in den Beziehungen zwischen den Kooperationspartnern zu sichern. Das ist ein Gebot der Vertiefung des Intensivierungsprozesses und zugleich eine elementare Bedingung für das Funktionieren des sozialistischen Wettbewerbs innerhalb der Wirtschaftseinheiten, für den reibungslosen und kontinuierlichen Ablauf der Produktion bei minimalen Ausfallzeiten.

Auch hierfür werden mit der weiteren Vergesellschaftung und der darauf aufbauenden möglichen höheren Qualität der Leitung, Planung und ökonomischen Stimulierung zweifellos bessere Voraussetzungen geschaffen.

Auch für die weitere Entwicklung der Neuererbewegung, insbesondere für die Erhöhung ihres Einflusses auf die Vertiefung des Intensivierungsprozesses, bietet die weitere Vergesellschaftung der Produktion neue Perspektiven.

Die wachsende Bereitschaft und Initiative der Neuerer widerspiegelt sich in einer ständig steigenden Zahl der Neuerervorschläge. Im Zeitraum von 1971 bis 1976 stiegen sie von 360 800 auf 585 500. Verschiedene Analysen zeigen aber gerade hinsichtlich der Effektivität des Neuererwesens eine sinkende Tendenz, die erst 1976 aufgehalten werden konnte. Dabei traten vor allem Probleme bei der Umsetzung vorhandener und wachsender Initiative und Leistungsbereitschaft in entsprechende ökonomische Resultate auf, die vor allem darauf zurückzuführen sind, daß das Tempo bei der Schaffung leitungsmäßiger Bedingungen für die Realisierung der Initiativen nicht mit dem Tempo der Initiativentwicklung selbst Schritt gehalten hat. Anzeichen deuten darauf hin, daß man eine der tieferen Ursachen dafür unter anderem auch in der Begrenztheit der Wirkung der Planung des Neuererwesens im Rahmen kleinerer Wirtschaftseinheiten sehen muß. Auch die Nachnutzung von Neuerungen als wichtige Quelle der Effektivität des Neuererwesens zwingt zu einer Spezialisierung und Konzentration von Leitungspotential, wofür im Rahmen größerer Wirtschaftseinheiten günstigere Voraussetzungen bestehen. Effektive Methoden der Nachnutzung, wie zum Beispiel durch den Einsatz der elektronischen Datenverarbeitung, können – wie das Beispiel der Deutschen Reichsbahn zeigt – nur in diesen Dimensionen realisiert werden.

Sowohl für die weitere Entwicklung des planmäßigen kollektiven Neuererwesens als Hauptfaktor der Effektivität der Tätigkeit der Neuerer wie auch für die Nachnutzung sowie die Überleitung von Neuerungen und die damit verbundenen Fragen des Rationalisierungsmittelbaus wird eine einheitliche, alle wesentlichen Seiten erfassende Planung des Neuererwesens im Maßstab größerer Wirtschaftseinheiten immer mehr zu einem Erfordernis. Das bestätigt auch für einen Teilprozeß der Wirtschaft, was Lenin

[4] Vgl. E. Utkin, Wettbewerb zwischen Kooperationspartnern – Gegenseitige Hilfe und engere Wirtschaftsbeziehungen, in: Presse der Sowjetunion, 31/1976, S. 19.

insgesamt zum Prozeß der Vergesellschaftung feststellte: Der Vergesellschaftungsprozeß im Sozialismus ist notwendigerweise durch eine ständige Vervollkommnung der Planung charakterisiert. Er wies darauf hin, daß sich die Vergesellschaftung von einfacher Konfiskation gerade durch die Fähigkeit, richtig zu registrieren und richtig zu verteilen, unterscheidet und daß man ohne eine solche Fähigkeit nicht vergesellschaften kann.[5]

[5] Vgl. W. I. Lenin, Über „linke" Kinderei und über Kleinbürgerlichkeit, in: Werke, Bd. 27, Berlin 1960, S. 326.

H. Menzzer

Zu einigen Problemen der Entwicklung des sozialistischen Wettbewerbs in den sozialistischen Betrieben und Kombinaten

In der These 6 der vorgelegten Thesen werden wichtige und interessante Aussagen über die Rolle des sozialistischen Wettbewerbs bei der Leitung, Planung und ökonomischen Stimulierung der Betriebe und Kombinate getroffen, die in der Grundlinie mit den durch unsere Arbeit als Rat für Wettbewerbsfragen ermittelten Ergebnissen übereinstimmen. Sie decken sich insbesondere auch mit Grundaussagen einer im Januar 1977 von der Gewerkschaftshochschule „Fritz Heckert" beim Bundesvorstand des FDGB durchgeführten Befragung von 2659 in der Produktion beschäftigten Werktätigen aus 11 Betrieben sowie Ergebnissen anderer Untersuchungen, die unsere Hochschule in den zurückliegenden 1½ Jahren durchgeführt hat. Diese Befragung und Untersuchungen zeigten, bezogen auf das heutige Thema, u. a.

– ein wesentliches Anwachsen der auf gesamtgesellschaftliche bzw. gesamtbetriebliche Zielstellungen gerichteten Motive der Wettbewerbsteilnahme im Prozeß der Vorbereitung und Auswertung des IX. Parteitages der SED. So erklärten 64,7% der Befragten, daß die wesentlichsten Motive für ihre Teilnahme am sozialistischen Wettbewerb der persönliche Beitrag zur Erfüllung des sozialpolitischen Programms und der eigene Beitrag zur Erfüllung der ökonomischen Aufgaben des Betriebes ist. Diese Aussage wird auch bei einer Analyse jedes einzelnen der 11 Betriebe in ihrer Grundlinie bestätigt;

– daß bei den Motiven für die Wettbewerbsteilnahme, der Meinung über seine Zielstellung und den Auffassungen über seine Ergebnisse, die aus den Faktoren der Intensivierung abgeleiteten Wettbewerbsaufgaben den entscheidenden Platz einnehmen. So nennen zwischen 67% und 85% aller Befragten bei den Zielstellungen des sozialistischen Wettbewerbs solche mit der Intensivierung der Produktion verbundenen Faktoren, wie die Qualität der Produktion, die Einsparung von Material und Energie, die Ausnutzung der Maschinen und Anlagen und die Auslastung der Arbeitszeit;

– daß immer stärker der enge Zusammenhang von Plan, Gegenplan und sozialistischem Wettbewerb von den Wettbewerbsteilnehmern verstanden wird und direkt auf seine quantitative und qualitative Entwicklung wirkt. So nennen z. B. 85,4% aller Befragten als wichtigstes Ziel des sozialistischen Wettbewerbs die Erfüllung und Überbietung des Planes;

– daß die sozialistische Gemeinschaftsarbeit als eine wesentliche Seite der Initiative der Werktätigen im sozialistischen Wettbewerb neue Qualitäten gewinnt. Das wird insbesondere daran deutlich, daß in zunehmendem Maße die Gemeinschaftsarbeit über die Zusammenarbeit von Einzelvertretern der Kollektive hinauswächst und mehr zur Zusammenarbeit zwischen ganzen Kollektiven der Forschung und Entwicklung, der Projektierung und Konstruktion und der Produktion entwickelt wird. Ein hervorragendes Beispiel dafür gibt die Arbeit nach den Komplexplänen der Intensivierung wie sie im Petrolchemischen Kombinat Schwedt insbesondere in der Aromatenabteilung entwickelt wurden. Diese Initiative ist vor allem dadurch gekennzeichnet, daß sie die Wettbewerbsinitiative mit Hilfe der sozialistischen Gemeinschaftsarbeit einerseits auf die weitere Erhöhung der Ausnutzung der Anlagen und eine hohe Qualität der Produkte und andererseits auf die vertiefte Nutzung der Erfahrungen der Produktionskollektive, der Mitarbeiter des Labors usw. für die Erfüllung der Forschungsaufgaben lenkt.

Diese hier kurz charakterisierten Prozesse kennzeichnen auch gute Ausgangspositionen für die Verwirklichung der Beschlüsse des 9. FDGB-Kongresses hinsichtlich des sozialistischen Wettbewerbs. Allerdings geht es eben darum, sie in allen Betrieben und Kombinaten voll zur Wirksamkeit zu bringen. Gestatten Sie, davon ausgehend, darauf hinzuweisen, daß der 9. FDGB-Kongreß die Aufmerksamkeit auf eine ganze Reihe von Aufgaben und Problemen gelenkt hat, die mit dem Gegenstand unserer heutigen Beratung direkt im Zusammenhang stehen und die meines Erachtens, ausgehend von den Aussagen der These 6, weiter untersucht werden sollten. Es handelt sich dabei um folgende Aufgaben- und Problemstellungen:

1. Der Kongreß unterstrich, gestützt auf die Rede des Generalsekretärs des ZK der SED und Vorsitzenden des Staatsrates Genossen Erich Honecker, erneut die hervorragende Bedeutung der Arbeitskollektive für die gewerkschaftliche Arbeit. Damit ist zugleich die weiterwachsende Bedeutung des sozialistischen Wettbewerbs der Arbeitskollektive und der damit eng verknüpften Bewegung „Sozialistisch arbeiten, lernen und leben" betont. Meines Erachtens sollte deshalb in unserer Arbeit stärker die große Bedeutung der Bewegung „Sozialistisch arbeiten, lernen und leben" und die vom Genossen Honecker formulierten höheren Anforderungen beachtet werden. Die in Vorbereitung des 9. FDGB-Kongresses geführte Diskussion und der Kongreß selbst lassen dabei insbesondere zwei wesentliche Erkenntnisse herausragen, nämlich

a) die Tatsache, daß die Bewegung „Sozialistisch arbeiten, lernen und leben" in ihrer Gesamtheit auf die Verwirklichung der sozialistischen Lebensweise gerichtet ist und in hervorragender Weise vorbildliche Arbeitsleistungen im sozialistischen Wettbewerb mit den hohen moralischen, ethischen und politisch-ideologischen Ansprüchen zur sozialistischen Lebensweise verbindet[1];

b) daß die Wesenszüge des sozialistischen Wettbewerbs, das schöpferische Wetteifern, die kameradschaftliche Zusammenarbeit und gegenseitige sozialistische Hilfe und die Entwicklung vielfältiger Wettbewerbsinitiativen, gleichzeitig die bestimmenden Seiten des sozialistischen Arbeitens, Lernens und Lebens in den Kollektiven darstellen.[2] Bei der weiteren Entwicklung der Bewegung „Sozialistisch arbeiten, lernen und leben" sind insbesondere die vom Genossen Erich Honecker auf dem 9. FDGB-Kongreß formulierten qualitativ höheren Ansprüche zu beachten. Es handelt sich hier um weitere qualitative Fortschritte in der Arbeit, beispielhafte Leistungen bei der Steigerung der Produktion durch Wissenschaft und Technik, das ständige Streben, neue Arbeitserfahrungen anzuwenden, steigende geistige und kulturelle Ansprüche sowie die weitere Herausbildung von Keimen der kommunistischen Einstellung zur Arbeit[3].

2. Der 9. FDGB-Kongreß formulierte eindeutig die Rolle und den Platz der Gewerkschaften bei der Organisierung des sozialistischen Wettbewerbs sowie damit ver-

[1] Vgl. H. Tisch, Bericht des Bundesvorstandes des FDGB an den 9. FDGB-Kongreß, in: Dokumente 9. FDGB-Kongreß 16.–19. Mai 1977, Berlin 1977, S. 16.

[2] Vgl. ebenda, S. 17.

[3] Vgl. E. Honecker, Wir haben ein Programm des Wachstums, des Wohlstandes und der Stabilität, in: Neues Deutschland vom 18. Mai 1977, S. 3.

bundene Anforderungen an die Zusammenarbeit von staatlichen Leitern und gewerkschaftlichen Leitungen.[4] Sie lassen sich wie folgt zusammenfassen:

a) die Gewerkschaften organisieren den sozialistischen Wettbewerb entsprechend den volkswirtschaftlichen Erfordernissen und den konkreten betrieblichen Aufgaben und Bedingungen.

b) Die Gewerkschaften arbeiten bei der Lösung dieser Aufgaben eng mit den staatlichen Leitern zusammen, deren Pflicht darin besteht, alle Bedingungen für die wirksame Führung des Wettbewerbs durch die Gewerkschaften und für die Erfüllung der Wettbewerbsziele zu schaffen. Dazu gehört zum Beispiel die Planaufschlüsselung, die regelmäßige Rechenschaftslegung, die Organisierung der Arbeit nach wissenschaftlichen Grundsätzen usw. All das muß gerichtet sein auf eine gezielte, einfache, überschaubare, öffentliche Führung und Auswertung des sozialistischen Wettbewerbs.

3. Die Führung des sozialistischen Wettbewerbs verlangt die konsequente Verwirklichung der Leninschen Wettbewerbsprinzipien in ihrer Gesamtheit. Nicht zuletzt deshalb wenden wir uns als Gewerkschaften gegen solche Erscheinungsformen des Formalismus wie Zahlenhascherei, Bürokratismus im Wettbewerb, ungenügende Beachtung der betrieblichen und zweigspezifischen Bedingungen. Ich möchte in diesem Zusammenhang auf ein Problem aufmerksam machen, das meines Erachtens sowohl in der Wirtschaftspraxis als auch in der ökonomischen Forschung stärker zu berücksichtigen ist. Es handelt sich um die Tatsache, daß es gegenwärtig zwar eine Vielzahl von unterschiedlichen Wettbewerbsinitiativen von den Notizen zum Plan bis zu den Aktivitäten auf dem Gebiet der Qualitätsarbeit usw. gibt. Dabei handelt es sich jedoch überwiegend um Initiativen, die spezifische Seiten oder Aspekte der Intensivierung erfassen, weniger um das Erfassen und Ausschöpfen zweig- und betriebsspezifischer Bedingungen. Hier liegt meines Erachtens ein echtes Feld weiterer Analysen und Aktivitäten, die gemeinsam von den staatlichen Leitern und den gewerkschaftlichen Leitungen ausgelöst werden sollten.

[4] Vgl. Entschließung des 9. FDGB-Kongresses, in: Neues Deutschland vom 23. Mai 1977, S. 3.

4. Schlußwort

G. Schulz

Schlußbemerkungen zur 22. Tagung des Wissenschaftlichen Rates für die wirtschaftswissenschaftliche Forschung am 10. Juni 1977

Ausgangspunkt und konzeptionelle Grundlinie unserer heutigen Beratung war die Aufgabenstellung des Programms der SED, „den demokratischen Zentralismus zu stärken, indem die zentrale staatliche Leitung und Planung mit der schöpferischen Aktivität der Werktätigen und der eigenverantwortlichen Tätigkeit der Betriebe, Kombinate, VVB und Genossenschaften sowie der örtlichen Staatsorgane wirkungsvoll verbunden wird".[1] Es war von der Leitung des wirtschaftswissenschaftlichen Rates voll beabsichtigt, sich dabei auf die weitere Vervollkommnung der Leitung, Planung und Stimulierung der Wirtschaftstätigkeit in den Kombinaten zu konzentrieren, wo ja bekanntlich – wie in den Betrieben überhaupt – durch die schöpferische Arbeit der Werktätigen die Vorzüge und Triebkräfte des Sozialismus und die Wachstumsfaktoren realisiert werden, wo am Tempo und Niveau der materiellen Produktion, ihrer Bedarfsgerechtheit und ihrer Effektivität letztlich der Nachweis zu erbringen ist, ob die ökonomischen Gesetze des Sozialismus wirkungsvoll ausgenutzt werden, woran wiederum die Wirksamkeit der Leitung, Planung und Stimulierung zum Ausdruck kommt.

Gerade dazu hat die heutige Beratung einen konstruktiven Beitrag geleistet, indem aktuelle Fragen der weiteren Vervollkommnung der Leitung, Planung, Organisation, Stimulierung und der Vergesellschaftung vornehmlich der Produktion in den Kombinaten mit dem Blick auf die konsequente Vertiefung der Intensivierung im Interesse hoher Effektivität und Qualität behandelt wurden. Inhalt und Richtung unserer Tagung stimmten völlig überein mit der prinzipiellen Feststellung des Genossen Erich Honecker auf dem 9. Kongreß des FDGB:

„Mit der Effektivität unserer Produktion entscheiden wir über den Spielraum unserer Sozialpolitik. Das Verhältnis von Aufwand und Ergebnis zu verbessern, darauf zielt deshalb alles ab, was wir in unserer Ökonomie tun. Nicht zuletzt gilt das für die Maßnahmen, die wir gegenwärtig treffen, um das wissenschaftlich-technische Potential der Kombinate und Betriebe zu verstärken, es besser zu nutzen und zugleich die Zusammenarbeit zwischen der Industrie, den Einrichtungen der Akademie der Wissenschaften der DDR und unseres Hochschulwesens enger zu gestalten."[2]

Die zur Tagung vorgelegten Thesen – hinter denen sich eine umfangreiche Analyse komplizierter ökonomischer Prozesse in der Praxis verbirgt und die von den Professoren Gerd Friedrich, Rudolf Gerisch, Fritz Haberland und Lothar Hummel ausgearbeitet wurden – und das Einführungsreferat von Genossen Friedrich lösten eine interessante, problemreiche und sehr anregende Diskussion aus. Es bewährte sich erneut, daß Vertreter zentraler Partei- und Staatsorgane, der Wirtschaftspraxis und Theorie

[1] Programm der Sozialistischen Einheitspartei Deutschlands. Berlin 1976, S. 34/35.

[2] E. Honecker, Wir haben ein Programm des Wachstums, des Wohlstandes und der Stabilität, in: Neues Deutschland vom 18. Mai 1977, S. 3.

aus verschiedener Sicht der komplizierten Problematik zu Leibe rückten. Besonders hervorzuheben ist der konstruktive Erfahrungsaustausch der Vertreter der Kombinate sowie zentraler Partei- und Staatsorgane.

Thesen, Referat und Diskussion widerlegen die mitunter anzutreffende Auffassung, wonach das System der Leitung, Planung und Stimulierung bereits weitgehend den heute im Vergleich zu früher ungleich komplizierteren ökonomischen Bedingungen entsprechen würde und punktuelle Verbesserungen ausreichend seien. Solche Feststellungen sind nicht geeignet, die Vertreter von Theorie und Praxis darauf zu orientieren, in Gemeinschaftsarbeit konstruktive, systemhafte, auf komplexe Nutzung der Intensivierungsfaktoren gerichtete Vorschläge zur weiteren Vervollkommnung der Leitung, Planung und Stimulierung zu unterbreiten. Genosse Joachim Oelschlägel verwies darauf, daß die entsprechenden theoretischen Grundlagen und Vorschläge bereits 1978 zu unterbreiten sind, damit sie z. B. Eingang in die neue Planungsordnung für 1981 bis 1985 finden können.

Da der wirtschaftsleitende Überbau dem erreichten Niveau der ökonomischen Basis (als Gesamtheit der Produktionsverhältnisse) zu entsprechen hat, ist die Analyse des erreichten Reifegrades der sozialistischen Produktionsverhältnisse und die begründete Darstellung ihrer Hauptentwicklungsrichtungen eine unerläßliche Grundlage für die weitere Vervollkommnung der Leitung, Planung und Stimulierung. Das schließt die Notwendigkeit ein, das erreichte Niveau der Produktivkräfte ebenfalls zu untersuchen, da diese als revolutionäres Element der Produktionsweise bekanntlich die Entwicklung der Produktionsverhältnisse prägen. Damit sollen jene komplizierten Zusammenhänge angedeutet werden, die es bei der Vervollkommnung der planmäßigen Leitung zu beachten gilt. In der Diskussion wurde darauf hingewiesen, daß die ökonomischen Prozesse, vor allem die komplizierte Ressourcenlage, die materiell-technische Versorgung Einfluß auf die Leitung, Planung und Stimulierung haben. Dieser bestehende Zusammenhang sollte die Ökonomen nicht daran hindern, unter Beachtung dieses Tatbestandes ernsthaft über die weitere Vervollkommnung der Leitung, Planung und Stimulierung nachzudenken und konstruktive Vorschläge zu unterbreiten.

In diesem Zusammenhang sollten zwei Gesichtspunkte aus der Rede des Genossen Breshnew zum Entwurf der neuen Verfassung der UdSSR bedacht werden. Genosse Breshnew stellte fest: „Es wurde auch eine solche wichtige Grundlage der sozialistischen Wirtschaft verankert, wie die Verbindung der planmäßigen zentralisierten Leitung mit der wirtschaftlichen Selbständigkeit und der Initiative der Betriebe und Vereinigungen." Und weiter: „Es ist sehr wichtig, daß dem Entwurf Möglichkeiten zur ständigen Vervollkommnung des gesamten Systems der sozialistischen Wirtschaftsführung, der ganzen Arbeit der Planungs- und anderen Organe der Leitung der Wirtschaft und der Kultur innewohnen."[3]

Die ökonomischen und sozialen Probleme des wissenschaftlich-technischen Fortschritts standen im Zentrum der Thesen und der Diskussion. Zu seiner Rolle als Haupthebel für Leistungsanstieg und ökonomisches Wachstum und Konsequenzen für seine planmäßige Leitung gab es viele interessante Anregungen. Zugleich wurde deutlich, die Forschungsarbeit auf diesem Gebiet zu verstärken.

Bei dieser Gelegenheit möchte ich auf eine kürzlich stattgefundene Beratung mit den Vorsitzenden der gesellschaftswissenschaftlichen Räte verweisen, in der es um den

[3] Rede des Generalsekretärs des ZK der KPdSU und Vorsitzenden der Verfassungskommission der UdSSR auf dem Plenum des ZK der KPdSU am 24. Mai 1977, in: Neues Deutschland vom 6. 6. 1977, S. 3.

künftigen Beitrag der Gesellschaftswissenschaftler zur Beschleunigung des wissenschaftlich-technischen Fortschritts ging. Für die ökonomische Forschung wurden vor allem folgende Schwerpunkte hervorgehoben:

1. Die planmäßige Gestaltung des Zyklus Wissenschaft–Technik–Produktion zur Erneuerung der qualitativen Höherentwicklung des Reproduktionsprozesses (nicht als isoliertes naturwissenschaftlich-technisches Problem);

2. die Erhöhung der Aufnahmefähigkeit, die Überleitung und Ausbreitung des wissenschaftlich-technischen Fortschritts in der materiell-technischen Basis und in der Produktion als Bedingung höherer Effektivität;

3. die Vervollkommnung der Leitung, Planung und Stimulierung des wissenschaftlich-technischen Fortschritts, jedoch eingeordnet in das System der Leitung, Planung und Stimulierung der gesamten Volkswirtschaft;

4. die Gestaltung der Bedingungen für hohe schöpferische Leistungen, die Bewertung dieser Leistungen, eine wirksame materielle und moralische Interessiertheit, eine höhere Wirksamkeit des sozialistischen Wettbewerbs und die Vertiefung der Masseninitiative.

Dabei ist besonders die Komplexität des wissenschaftlich-technischen Fortschritts zu beachten, wobei die Notwendigkeit des koordinierten Zusammenwirkens der Beteiligten, ausgerichtet auf bedarfs- und qualitätsgerechte Endresultate, und der Einheit von wissenschaftlich-technischem, ökonomischem, sozialem und geistig-kulturellem Fortschritt hervorgehoben wurde.

Der IX. Parteitag unterstrich, daß die Ausrichtung der Leitung, Planung und ökonomischen Stimulierung auf die Intensivierung der Produktion es erforderlich macht, volkswirtschaftlichen und betrieblichen Nutzen noch besser in Übereinstimmung zu bringen. Mit dem „Beschluß zur Leistungsbewertung der Betriebe und Kombinate" sowie der „Richtlinie zur weiteren Qualifizierung der Leitung, Planung, Abrechnung und Stimulierung hoher Produktionsleistungen zur Vertiefung der Intensivierung in den Industrie- und Baubetrieben" sind die hierfür wichtigen Rahmenbedingungen gesetzt.

Die der Beratung vorgelegten Thesen enthalten eine prinzipielle Einschätzung der Rolle und Wirkung des Beschlusses zur Leistungsbewertung der Betriebe und Kombinate. Diese Thematik nahm einen breiten Raum in der Diskussion ein. Wie in der Diskussion hervorgehoben, wurde mit diesem Beschluß in der Wirtschaftspraxis weitere Schritte zur Vertiefung der Intensivierung und zur Erhöhung von Qualität und Effektivität der Arbeit getan. Die positiven Wirkungen, die von diesem Beschluß ausgehen, beruhen vor allem darauf, daß mit der Leistungsbewertung bei der Planausarbeitung, Plandurchführung und Planabrechnung wirksamer die Übereinstimmung von volkswirtschaftlichen Anforderungen an die Intensivierung der gesellschaftlichen Produktion und betrieblichen Interessen angestrebt wird. Damit finden die Initiativen der Werktätigen ein breiteres Betätigungsfeld und können zielgerichteter auf volkswirtschaftliche Erfordernisse gelenkt werden.

Die Verwirklichung des Beschlusses ist ein komplizierter und komplexer Prozeß, bei dem sich gegenwärtig positive Wirkungen und komplizierte Probleme – sowohl in methodischer als auch in ideologischer Hinsicht – kreuzen. So ist z. B. ein Problem von Gewicht bei der Preisbildung nach dem Preis-Leistungs-Verhältnis die objektive Bewertung der Entwicklung der Gebrauchseigenschaften neuer Erzeugnisse gegenüber den Vergleichserzeugnissen. Bei der Auswahl der Parameter und der Wichtungsfaktoren für die Gebrauchswertquantifizierung ist stärker von der Wirkung auf die Anwenderbetriebe auszugehen. Preis und Gebrauchswert müssen in ein solches Verhältnis zueinander gebracht werden, daß auch beim Anwender ein Effektivitätszuwachs eintritt. Dabei ist der Weltstandsvergleich von großer Bedeutung, um dem mitunter künstlich konstruierten „betrieblichen Gebrauchswert-Parameter-Niveau" entgegenzuwirken und die richtige Orientierung im Kampf um Spitzenleistungen, bezogen auf Gebrauchswert und Kosten, zu geben.

Mit dem Beschluß zur Leistungsbewertung erhalten die qualitativen Wachstumsfaktoren in der Planausarbeitung, -durchführung und -abrechnung der Betriebe stärkeres Gewicht. Das führte zur Erhöhung der Qualität der Intensivierungskonzeptionen, die stärker auf die komplexe Nutzung der Intensivierungsfaktoren ausgerichtet wurden. Mitunter wird allerdings die notwendige Einheit qualitativer und quantitativer Faktoren noch vernachlässigt bzw. gegenübergestellt. Das quantitative Wachstum darf nicht vernachlässigt werden, es ist jedoch durch qualitative Faktoren – die es konsequenter zu nutzen gilt – zu erschließen. Damit ist ein weiteres Problem verbunden. Die bedarfsgerechte Produktion darf nicht der Forderung nach hoher Effektivität gegenübergestellt werden. Das höchste Ziel der sozialistischen Produktion erfordert bedarfs- und qualitätsgerechte Produktion mit hoher Effektivität. Beide Forderungen bilden eine Einheit.

In unserer heutigen Diskussion spielte auch die Frage der Preisbildung nach dem Preis-Leistungs-Verhältnis eine Rolle. In den Thesen wird folgender Standpunkt vertreten:

Die Preisbildung nach dem Preis-Leistungs-Verhältnis ist ein planmäßiges Abweichen der Preise vom gesellschaftlich notwendigen Arbeitsaufwand. Der sozialistische Staat nutzt im Rahmen der marxistisch-leninistischen Werttheorie die ökonomischen Gesetze bei planmäßiger Inkongruenz von Wert und Preis aus, um bestimmte ökonomische Wirkungen im gesellschaftlichen Interesse auszulösen. Dieses Problem steht im unmittelbaren Zusammenhang mit der weiteren Vervollkommnung der Leitung, Planung und ökonomischen Stimulierung der Volkswirtschaft.

Eine andere Position, die ich hier erwähnen möchte und die in der Forschungsarbeit gründlicher untersucht werden sollte, läuft darauf hinaus, daß die Einbeziehung von Gebrauchswertparametern bei der Preisbildung nach dem Preis-Leistungs-Verhältnis den Preis nicht von seiner Wertgrundlage wegführe, sondern eine weitere Annäherung an den Aufwand bedeute. Es geht also um die Frage, welche Rolle der Gebrauchswert bei der Bestimmung des Wertes und seiner Größe spielt. Damit wird beabsichtigt, die volkswirtschaftliche Dynamik besser widerzuspiegeln, die durch Veränderungen in der Qualität der Produktionsresultate verursacht wird. Die Produktionsergebnisse sollen stärker unter dem Blickwinkel ihrer gesellschaftlichen Nützlichkeit betrachtet werden, wobei die Produktionskosten Grundlage der Preisbildung sind. Damit wird nicht in Frage gestellt, daß der Wert Ausdruck des gesellschaftlich notwendigen Arbeitsaufwandes ist.

Wir sind der Auffassung, daß alle weiteren theoretischen Überlegungen zur Preisbildung nach dem Preis-Leistungs-Verhältnis in Übereinstimmung mit der Marxschen Arbeitswerttheorie erfolgen müssen, die unabdingbar als objektive Grundlage für die planmäßige Preisbildung anzusehen ist. Für Theorie und Praxis sollte eine vorrangige Aufgabe darin bestehen, solche Lösungen herauszuarbeiten und anzuwenden, die den Erfordernissen der objektiven ökonomischen Gesetze des Sozialismus und ihren gegenwärtig und künftig gegebenen Wirkungsbedingungen am besten entsprechen und damit die Wirksamkeit der Leitung, Planung und ökonomischen Stimulierung auf die Vertiefung der Intensivierung und die Effektivität der gesellschaftlichen Arbeit im Interesse stetig besserer Befriedigung der Bedürfnisse weiter erhöhen.

Die vorliegenden Thesen sind durchgängig durch eine ausgewogene und zugleich differenzierte Behandlung der *weiteren Vergesellschaftung der Produktion gekennzeichnet.* Wenn dieser Fakt nochmals hervorgehoben wird, so deswegen, weil es oft einseitige Auffassungen von der Vergesellschaftung der Produktion gibt (z. B. ausschließliche Betonung der Größe der Wirtschaftseinheit, Klein- und Mittelbetriebe seien im Gefüge der sozialistischen Wirtschaft überflüssig, Wirkungsfeld der Vergesellschaftung wird auf das eigene Land begrenzt usw.). Auf die Industrie bezogen wurden differenzierte vielfältige Wege und Methoden der weiteren Vergesellschaftung hervorgehoben, wie die Festigung der Kombinate, die Neubildung von Kombinaten, die Rolle der VVB, die Erzeugnisgruppenarbeit sowie die Entwicklung von Kooperations- und Produktionszentren (vornehmlich für Kleinbetriebe). Entscheidende Kriterien sind dabei die bedarfsgerechte Produktion und Versorgung sowie bedeutende Fortschritte, die Effektivität der Arbeit zu erhöhen.

Die Probleme der heutigen Tagung werden uns noch über einen längeren Zeitraum ernsthaft in der wissenschaftlichen Arbeit beschäftigen. Dazu gehört die Erforschung

– der Entwicklungstendenzen der Leitung der Wirtschaft in der entwickelten sozialistischen Gesellschaft,

– der Leitungsaufgaben zur allseitigen Intensivierung, Steigerung der Arbeitsproduktivität, der weiteren Erhöhung der Effektivität und der Qualität sowie einer bedarfsgerechten Produktion,

– der Aufgaben und Wege der weiteren Vervollkommnung der Wirtschafts- und Leitungsorganisation in der Industrie, besonders die weitere Festigung der Kombinate und die Vervollkommnung ihrer Leitung,

– der Anforderungen an das sozialistische Leiterverhalten und die Leitungsbeziehungen in der Wirtschaft zur vollen Entfaltung der Initiative der Werktätigen.

In Übereinstimmung mit dem Vorsitzenden des Wissenschaftlichen Rates für Fragen der Leitung in der Wirtschaft sollen abschließend einige Richtungen der ökonomischen Forschung aus der Sicht des heutigen Themas hervorgehoben werden.

Im Mittelpunkt der Arbeit steht die Forderung – und das gilt nicht nur für jene wissenschaftlichen Einrichtungen, die im Rahmen des Rates für Fragen der Leitung der Wirtschaft zusammenarbeiten, sondern tangiert die Wirtschaftswissenschaften insgesamt –, wissenschaftliche Aussagen zu liefern, um den ganzen Organismus der Leitung, Planung und ökonomischen Stimulierung immer konsequenter auf die intensiv erweiterte Reproduktion einzustellen. Dazu gehören folgende Aufgaben:

– Es geht um die weitere Entwicklung der Wirtschaftsorganisation, besonders die Entwicklung der Kombinate in Industrie und Bauwesen zu Grundgliedern des volkswirtschaftlichen Reproduktionsprozesses. Hierzu sind weitere wissenschaftliche Untersuchungen sowohl zur Entwicklung der materiellen Grundstruktur der Kombinate als auch zu ihrer Stellung im Gesamtsystem der staatlichen Leitung der Volkswirtschaft notwendig.

– Die weitere Entwicklung der Leitung und Planung ist in der Richtung zu vervollkommnen, daß Neuerungs- und strukturverändernde Prozesse in ihrer Komplexität immer besser gestaltet, daß die komplexe Wirkung der Intensivierungsfaktoren für die Erhöhung der Effektivität der Volkswirtschaft noch besser genutzt werden können, um die Erfüllung der wirtschafts- und sozialpolitischen Ziele der Partei insgesamt zu gewährleisten. Hierbei geht es unter anderem um wissenschaftliche Grundlagen und praktikable Aussagen zu solchen Methoden der Planung, wie die Ziel-Programm-Planung, die Anwendung von Formen der Verflechtungsbilanzierung, um die Proportionalität unter Bedingungen wachsender Dynamik besser nutzen zu können. Es geht weiterhin um Methoden der besseren Abstimmung der Planung von Wissenschaft und Technik und Investitionsplanung sowie des Einsatzes des gesellschaftlichen Arbeitsvermögens, und in diesen Komplex ist schließlich auch eingeschlossen die weitere Vervollkommnung der Organisation, besonders zur Sicherung der engen Verbindung von Wissenschaft, Technik und Produktion.

– Die komplexe Nutzung der Intensivierungsfaktoren erfordert noch gründlichere Untersuchungen der Entwicklung der Masseninitiative, der Führung des sozialistischen Wettbewerbs, der Leitung von Kollektiven.

– Schließlich wurde in unserer Beratung deutlich, daß für die Vertiefung der Intensivierung die noch stärkere Durchsetzung des Leistungsprinzips in der Leitung und durch die Leitung der Wirtschaft unerläßlich ist. Darin eingeschlossen liegen Anforderungen an die wissenschaftliche Arbeit auf dem Gebiete der WAO, der Einführung der Grundlöhne und der stärkeren Nutzung der Prämienmittel zur Stimulierung hoher Leistungen. Stärkere Nutzung des Leistungsprinzips betrifft schließlich auch die Leistungsbewertung von Kollektiven, von Betrieben und Kombinaten. Damit im Zusammenhang stehen Forschungsarbeiten im Wissenschaftlichen Rat für Fragen der Ökonomie und Organisation der Arbeit, aber auch weitere Schritte in der Vervollkommnung der wirtschaftlichen Rechnungsführung, wie sie durch den Wissenschaftlichen Rat für Fragen der Vervollkommnung der Planung und wirtschaftlichen Rechnungsführung sowie durch den Wissenschaftlichen Rat für Fragen der sozialistischen Betriebswirtschaft erforscht werden.

Abschließend möchte ich auf drei Umstände aufmerksam machen, die für die Wirksamkeit unserer wissenschaftlichen Arbeit gerade auf dem Gebiet der Leitung in der sozialistischen Wirtschaft von entscheidender Bedeutung sind:

Erstens: Diese Arbeiten – und das zeigt unsere heutige Beratung – sind nur in engstem Zusammenwirken mit der Praxis durchführbar, ja sie stellen in einem hohen Grade selbst die Verallgemeinerung praktischer Erfahrungen der Leitungstätigkeit dar. Sie zielen darauf ab, beste Formen und Methoden, wie sie sich in der Bewältigung der Intensivierung der Produktion bewährt haben, in breiterem Maße durchsetzen zu helfen.

Zweitens: Der Druck auf praktikable Lösungen, die den ökonomischen Bedingungen der wirtschafts- und sozialpolitischen Zielsetzung entsprechen, wird immer spürbarer, so daß hier ein breites Bewährungsfeld der Wissenschaft entsteht, ihres engen Zusammenwirkens mit der Praxis, das auch in stärkerem Maße interdisziplinäre Untersuchungen erforderlich macht.

Drittens: Schließlich ergibt sich als eine wichtige Forderung an die wissenschaftliche Arbeit auf dem Gebiete der Leitung und Planung, daß die Resultate rechtzeitig, das heißt zu den Zeitpunkten, wo praktische Veränderungen heranreifen, bereitgestellt werden müssen. Wichtig ist in diesem Zusammenhang vor allem die Erarbeitung solcher Lösungen, die im Übergang zum nächsten Fünfjahrplan, das heißt für den Zeitraum von 1981 bis 1985 wirksam werden sollen. Das erfordert wiederum, zu einer Reihe von Fragen die Untersuchungen bis spätestens zum Zeitraum 1978/1979 abzuschließen, um für diesen nächsten Fünfjahrplanzeitraum auf dem Gebiete der Leitung, Planung und Stimulierung vom Standpunkt ihrer wissenschaftlichen Fundierung besser gerüstet zu sein.

Berichtigungshinweis zu Heft W 5/1977:
Auf Seite 97, Zeile 11, muß es richtig heißen: „... zwischen Stadt und Land ...“

Kolibri 360 GmbH
Ferdinand-Jühlke-Straße 7
99095 Erfurt, Deutschland
produktsicherheit@kolibri360.de